GUIDEXPRESS
Créez vos pages Web
RAPIDE
FACILE
EN COULEUR
Images
Diffusion
Web
Sons
Cadres
Tableaux
Micro Application

Edition Mai 99

Auteur Rainer Werle

Traduction BOUTAYEB Samy

ISBN : 2-7429-1408-0
Réf DB : 441421

FRANCE - MICRO APPLICATION
20,22 rue des Petits-Hôtels
75010 PARIS
Tél : (01) 53 34 20 20 - Fax : (01) 53 34 20 00
http://www.microapp.com
Support Technique :
Tél : (01) 53 34 20 46 - Fax : (01) 53 34 20 00
E-mail : info-ma@microapp.com

BELGIQUE - EASY COMPUTING
Chaussée d'Alsemberg, 610
1180 BRUXELLES
Tél. : (02) 346 52 52 - Fax : (02) 346 01 20
http://www.easycomputing.com

CANADA - MICRO APPLICATION Inc.
1650 Boulevard Lionel-Bertrand
BOISBRIAND (QUÉBEC) - J7H 1N7
Tél. : (450) 434-4350 - Fax : (450) 434-5634
http://www.microapplication.ca

SUISSE - HELVEDIF SA
19, Chemin du Champ des Filles
CH-1228 PLAN LES OUATES
Tél. : (022) 884 18 08 - Fax : (022) 884 18 04
http://www.helvedif.ch

MAROC - CONCORDE DISTRIBUTION
8, rue Jalal Eddine Essayouti - Rés. "Le Nil"
Quartier Racine - CASABLANCA
Tél. : 239 36 65 - Fax : 239 28 45

ALGÉRIE - AL-YOUMN (Media Sud)
Bât. 23, N° 25 cité des 1 200 Logements
El khroub W/CONSTANTINE
Tél. - Fax : (04) 96 18 69
e-mail : al-youmn@aristote-centre.com

ILE DE LA RÉUNION -
ISYCOM SA SAUVEUR CACOUB
130 Ruelle Virapin
97440 SAINT ANDRE - ILE DE LA RÉUNION
Tél. : 02 62 58 41 00 - Fax : 02 62 58 42 00
Tél. : 01 48 78 12 47 - Fax : 01 40 82 92 34

AVANT-PROPOS

La collection *GUIDEXPRESS* propose une formation directe sur un thème précis, matériel ou logiciel. Elle s'articule autour d'exemples concrets, accompagnés d'un minimum de lecture. Les ouvrages de la collection sont basés sur une structure identique :

- Chaque chapitre est repéré par une couleur distincte, signalée dans le sommaire.
- Les étapes pratiques, numérotées, figurent dans un encadré de la couleur du chapitre. Elles sont ainsi immédiatement repérables.
- Les étapes essentielles sont accompagnées par une image. Pour un accès rapide à l'information, le texte est relié à l'illustration par une ligne en pointillés.
- Les informations complémentaires sont présentées dans un encadré indépendant.

Conventions typographiques

Afin de faciliter la compréhension des techniques décrites, nous avons adopté les conventions typographiques suivantes :

- **Gras** : menu, commande, onglet, bouton.
- *Italique* : rubrique, zone de texte, liste déroulante, case à cocher.
- `Courrier` : texte à saisir, adresses Internet.

Sommaire

Logiciels disponibles

Au tout début du World Wide Web (WWW), il n'y avait aucun logiciel spécialisé dans l'élaboration des pages Web. On prenait un programme de traitement de texte (par exemple le Bloc-notes, qui se trouve dans les Accessoires de Windows) et on tapait à la main le code HTML. HTML est l'acronyme de Hypertext Markup Language (langage de description de pages hypertextes). Ce langage comporte de nombreuses commandes de mise en forme des pages Web. Le problème est qu'il fallait les assimiler dans leur intégralité, ce qui était le lot des informaticiens chevronnés. Mais cette époque est maintenant révolue... On dispose actuellement d'excellents outils, qui permettent de réaliser rapidement des pages Web. Nulle connaissance en langage HTML n'est requise. Pour couronner le tout, on trouve de très bons éditeurs gratuits.

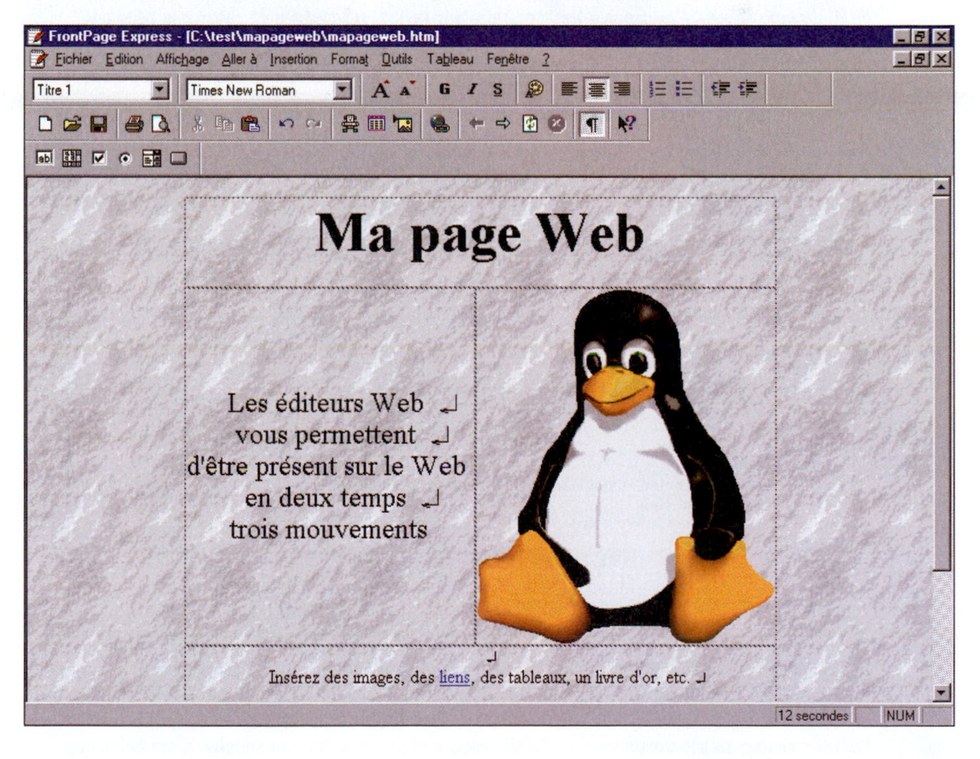

HTML ou WYSIWYG ?

Nous examinons dans le chapitre suivant quelques éditeurs gratuits de pages Web. Nous vous fournissons ensuite les adresses Internet où vous pouvez les récupérer. Mais voyons pour commencer les deux types d'éditeurs qui existent :

INFO

Deux types d'éditeurs Web

Les éditeurs HTML : vous n'êtes pas obligé de connaître les instructions HTML, mais il vous suffit par exemple de cliquer sur un bouton, tel que *Titre 1*, pour que l'instruction HTML correspondante soit insérée automatiquement. Cependant, vous devez préalablement charger la page dans votre navigateur pour visualiser le résultat à l'écran. Leur avantage réside en ce que les logiciels sont relativement légers, ce qui réduit de façon conséquence la durée du téléchargement. Cependant, cette qualité ne compense pas l'inconvénient que représente la multiplication des instructions HTML (même si vous n'avez pas à les apprendre par cœur), susceptible de rebuter le néophyte.

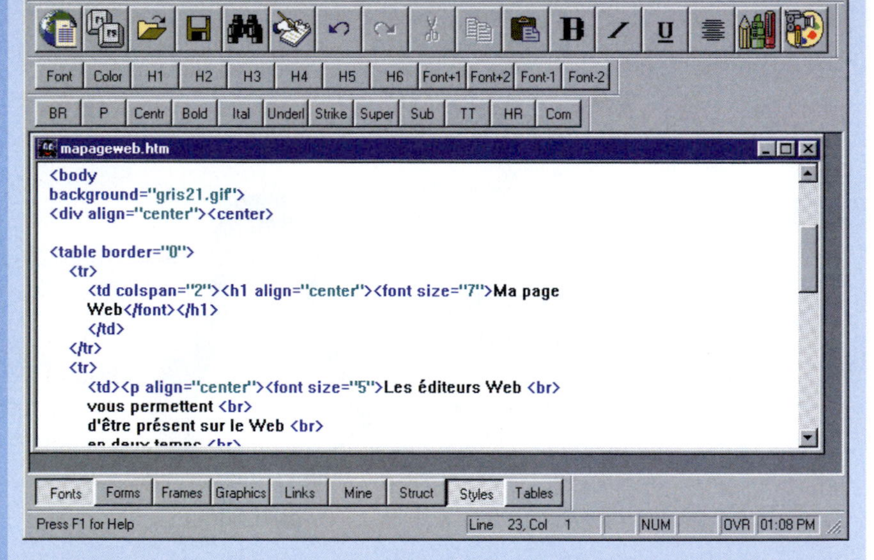

Les éditeurs WYSIWYG : WYSIWYG est l'acronyme de What You See Is What You Get (ce que vous voyez à l'écran correspond à ce que vous obtenez). Avec ces éditeurs, les pages Web s'affichent en cours de conception comme elles se présenteront sur l'écran du navigateur. Même si, là aussi, l'éditeur génère en sous-main du code HTML, vous n'avez pas à vous en soucier. C'est beaucoup plus agréable pour débuter, et de nombreux rédacteurs Internet s'y sont mis à leur tour.

Dans l'ensemble, les éditeurs WYSIWYG sont la manière la plus agréable pour aborder l'élaboration de pages Web. Il convient cependant de modérer ses ardeurs : lorsque l'on utilise un les éditeurs WYSIWYG, on est tenté d'éditer des pages superbes, sans penser à les tester systématiquement sur un navigateur (et sur plusieurs), afin de s'assurer que le résultat correspond bien à ce qu'on avait imaginé. Car les différents navigateurs accusent malheureusement quelques différences. Moralité : testez systématiquement vos pages sur un navigateur.

Deux mots sur les principaux éditeurs freewares

Actuellement, vous trouvez sur Internet plus d'une centaine d'éditeurs Web à télécharger. La plupart sont disponibles soit en freeware soit en shareware :

- **Les sharewares** : ce sont des logiciels complets que vous pouvez télécharger gratuitement sur le Web pour pouvoir les tester. Au bout d'un certain temps (30 jours en règle générale), vous devez vous enregistrer, si vous voulez continuer à exploiter le logiciel. Les frais d'inscription sont souvent de l'ordre de 300 francs.
- **Les freewares** : ce sont des logiciels complets que vous pouvez télécharger gratuitement sur le Web et utiliser sans limitation de durée.

Si vous souhaitez concevoir vos pages Web en un week-end, les éditeurs sharewares sont une bonne option : n'installez le logiciel qu'au moment de commencer à élaborer réellement vos pages. Ainsi, lorsque la période d'essai (de 30 jours) du logiciel sera écoulée, vos pages auront déjà été publiées et diffusées sur les cinq continents.

Mais bien souvent, l'élaboration d'une page Web se fait par intermittence. Vous pouvez également être amené à remanier vos pages bien longtemps après les avoir conçues. Dans de telles situations, ce sont les freewares qui vous conviendront. Ils vous dispensent de vous enregistrer, sans limitation de temps. Voici donc une compilation des principaux éditeurs freeware, assortie de brefs commentaires.

FrontPage Express

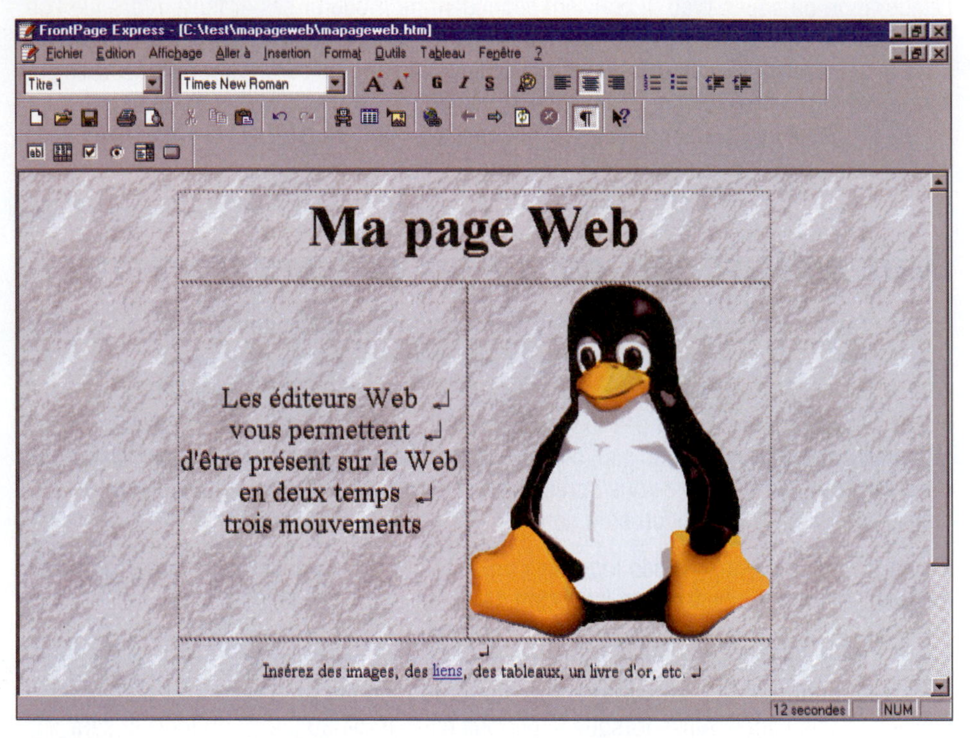

FrontPage Express est le «petit frère» de FrontPage 98. Mais si FrontPage 98 coûte plus de 1000 francs, FrontPage Express est, lui, gratuit. Il n'en demeure pas mois qu'il est l'un des meilleurs éditeurs WYSIWYG qui soit.

Où trouver FrontPage Express gratuitement ? Il est vraisemblable qu'il soit déjà sur votre disque dur. Car ce logiciel est installé en même temps qu'Internet Explorer (4.0 ou plus). Il est également fourni avec Windows 98 et avec les versions récentes de MS Office. Sélectionnez la commande **Démarrer/Programmes/Internet Explorer**, et vérifiez si FrontPage Express s'y trouve. Si c'est le cas, l'application est prête à être lancée.

Dans le cas contraire, vous avez deux possibilités : vous pouvez télécharger et installer Internet Explorer (4.0 ou plus) sur le site de Microsoft (`http://www.microsoft.com`). FrontPage Express sera alors également installé. Comme Internet Explorer est un progiciel volumineux, il vous faudra prévoir une durée de téléchargement relativement longue. Vous avez donc tout intérêt à réduire les frais au mieux. Pour cela, renseignez-vous auprès des éditeurs de revues informatiques qui joignent souvent à leurs périodiques des CD-Rom incluant Internet Explorer. Ainsi, vous ne déboursez que le prix de la revue.

Netscape Composer

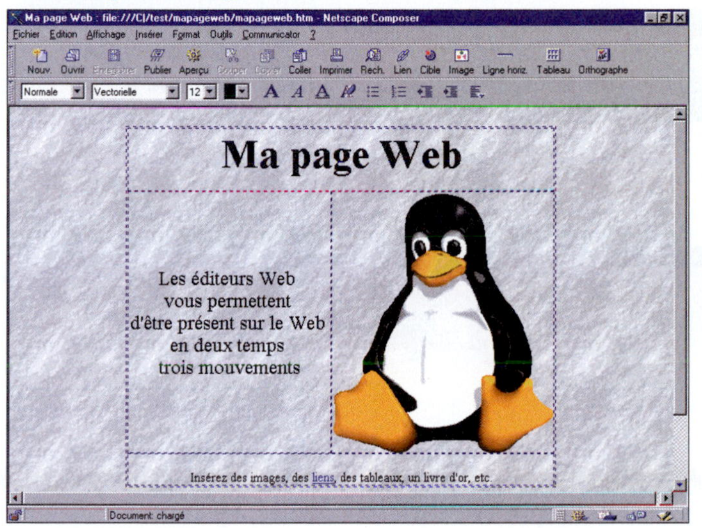

Netscape Composer fait partie intégrante de Netscape (versions 4.0 et plus). Avec l'installation de Netscape, vous disposez du logiciel Netscape Composer, prêt à l'emploi. Netscape Composer est un éditeur convivial entièrement WYSIWYG.

La version 4.0 (ou plus) de Netscape se trouve régulièrement dans les CD-Rom qui accompagnent les revues informatiques.

Arachnophilia 3.9

Arachnophilia 3.9 - mapageweb.htm

File Edit Tools Selection Commands Preview Window Help

Font Color H1 H2 H3 H4 H5 H6 Font+1 Font+2 Font-1 Font-2

BR P Centr Bold Ital Underl Strike Super Sub TT HR Com

mapageweb.htm

```
<body
background="gris21.gif">
<div align="center"><center>

<table border="0">
  <tr>
    <td colspan="2"><h1 align="center"><font size="7">Ma page
    Web</font></h1>
    </td>
  </tr>
  <tr>
    <td><p align="center"><font size="5">Les éditeurs Web <br>
    vous permettent <br>
    d'être présent sur le Web <br>
```

Fonts Forms Frames Graphics Links Misc Struct Styles Tables

Press F1 for Help Line 23, Col 1 NUM OVR 01:08 PM

Arachnophilia 3.9 est un éditeur HTML. L'archive à télécharger occupe 1,6 Mo d'espace mémoire. Différents boutons vous permettent d'insérer des instructions HTML dans votre page Web.

DominHTML 3.7

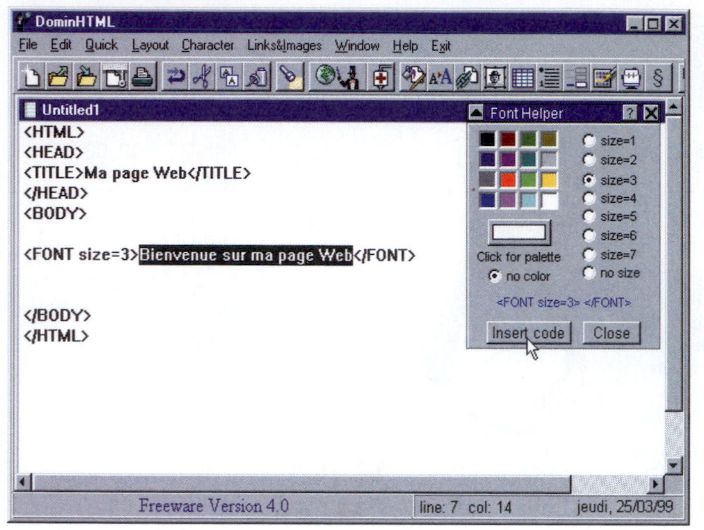

DominHTML 3.7 est un éditeur HTML. L'archive à télécharger occupe 1,1 Mo. Différents boutons ouvrent des boîtes de dialogue permettant de paramétrer le texte, les images, etc.

HotDog Express 1.52

HotDog Express 1.52 est un mélange d'éditeur HTML et d'éditeur WYSIWYG. L'archive à télécharger représente 4,3 Mo. Vous êtes guidé dans la création de votre page Web à travers quatre étapes, même si ce logiciel reste bien en deçà des possibilités qu'offrent ses concurrents. Cet éditeur convient à ceux qui veulent bâtir leur page Web en un temps record.

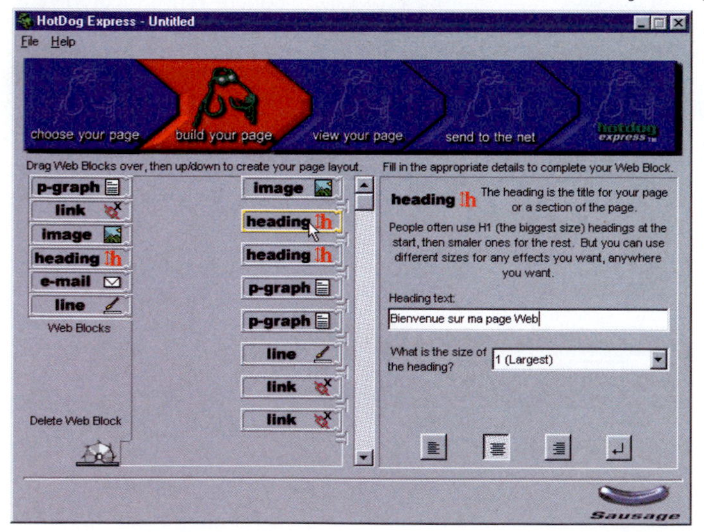

HotDog Express est à proprement parler un shareware, mais dont l'utilisation n'est pas limitée dans le temps.

Les meilleures adresses de téléchargement pour les éditeurs Web

Vous pouvez télécharger les éditeurs de pages Web, ainsi que tous les autres présentés dans cet ouvrage, à partir de différentes adresses Internet. Il convient de préciser que le téléchargement de logiciels est une opération qui se fait au travers d'une connexion téléphonique. À ce titre, comme elle prend du temps, elle vous coûtera de l'argent. Il est donc important d'opter pour des adresses à partir desquelles le téléchargement s'effectue à un débit élevé. L'idéal est par ailleurs que les programmes soient assortis d'une description et d'une évaluation qui soient exploitables. Voici donc une petite liste des meilleures adresses de téléchargement qui satisfont à ces critères :

TUCOWS

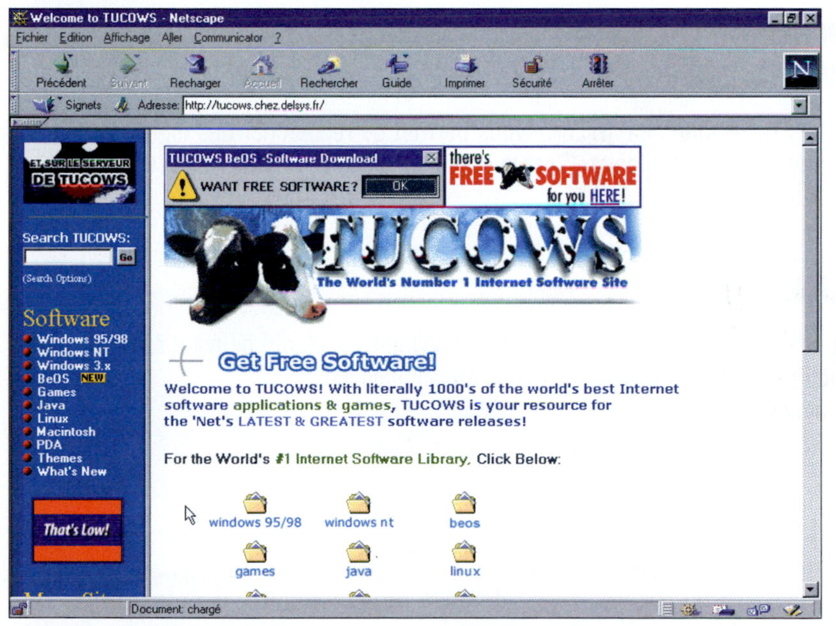

Tucows distribue des sharewares et des freewares ayant trait à Internet, à partir de plusieurs sites miroirs localisés sur différents serveurs français. Cette particularité réduit les durées de téléchargement.

Tucows fournit également (mais en anglais uniquement) une bonne description ainsi qu'une évaluation fiable des logiciels. Le site principal de Tucows est situé sur :

- `http://www.tucows.com`

On y trouve des liens vers des sites miroirs de serveurs situés aux quatre coins du monde. Vous pouvez utiliser les liens suivants pour télécharger des logiciels à partir de Tucows France :

- `http://tucows.mutron.net/`
- `http://tucows.chez.delsys.fr/`
- `http://tucows.club-internet.fr/`

Pour déterminer laquelle de ces adresses est la plus rapide, procédez à des essais depuis votre fournisseur d'accès. Vous réduisez ainsi les durées de téléchargement.

SHAREWARE.COM

Le site `http://www.shareware.com/` vous permet de rechercher des logiciels à partir de leur nom ou du nom du fichier. C'est la bonne adresse si vous connaissez le nom de votre programme favori.

WINFILES.COM

Ce site est une véritable mine pour les logiciels Windows 98, qui peuvent être sélectionnés en fonction de leur catégorie. L'adresse de Winfiles est `http://www.winfiles.com/`.

Comment installer les éditeurs

Lorsque vous téléchargez des logiciels (peut-être les éditeurs HTML) depuis Internet, les fichiers peuvent avoir l'extension *.exe* ou *.zip* ; nous verrons la procédure de téléchargement et d'installation de ces deux types de fichiers.

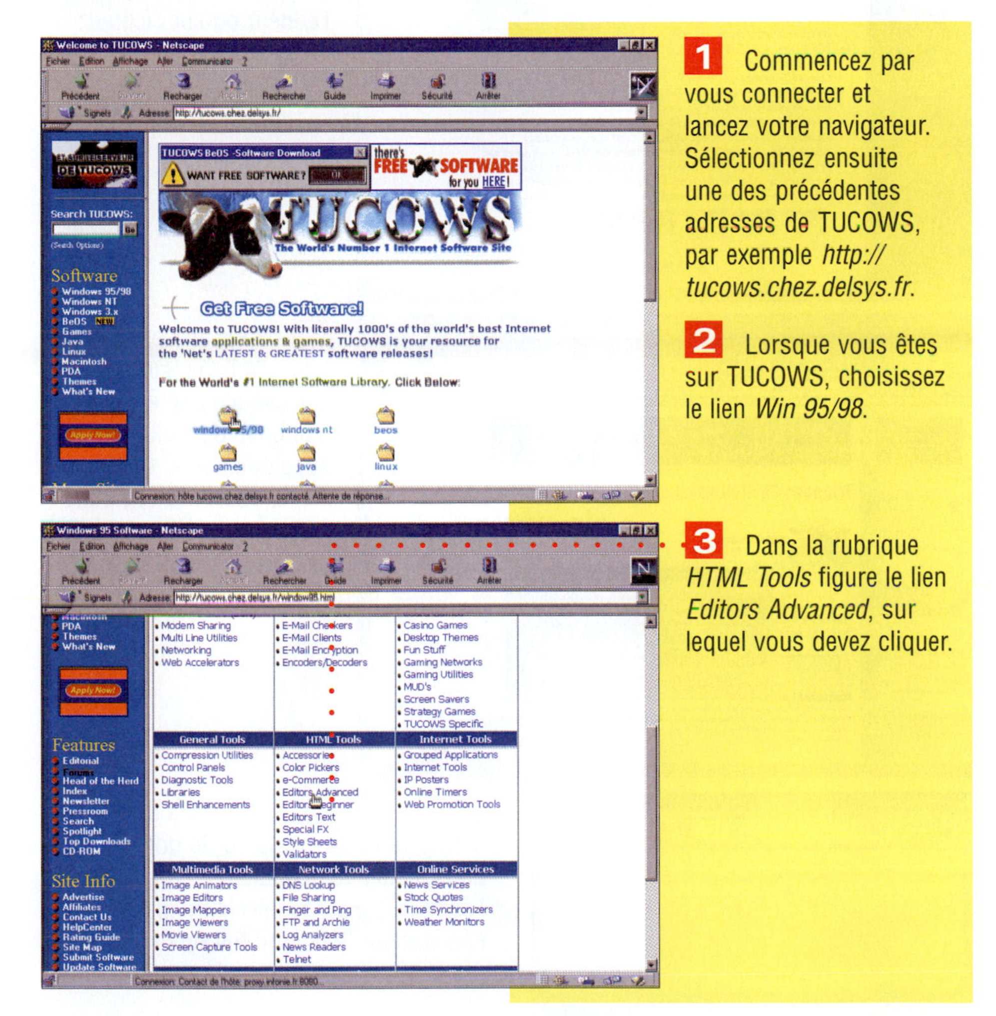

1 Commencez par vous connecter et lancez votre navigateur. Sélectionnez ensuite une des précédentes adresses de TUCOWS, par exemple *http://tucows.chez.delsys.fr*.

2 Lorsque vous êtes sur TUCOWS, choisissez le lien *Win 95/98*.

3 Dans la rubrique *HTML Tools* figure le lien *Editors Advanced*, sur lequel vous devez cliquer.

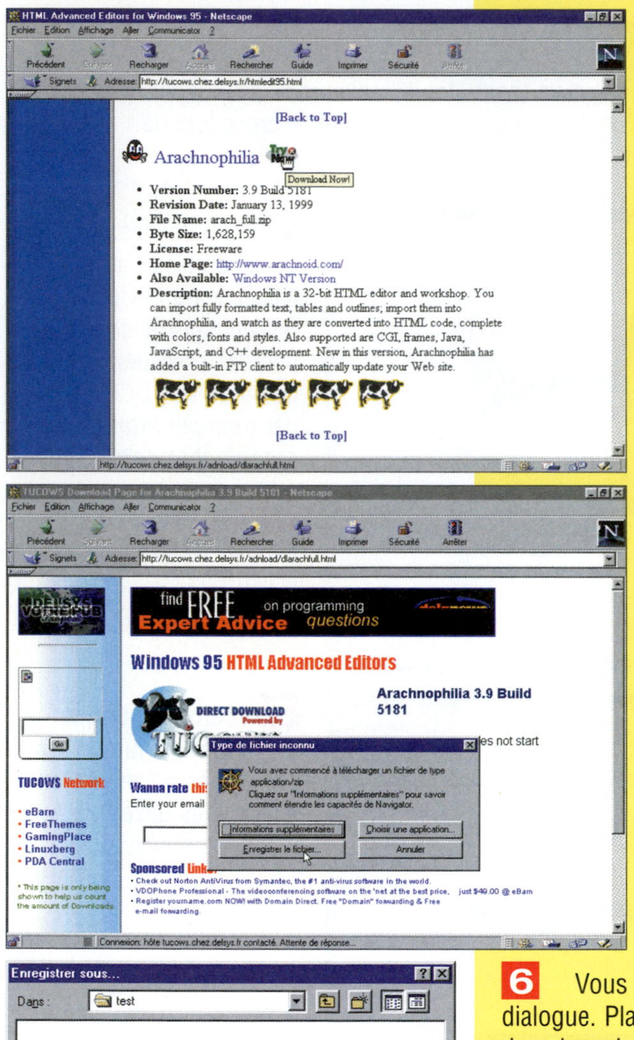

4 Faites défiler la page des éditeurs et choisissez votre logiciel (par exemple *Arachnophilia*). Cliquez sur le nom de l'éditeur ou sur l'icône *Try Now*.

5 Vous arrivez à une nouvelle page, sur laquelle s'ouvre ensuite une boîte de dialogue supplémentaire. Cliquez sur le bouton **Enregistrer le fichier**.

6 Vous obtenez une boîte de dialogue. Placez-vous sur le dossier dans lequel vous souhaitez enregistrer l'éditeur. Lancer le téléchargement en cliquant sur le bouton **Enregistrer**.

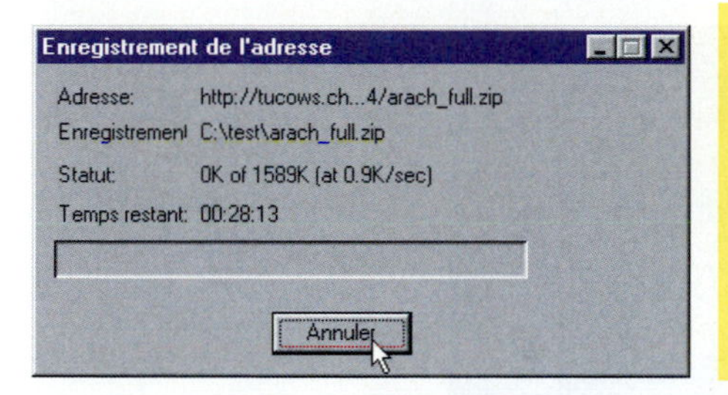

7 Pendant le téléchargement de votre fichier, une boîte de dialogue vous informe de la progression du processus. Elle se ferme automatiquement à la fin de celui-ci. À l'issue de ce transfert, votre logiciel se trouve sur votre ordinateur.

Installation de fichiers EXE

Quelques éditeurs HTML sont transférés sur votre machine avec l'extension *.exe*. C'est en particulier le cas de DominHTML, qui porte le nom *dfree40.exe*.

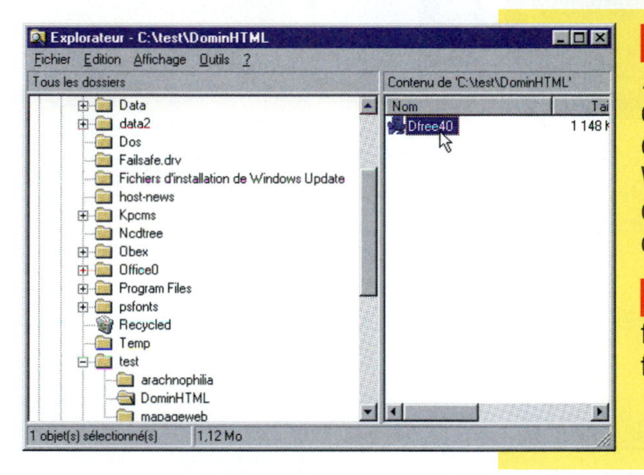

1 Pour installer un fichier *.exe* (par exemple dfree40.exe), vous devez tout d'abord lancer l'Explorateur Windows et vous rendre dans le dossier qui le contient.

2 Cliquez sur le nom de fichier pour lancer l'installation.

INFO

Double clic

Sous Windows 95, ou si vous avez conservé le double clic sous Windows 98, vous devez double-cliquer sur le nom de fichier pour lancer l'installation.

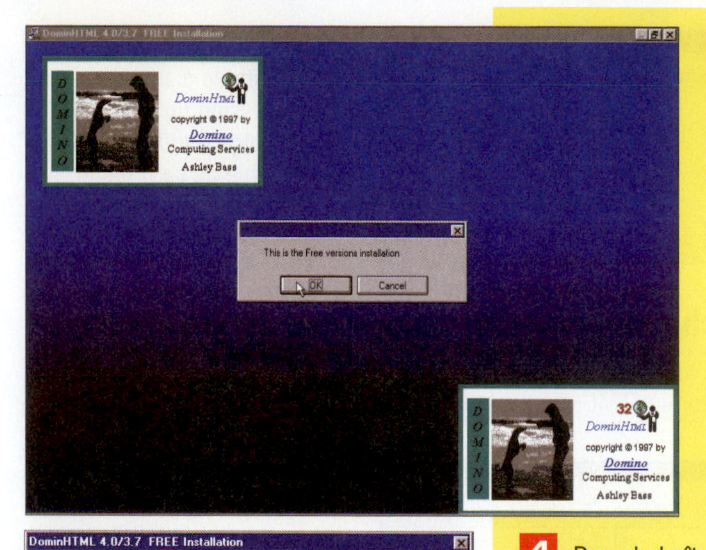

3 Voici le lancement de l'installation de DominHTML. Pour engager l'installation, cliquez sur OK.

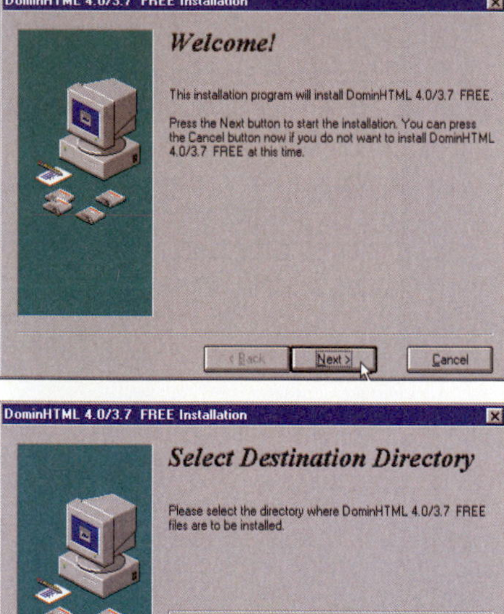

4 Dans la boîte de dialogue suivante, cliquez sur le bouton **Next**.

DominHTML 4.0/3.7 FREE Installation

Select Destination Directory

Please select the directory where DominHTML 4.0/3.7 FREE files are to be installed.

C:\dominH

Browse...

< Back Next > Cancel

5 Le logiciel vous propose un dossier d'installation. En principe, vous n'avez rien à changer. (Si vous voulez changer de dossier, cliquez sur le bouton **Browse**). Pour continuer, cliquez à nouveau sur le bouton **Next**.

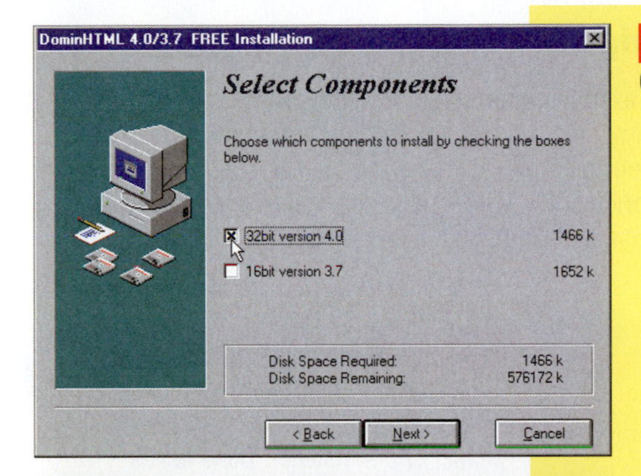

6 Cochez la case *32bit version*. Cliquez à nouveau sur **Next**.

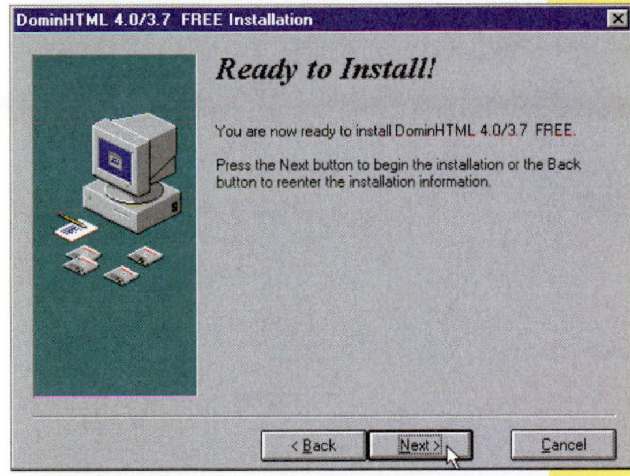

7 Cliquez encore sur le bouton **Next** pour continuer. L'installation de DominHTML peut commencer. Une nouvelle boîte de dialogue s'affiche à l'écran à l'issue du processus d'installation.

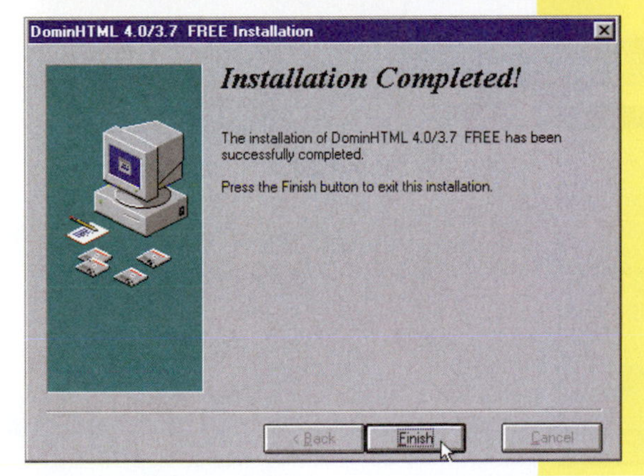

8 Voilà ! DominHTML vous informe que l'installation est achevée. Il ne vous reste plus qu'à cliquer sur le bouton **Finish** pour que votre logiciel soit installé.

Installation de fichiers .zip

L'installation d'un fichier *.zip* (par exemple Arachnophilia) est également très simple. Mais avant de commencer, vous devez disposer de WinZip sur votre machine. Vous l'avez probablement déjà installé pour d'autres besoins. Dans le cas contraire, ce logiciel se trouve sur TUCOWS dans la rubrique *Win 95/98*, sous-rubrique *General Tools/ Compression Utilities*. La procédure d'installation est analogue à celle d'un logiciel tel que DominHTML.

1 Une fois WinZip sur votre ordinateur, lancer l'Explorateur Windows et allez dans le dossier comportant le fichier *.zip* à installer. Dans le cas d'Arachnophilia, le nom du fichier est arach_full.zip.

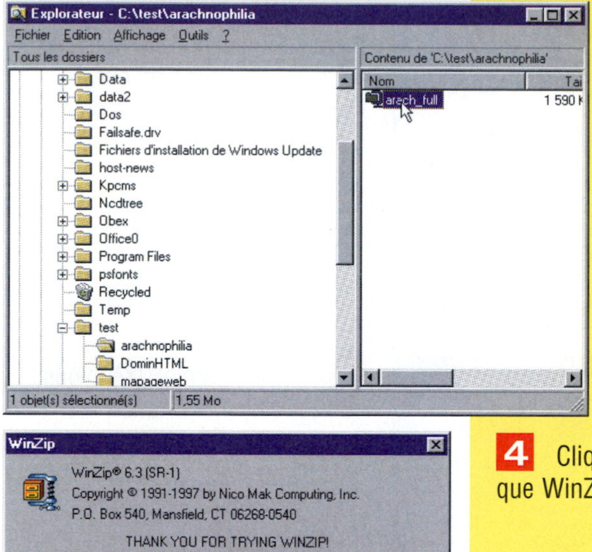

2 Cliquez (ou double-cliquez) sur le nom de fichier.

3 WinZip est d'abord lancé.

4 Cliquez sur le bouton **I Agree**, afin que WinZip puisse fonctionner.

WinZip (Unregistered) - arach_full.zip

File Actions Options Help

New Open Favorites Add Extract View Install Wizard

Name	Date	Time	Size	Ratio	Packed	Path
data.z	09/01/99	14:46	1 180 116	1%	1 168 239	
setup.exe	12/09/95	01:43	47 616	51%	23 501	
setup.ins	09/01/99	14:46	6 511	56%	2 874	
setup.pkg	09/01/99	14:46	666	37%	421	
uninst.exe	02/09/95	15:57	269 312	61%	104 819	
inst32i.ex	12/09/95	00:43	297 325	0%	296 702	
_isdel.exe	31/08/95	01:56	8 192	54%	3 752	
_setup.dll	01/09/95	12:21	10 240	71%	2 989	
_setup.lib	07/09/95	12:57	24 443	2%	23 986	

Selected 0 files, 0 bytes — Total 9 files, 1 802KB

5 Vous obtenez la liste de tous les fichiers de l'archive Arachnophilia. Cliquez sur le bouton **Install**.

Install

WinZip will extract all files to a temporary folder and run the setup.exe program

OK

Cancel

Help

Save Configuration Info for Possible Uninstall

Minimize During Install

Uninstall feature is disabled. WinZip's uninstall feature currently requires Windows 3.1 or Windows for Workgroups.

6 Dans la boîte de dialogue suivante, cliquez simplement sur OK.

7 L'installation démarre. Cliquez tout d'abord sur le bouton **Next**.

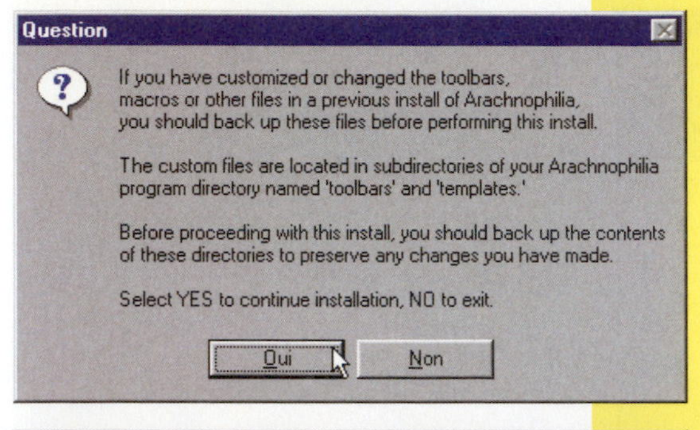

8 Sélectionnez **Oui** dans la boîte de dialogue suivante, pour continuer.

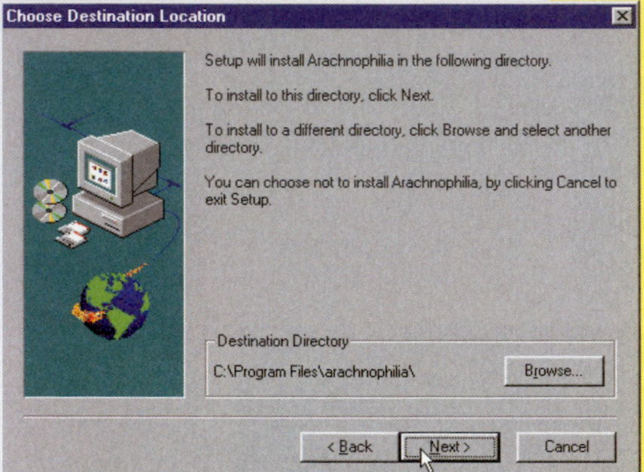

9 Vous pouvez ici aussi choisir un autre dossier d'installation que celui proposé par défaut. Mais il vous suffit en règle générale de cliquer sur le bouton **Next**. L'installation à proprement parler peut débuter.

Information

Setup is complete. You may run the installed program by selecting the program icon in the Programs menu.

OK

10 Lorsque l'installation est terminée, cliquez sur OK pour fermer la boîte de dialogue.

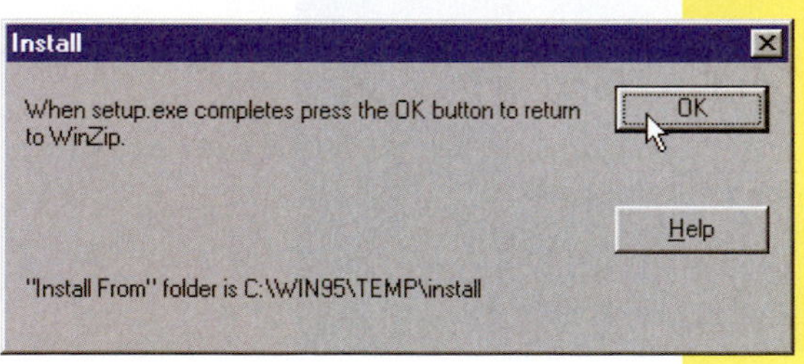

11 Pour finir, fermez également la dernière boîte de dialogue de WinZip, en cliquant sur OK.

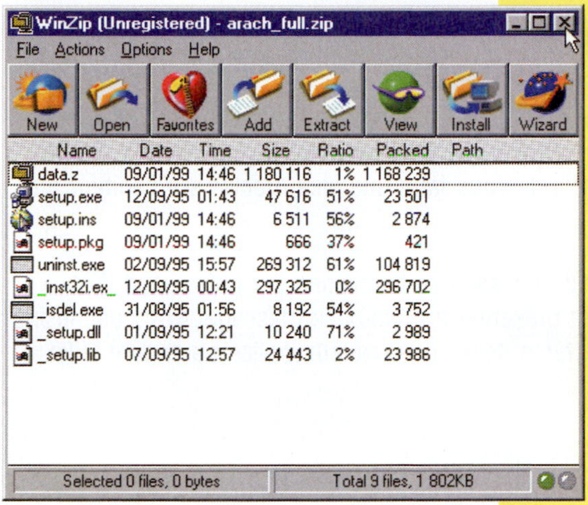

12 Quittez WinZip en cliquant sur le bouton **Fermeture** en haut à droite de l'application. L'installation est achevée.

Vous trouverez dorénavant les logiciels installés dans le menu **Démarrer/Programmes**, à partir duquel vous pourrez les lancer et les utiliser à votre guise.

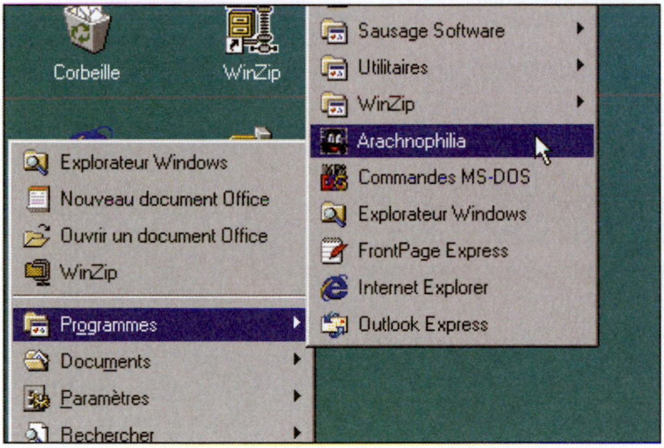

Édition de texte

Ça y est, nous pouvons démarrer ! Voici pour commencer le fonctionnement de l'édition de texte sous FrontPage Express, Netscape Composer ou d'autres logiciels du même type. Cette présentation vous permettra de vous faire une idée précise sur l'éditeur qui vous conviendra le mieux.

Nous ferons tout d'abord apparaître un message de bienvenue sur notre page Web. Nous verrons naturellement comment présenter au mieux ce message. Nous définirons pour cela différents attributs de caractères, telles que couleur, police ou encore taille.

FrontPage Express

Commencez par lancer cet éditeur.

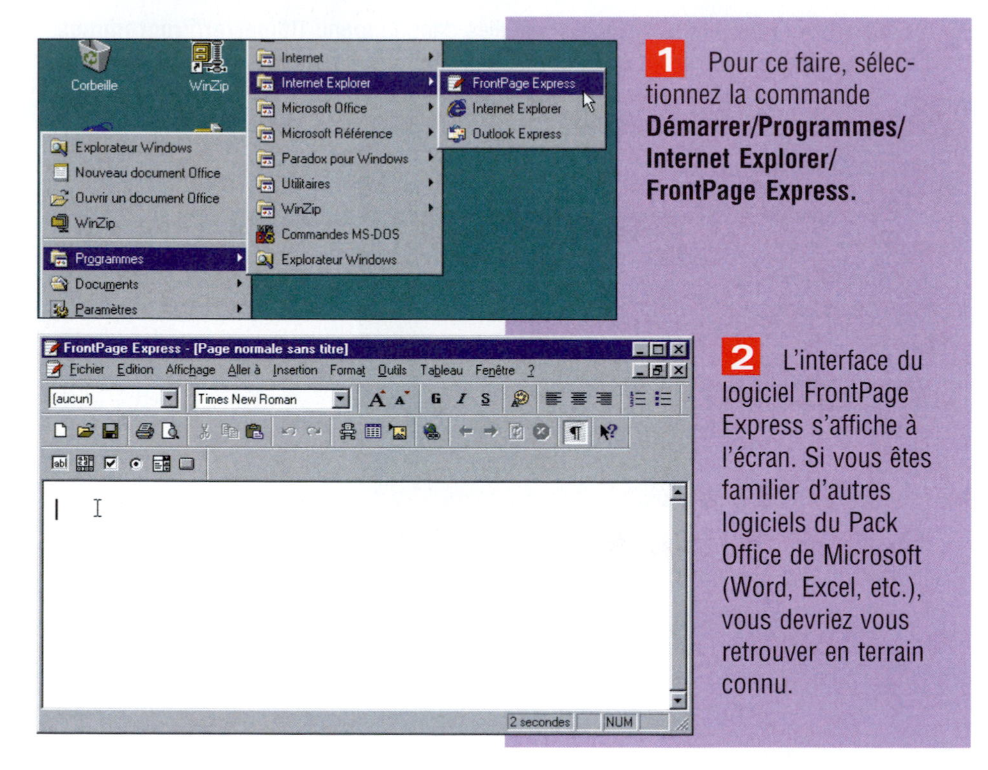

1 Pour ce faire, sélectionnez la commande **Démarrer/Programmes/ Internet Explorer/ FrontPage Express.**

2 L'interface du logiciel FrontPage Express s'affiche à l'écran. Si vous êtes familier d'autres logiciels du Pack Office de Microsoft (Word, Excel, etc.), vous devriez vous retrouver en terrain connu.

Texte et caractères spéciaux

L'espace de travail de FrontPage comporte un curseur clignotant qui signale l'endroit où le texte que vous tapez va apparaître. Mais avant toute chose, commencez par réaliser l'opération suivante :

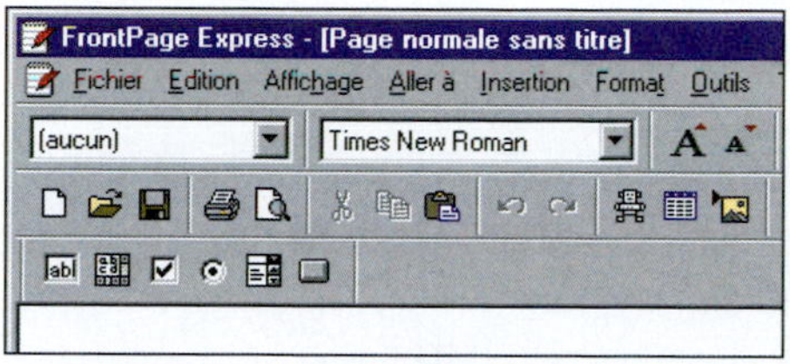

FrontPage Express - [Page normale sans titre]
Fichier Edition Affichage Aller à Insertion Format Outils
(aucun) Times New Roman

1 La barre de titre de FrontPage Express comporte une ligne de texte en blanc sur fond bleu : *[Page normale sans titre]*. Attribuez un titre évocateur à votre page.

INFO

Le titre n'est pas là que pour la forme

Le titre d'une page Web revêt une importance particulière. En effet, lorsque votre page est référencée par un moteur de recherche, c'est ce même titre qui apparaît lorsque votre page est chargée. Un titre comme 'Ma page Web' est trop vague pour susciter un quelconque intérêt. Préférez un titre concret, tel que 'Page Web de Gilles de Ray - Informations pour les motards'.

Vous trouverez plus d'informations sur ce sujet au chapitre *Perdu dans l'hyperespace ? Comment retrouver vos pages.*

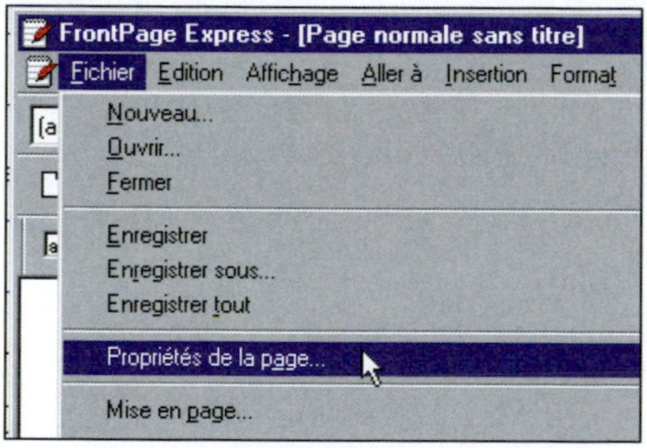

FrontPage Express - [Page normale sans titre]
Fichier Edition Affichage Aller à Insertion Format
Nouveau...
Ouvrir...
Fermer
Enregistrer
Enregistrer sous...
Enregistrer tout
Propriétés de la page...
Mise en page...

2 Sélectionnez la commande **Fichier/ Propriétés de la page** pour modifier le titre.

3 La boîte de dialogue **Propriétés de la page** s'affiche. Dans la zone **Titre**, saisissez le titre que vous avez choisi pour votre page.

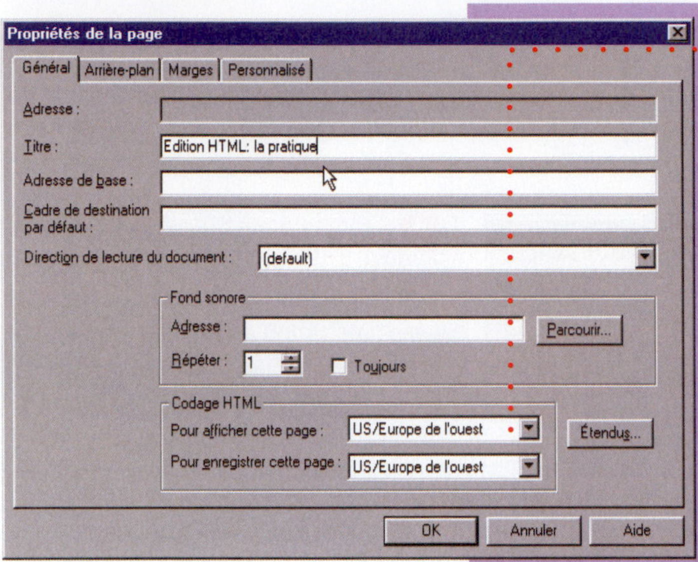

4 Avant de cliquer sur OK, il convient d'effectuer une vérification importante ! Dans la rubrique *Codage HTML/ Pour afficher cette page*, assurez-vous que l'option *US/Europe de l'Ouest* est sélectionnée. Dans le cas contraire, cliquez sur le bouton fléché et activez l'option. Ainsi, vous assurez une représentation correcte des symboles et des caractères spéciaux dans vos pages Web.

5 Fermez la boîte de dialogue en cliquant sur le bouton OK.

6 Vous voici à nouveau dans la fenêtre principale de FrontPage Express. Votre nouveau titre apparaît dans la barre de titre !

Passons à l'édition de la page proprement dite. Procédez à peu de choses près de la même façon qu'avec votre logiciel de traitement de texte habituel (comme Word ou Word Perfect) : saisissez simplement du texte à l'endroit du pointeur, déplacez ce dernier à l'aide de la souris, sélectionnez des caractères, des mots ou des phrases avec la souris et, si nécessaire, supprimez-les en utilisant la touche **Suppr**.

FrontPage Express - [Edition HTML: la pratique]

Pour explorer les multiples possibilités de l'édition HTML, rien de plus simple. Il suffit de savoir taper quelques phrases au clavier.

Comme ceci:

bla bla bla bla bla...
bla bla bla bla bla...
bla bla bla bla bla...

1 Tapez un texte quelconque à titre d'essai.

2 Pour commencer un nouveau paragraphe, appuyez sur la touche **Entrée**.

3 Pour commencer une nouvelle ligne à l'intérieur d'un paragraphe, utilisez la combinaison de touches **Maj+Entrée**.

INFO

Sauts de paragraphes et sauts de lignes

Vous êtes sans doute surpris de constater qu'une ligne blanche est systématiquement insérée lors d'un saut de paragraphe. C'est la règle en HTML et les éditeurs Web tel que FrontPage Express s'y conforment naturellement. Vous ne devez insérer de nouvelle ligne à l'intérieur d'un paragraphe que si le contenu ou la mise en page de votre document l'impose. En effet, dans les pages Web, le passage à la ligne suivante se fait automatiquement lorsque la page courante n'est pas assez large pour afficher le mot en entier. Pour s'en rendre compte, le mieux est de procéder à un essai.

1 Si la taille de votre fenêtre n'est pas déjà réduite, cliquez sur le second des trois boutons situés en haut à droite de la fenêtre.

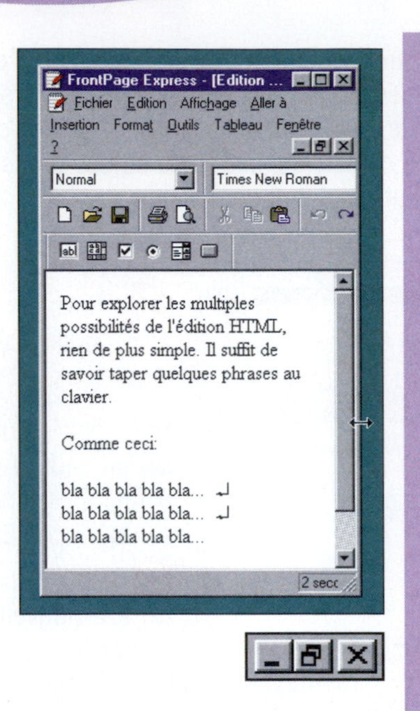

2 À présent, vous pouvez réduire la largeur de votre page à l'aide de la souris. Placez le pointeur sur la bordure droite de la fenêtre. Essayez une fenêtre assez étroite. Vous constatez que le texte reste visible dans son intégralité. En effet, dans les pages Web le passage à la ligne suivante se fait automatiquement.

3 Pour mettre fin à cette petite expérience, cliquez sur le second des trois boutons situés en haut à droite de la fenêtre. Celle-ci s'ajuste pour occuper la totalité de l'écran.

INFO

Les caractères spéciaux ne sont plus un problème

Il se peut que le texte que vous avez saisi comporte un certain nombre de symboles et de caractères spéciaux. Il peut s'agir de accentuées (é, ê, è, à), d'un ü ou d'un ç, qui sont caractéristiques du français. Aux tout débuts du HTML, cela posait une vraie difficulté, car il fallait saisir ces caractères en faisant appel à un de ces codes de substitution : le *é* était codé *´ ;* et le *ü* était représenté par *ü ;*. Fort heureusement, cette époque est révolue. Tout est maintenant conçu pour que l'ensemble des caractères voulus puisse être saisi simplement à partir des touches correspondantes du clavier. Rappelez-vous que vous avez contrôlé le paramètre *US/Europe de l'Ouest* dans la rubrique *Codage HTML/Pour afficher cette page*. Ce réglage suffit pour assurer automatiquement l'édition des caractères spéciaux !

Reste un dernier petit problème : Qu'en est-il des symboles inaccessibles à partir du clavier ? Votre ordinateur gère un certain nombre de caractères spéciaux, tel que le signe de Copyright ©, dont vous pouvez avoir besoin sur votre page Web. Essayez donc quelques-uns de ces caractères rares.

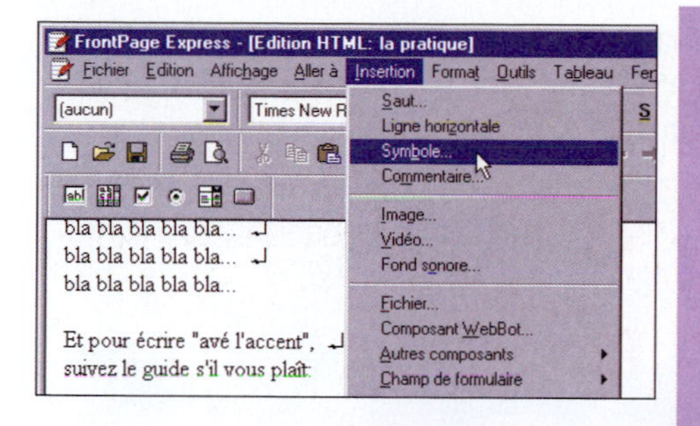

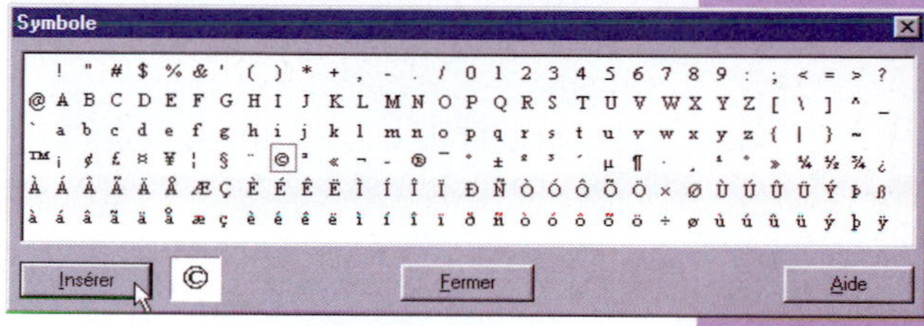

1 Commencez par placer le pointeur à l'endroit où vous voulez insérer le caractère. Choisissez ensuite la commande **Insertion/Symbole**.

2 Une boîte de dialogue s'affiche avec tous les caractères gérés par votre ordinateur. Cliquez avec la souris sur celui dont vous avez besoin. Ce dernier est représenté agrandi à côté du bouton **Insérer**.

3 Cliquez sur le bouton **Insérer** pour copier le caractère à l'emplacement du curseur.

4 Si vous souhaitez insérer un autre caractère, répétez la procédure. Sinon, cliquez sur le bouton **Fermer**.

5 Vous constatez ainsi que les caractères que vous venez de sélectionner sont maintenant sur votre page.

La facilité déconcertante avec laquelle les caractères spéciaux et les symboles sont insérés devrait vous inciter à conférer à votre texte un style plus enlevé. Voyons donc comment mettre du texte en gras ou en italique et comment le souligner.

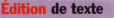

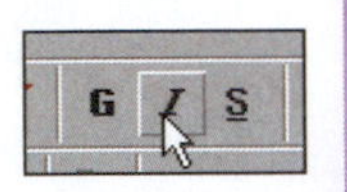

1 Pour cela, sélectionnez le texte en question avec la souris.

2 Cliquez sur les icônes **G**, **/** ou bien **S** pour respectivement représenter le texte en gras, en italique ou souligné.

3 Naturellement, vous pouvez affecter simultanément plusieurs attributs à un texte (gras et italique, etc.). Il suffit de cliquer sur plusieurs icônes de suite.

INFO

Soulignement : à éviter

Souligner du texte dans des pages Web ne présente pas de problème. Pourtant, il est préférable d'y renoncer, pour la raison suivante : lorsque vous surfez sur le Web, vous remarquez que les liens hypertextes sont pratiquement toujours représentés en souligné. Si vous décidez de souligner de la même façon un texte normal, il sera pris très souvent pour un lien hypertexte. Les personnes qui visiteront votre page cliqueront en vain dessus, ce qui risque de les agacer. Il est donc préférable de renoncer à souligner le texte normal, afin d'éviter les méprises.

4 Dès que vous cliquez sur le bouton de mise en forme, le texte sélectionné passe au gras, à l'italique ou au souligné.

Alignement et retrait

L'alignement et le retrait sont deux possibilités de mise en forme qui s'appliquent toujours à un chapitre entier. Il est donc inutile de sélectionner le texte : il suffit simplement que le curseur se trouve dans le paragraphe en question. Ce n'est que lorsque vous voulez modifier en même temps deux paragraphes ou davantage qu'il convient de les sélectionner.

L'alignement

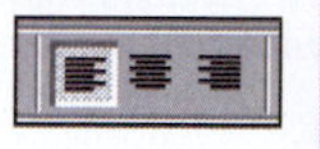

1 Les trois icônes adjacentes vous permettent de définir l'alignement. Placez tout d'abord le pointeur dans le paragraphe dont l'alignement doit être modifié.

2 Cliquez sur l'icône de gauche pour aligner le paragraphe à gauche, sur l'icône du milieu pour centrer le paragraphe, ou bien sur l'icône de droite pour imposer un alignement à droite.
Les modifications s'appliquent immédiatement, sous FrontPage Express.

3 Tant que le curseur reste dans un paragraphe, vous pouvez continuer à en modifier l'alignement.

INFO

Différents alignements

Peut-être serez-vous gêné de ne pas trouver une quatrième icône pour la justification, que vous avez déjà rencontrée dans les traitements de texte. Cela s'explique par le fait que la justification n'est pas prise en charge par les anciens navigateurs. FrontPage Express ne propose donc pas cette icône.

En fait, il existe à strictement parler quatre types d'alignements : l'alignement à gauche et à droite ainsi que l'alignement centré nécessitent d'appuyer sur l'icône correspondante. Il faut y ajouter l'alignement normal, dans lequel aucune des icônes n'est appuyée. Ce paramétrage est réalisé en cliquant à nouveau sur l'icône préalablement activée.

À première vue, l'alignement à gauche et l'alignement normal sont identiques : le paragraphe est aligné sur la marge de gauche. La différence n'apparaît en fait que dans les listes, les listes numérotées et dans les tableaux. En règle générale, il convient donc de préférer l'alignement normal à l'alignement à gauche.

Le retrait

Le retrait vous permet de définir la distance entre votre texte et la marge gauche. Ce paramètre s'applique lui aussi au paragraphe entier.

1 Le retrait d'un paragraphe donné est défini à partir de deux icônes adjacentes. Placez tout d'abord le curseur dans le paragraphe dont le retrait doit être modifié.

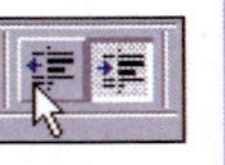

2 Pour accentuer le retrait, cliquez sur l'icône de droite. Le retrait est décalé d'un degré.

3 Chaque fois que vous cliquez sur l'icône de droite, le retrait est accru d'autant.

4 Pour réduire progressivement le retrait d'un paragraphe, cliquez autant de fois que nécessaire sur l'icône de gauche.

> **INFO**
>
> **Le retrait à droite : Oui, mais...**
>
> **Lorsqu'un paragraphe est aligné à droite, le retrait fonctionne parfaitement : il s'effectue dans ce cas à partir de la marge droite. Dans les faits, il se passe que le retrait augmente la marge gauche ainsi que celle droite. Mais il y a un hic : si le retrait est trop fort, les marges s'accroissent à gauche et à droite tant qu'il ne reste plus qu'une place étroite pour le texte. La largeur des lignes est à peine suffisante pour tenir un mot. Le résultat étant disgracieux, il est préférable de ne pas définir de retrait trop important.**

Couleur du texte

Dans les pages Web, la couleur est omniprésente, même dans les textes : égayez vous aussi votre page par de la couleur.

1 À l'aide de la souris, sélectionnez le texte auquel vous voulez affecter une nouvelle couleur.

2 Cliquez ensuite sur l'icône représentant une palette.

3 La boîte de dialogue **Couleur** s'affiche. Choisissez la couleur de votre choix. Cliquez sur l'une des couleurs en-dessous de la rubrique **Couleurs de base**.

> **INFO**
>
> **D'autres couleurs : Oui, mais...**
>
> **La boîte de dialogue *Couleur* comporte également le bouton *Définir les couleurs personnalisées*, qui vous permet de définir votre propre couleur pour votre texte. Mais cela présente un léger inconvénient. Si le visiteur de votre page a réglé les paramètres de sa carte graphique à 256 couleurs maximum (ce qui est souvent le cas), les couleurs personnalisées sont adaptées en conséquence. Cela a pour effet que les caractères s'affichent avec une qualité d'image médiocre. Si vous voulez éviter les mauvaises surprises, contentez-vous des couleurs de base proposées.**

La série des a: à á â ã ä å æ ↵
La série des e: è é ê ë ↵
La série des i: ì í î ï ↵
La série des o: ò ó ô õ ö ↵

4 Lorsque vous avez arrêté votre choix, cliquez sur le bouton OK.

5 À la fermeture de la boîte de dialogue **Couleur**, le texte est encore sélectionné, les couleurs apparaissant sur fond noir. Déplacez le pointeur et cliquez n'importe où sur votre page, de façon à voir votre texte dans la couleur que vous avez choisie.

INFO

Attention au bleu

Le bleu fait partie des couleurs avec lesquelles vous pouvez parfaitement représenter un texte. Il se trouve toutefois que c'est la couleur utilisée dans la plupart des pages Web pour représenter les liens hypertextes. Pour éviter des confusions, il est important de réserver le bleu aux liens hypertextes, sauf cas exceptionnel.

Taille du texte et type de police

Pour un titre ou un mot particulièrement important, un affichage avec une police de plus grande taille peut être utile. Cette possibilité est également offerte par FrontPage Express. L'opération peut se réaliser très simplement.

1 Deux icônes adjacentes sont chargées d'augmenter ou de réduire la taille du texte sous FrontPage Express. La fonction de chacune d'elles est évidente : l'icône de gauche pour augmenter la taille et celle de droite pour la diminuer.

2 Avec la souris, sélectionnez tout d'abord le texte dont vous comptez modifier la taille.

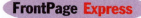

3 Pour augmenter la taille, cliquez une ou plusieurs fois sur l'icône de gauche. À chaque clic, la taille est augmentée d'un degré. Au bout de quatre clics, la taille maximum est atteinte et ne peut plus être augmentée.

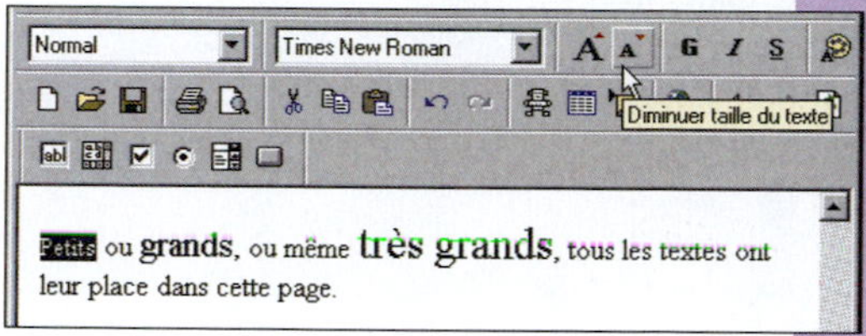

4 Pour réduire la taille, cliquez une ou deux fois sur l'icône de droite. À chaque clic, la taille est réduite d'un degré. Mais ici, il suffit de deux clics (à partir de la taille de texte standard) pour atteindre la taille minimum.

INFO

Épargnez-vous la loupe

La taille inférieure ne doit être utilisée qu'à titre tout à fait exceptionnel. Car sur les moniteurs autorisant une résolution d'écran peu élevée, le texte pourrait difficilement être déchiffré, ou nécessiterait l'usage d'une loupe.

Dans la plupart des navigateurs, la police par défaut est Times New Roman. Cependant, ce paramètre peut être modifié sans problème.

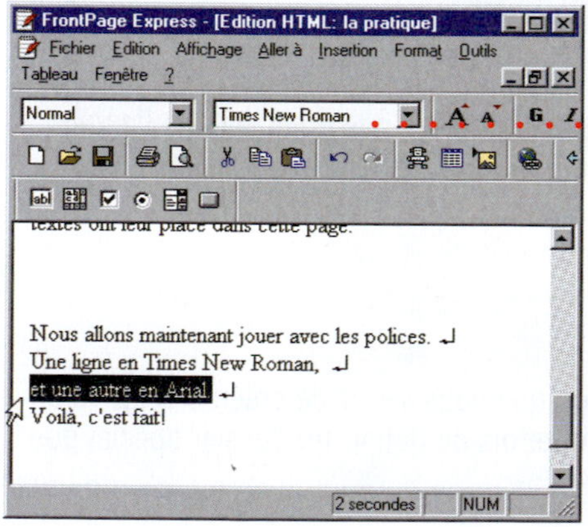

1 Sélectionnez tout d'abord le texte dont vous voulez définir la police.

2 Cliquez ensuite sur le bouton fléché à côté de *Times New Roman*. La liste des polices installées s'affiche dans la liste déroulante.

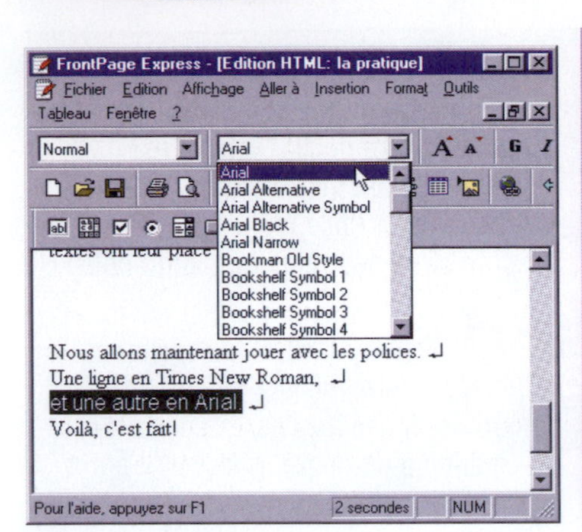

3 Faites défiler la liste et cliquez sur celle que vous avez choisie. Le texte sélectionné apparaît aussitôt dans la police définie.

4 Si le résultat ne vous convient pas, répétez la procédure avec une autre police.

INFO

Restez prudent avec les polices

Si vous publiez votre page sur le World Wide Web, c'est sans doute dans l'espoir qu'elle aura de nombreux visiteurs. Bien entendu, vous ignorez quelles polices sont installées sur la machine (PC, Mac, Unix, etc.) de votre visiteur. Or, seules les polices installées peuvent être affichées. Si votre visiteur ne dispose pas de celle que vous avez définie, son navigateur la remplacera par la police par défaut. Que faire alors ?

- **Si vous utilisez une autre police que celle définie par défaut, renoncez à la taille minimale. Elle peut en effet être lisible dans la police sélectionnée, mais pas du tout dans celle par laquelle elle sera remplacée dans le navigateur du visiteur.**
- **Dans l'immense majorité des PC, les polices *Arial* et *Courier New* sont installées à côté de *Times New Roman*. Sauf nécessité majeure, il est recommandé de choisir l'une de celles-ci et de n'employer des polices exotiques qu'à titre exceptionnel.**

Juste une chose pour terminer : toutes les mises en formes que nous venons de voir sont combinables à volonté, ce qui vous donne un large éventail de possibilités de présentation.

Enregistrez votre page

Pour terminer, il vous reste à enregistrer la page que vous venez de créer. C'est à vous de déterminer le dossier adéquat. Il convient toutefois de définir un dossier spécial pour vos pages Web.

INFO

Et comment s'appelle l'enfant ?

En principe, vous pouvez donner à vos pages le nom que vous voulez, tant qu'elles ont l'extension *.htm* ou *.html*. Cette extension permet aux navigateurs d'identifier les pages Web. Mais si vous voulez éviter les problèmes, suivez les conseils suivants :

- **Veillez à ce que la longueur du nom de fichier (sans l'extension) ne dépasse pas 8 caractères.**
- **N'employez de préférence que des minuscules. Vous éviterez tout problème chez certains fournisseurs d'accès à Internet.**
- **Bornez-vous aux caractères alphabétiques non accentués et aux caractères numériques. Mais pas de symboles, ni de caractères spéciaux, dans les noms.**
- **Pour terminer, la première page de votre site doit respecter certaines règles si vous voulez qu'elle soit immédiatement accessible. Sinon, elle ne sera trouvée qu'au prix de plusieurs essais, ce qui risque de décourager les candidats.**

Mais si vous travaillez sur une page qui vous permettra d'être présent sur le Web, reportez-vous au chapitre *Publier vos pages Web*, où vous apprendrez à définir le nom de ce fichier.

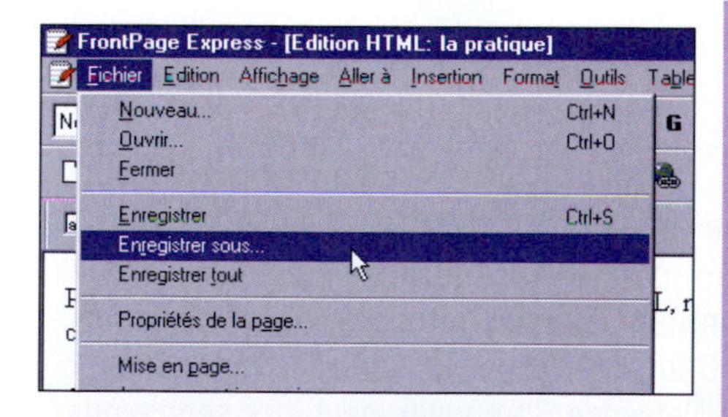

1 Pour enregistrer votre page, choisissez la commande **Fichier/ Enregistrer sous**.

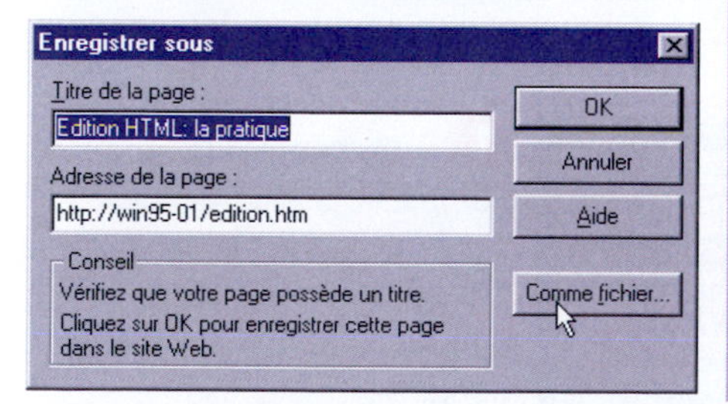

2 La boîte de dialogue **Enregistrer sous** apparaît à l'écran. Vous pouvez tout d'abord modifier à nouveau le titre de la page, si vous le souhaitez. Ne saisissez rien dans la zone de saisie **Adresse de la page**, mais cliquez sur le bouton **Comme fichier**.

3 Une boîte de dialogue apparaît à l'écran. Placez-vous dans le dossier dans lequel vous voulez enregistrer votre page. Choisissez ensuite un nom de fichier avec l'extension *.htm*.

4 Cliquez sur le bouton **Enregistrer** pour sauvegarder votre page Web.

5 À chaque modification de votre fichier, celui-ci peut être enregistré à l'aide de la commande **Fichier/Enregistrer**.

Vous êtes curieux de voir à quoi ressemble votre première page Web dans un navigateur Web ? Nous verrons à la fin de ce chapitre comment procéder. Mais examinons déjà comment elle apparaît dans les autres navigateurs.

Netscape Composer

Lors de l'installation de Netscape 4.0 (ou une version plus récente), Netscape Composer est installé automatiquement. Vous serez surpris de la ressemblance entre Netscape Composer et FrontPage Express. En fait, FrontPage Express offre quelques fonctionnalités supplémentaires par rapport à Netscape Composer (pour les tableaux notamment). Voyons tout de même comment se présente Netscape Composer, peut-être serez-vous alors séduit par cet éditeur.

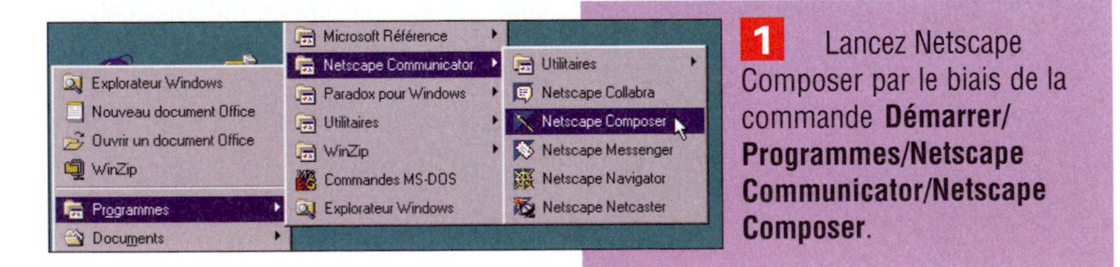

1 Lancez Netscape Composer par le biais de la commande **Démarrer/Programmes/Netscape Communicator/Netscape Composer**.

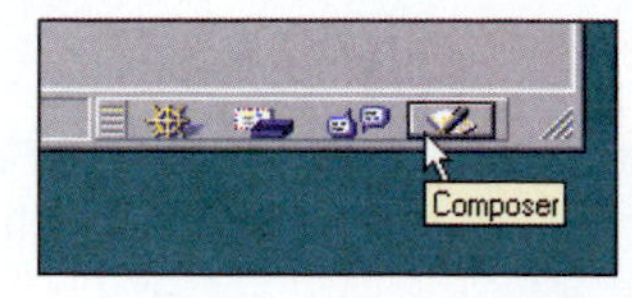

2 Mais vous pouvez également lancer Netscape Navigator comme à l'accoutumée, puis cliquer en bas de l'écran sur le symbole situé à l'extrême droite de la barre d'icônes.

3 Vous avez à l'écran l'interface de Netscape Composer, à partir de laquelle nous allons développer les mêmes étapes que pour FrontPage Express.

INFO

Inutile de rabâcher

Notez encore : avec FrontPage Express, nous avons appris certaines procédures (sur les noms de fichiers, les polices, etc.). Bien entendu, elles s'appliquent intégralement à Netscape Composer. Nous n'y reviendrons plus, mais si vous avez un doute sur un point quelconque, référez-vous à la section antérieure correspondante.

Titre et symboles

Sous Netscape Composer, vous devez également commencer par attribuer un titre à votre page et veiller à ce que les caractères accentués et les symboles s'affichent correctement.

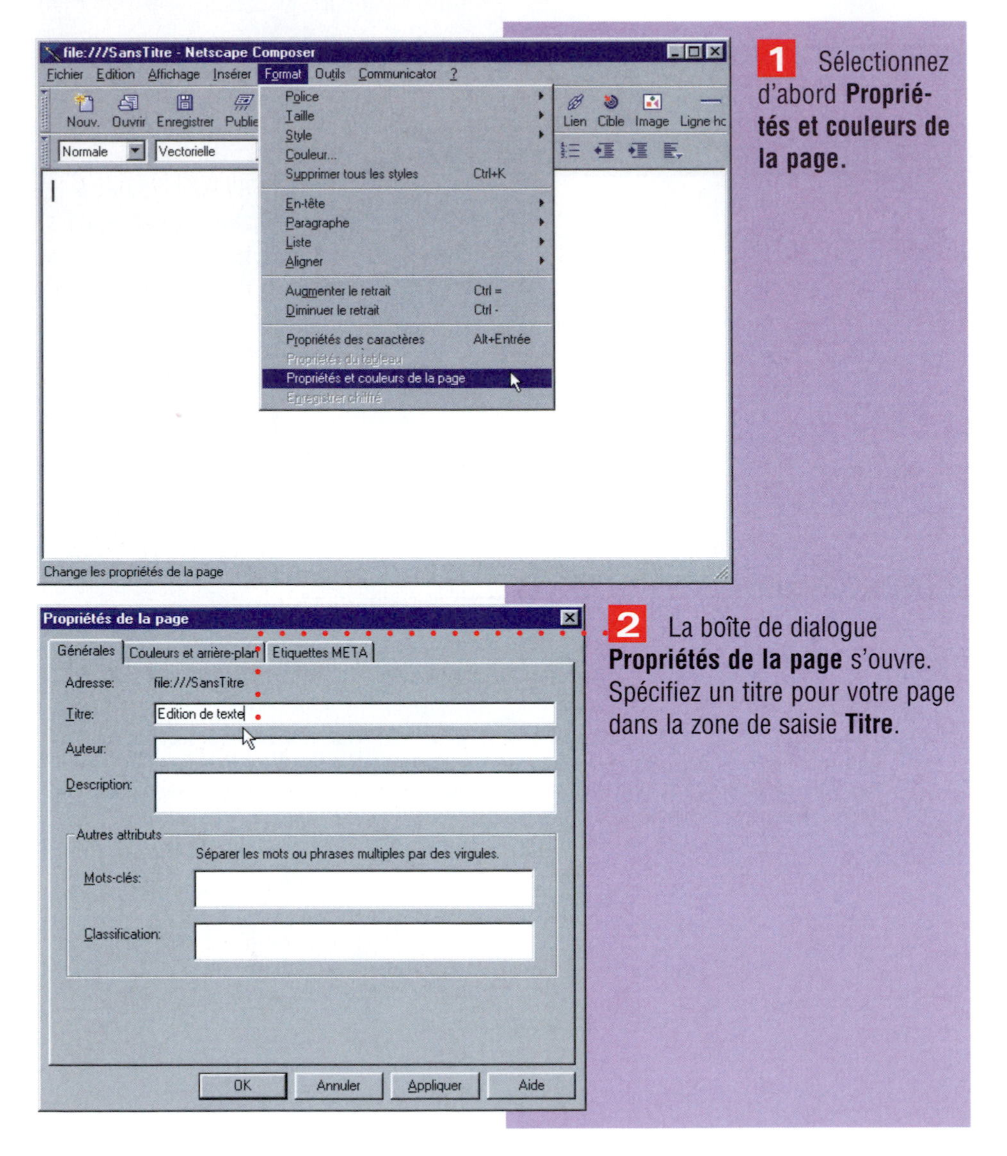

1 Sélectionnez d'abord **Propriétés et couleurs de la page.**

2 La boîte de dialogue **Propriétés de la page** s'ouvre. Spécifiez un titre pour votre page dans la zone de saisie **Titre**.

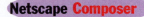

3 Pour terminer, cliquez sur le bouton OK. Votre titre apparaît dans la barre de titre de Netscape Composer.

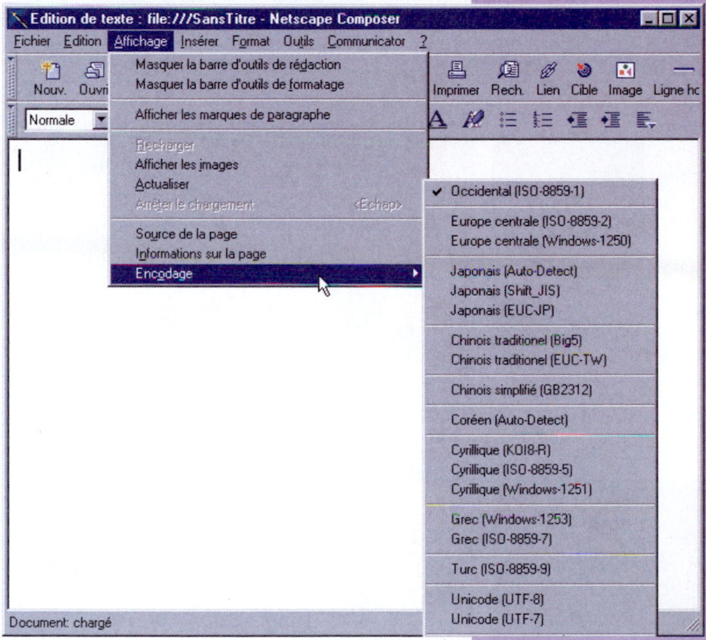

4 Il vous reste maintenant à vérifier si les symboles et les caractères spéciaux s'affichent convenablement. Pour ce faire, sélectionnez la commande **Affichage/ Encodage**.

5 Si vous constatez que la ligne est cochée, les paramètres sont corrects. Cliquez quelque part dans la partie libre de la fenêtre pour fermer le menu déroulant.

6 Si une autre ligne est cochée, cliquez sur la ligne. Une autre boîte de dialogue s'ouvre pour vous informer que le changement d'encodage peut modifier certains caractères de votre document. Cliquez sur OK.

Style Gras et Italique, alignement et retrait

Vous pouvez commencer à éditer votre texte. La procédure est à bien des égards analogue à celle de FrontPage Express, à une différence fondamentale près.

INFO

Nouveau paragraphe et nouvelle ligne

Avec Netscape Composer, la touche *Entrée* vous permet d'insérer un seul saut de ligne à l'intérieur d'un paragraphe. Vous commencez un nouveau paragraphe en tapant deux fois sur la touche *Entrée*.

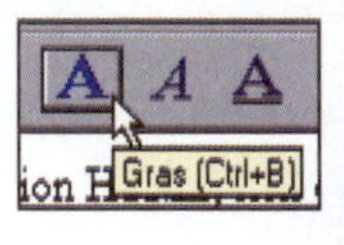

1 Pour afficher du texte en gras, en italique ou souligné, sélectionnez-le avec la souris et cliquez ensuite sur les boutons **Gras**, **Italique** ou **Souligné**.

2 Pour modifier l'alignement d'un paragraphe, placez tout d'abord le curseur dans la ligne souhaitée. Cliquez ensuite sur le bouton adéquat. Vous avez le choix entre trois boutons.

3 À l'aide de la souris, choisissez l'alignement à gauche (le bouton supérieur), centré (le bouton médian) ou à droite (le bouton inférieur).

INFO

Eurêka !

Alors que sous FrontPage Express, l'alignement ne pouvait être appliqué qu'aux paragraphes, vous constatez que Netscape Composer vous offre la possibilité de spécifier différents alignements à l'intérieur d'un même paragraphe, à condition que les portions de texte en question soient séparées par un saut de ligne à l'intérieur du paragraphe. Cette mise en forme différenciée s'applique également pour le retrait.

4 Pour augmenter ou diminuer le retrait, placez le curseur dans le paragraphe choisi. Si celui-ci comporte des sauts de lignes manuels, sélectionnez le paragraphe entier pour lui appliquer le retrait dans sa totalité. Cliquez ensuite sur le bouton gauche pour diminuer le retrait, ou sur celui de droite pour l'augmenter.

Couleur, taille de la police, type de police

Ces trois paramètres sont pratiquement identiques à ceux de FrontPage Express. Venons-en donc au fait sans détour :

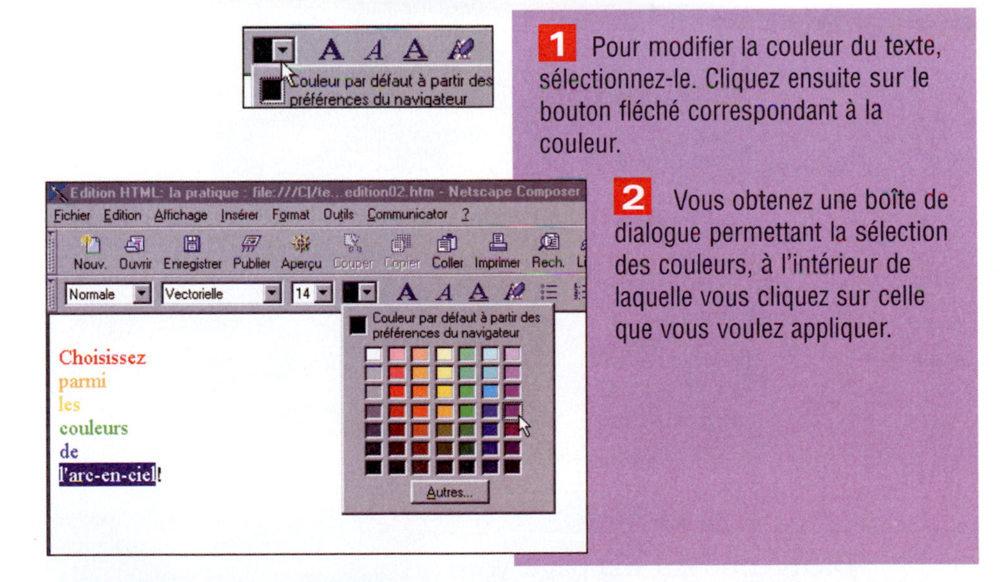

1 Pour modifier la couleur du texte, sélectionnez-le. Cliquez ensuite sur le bouton fléché correspondant à la couleur.

2 Vous obtenez une boîte de dialogue permettant la sélection des couleurs, à l'intérieur de laquelle vous cliquez sur celle que vous voulez appliquer.

INFO

Autres couleurs

Vous avez ici aussi la possibilité de sélectionner d'autres couleurs que celles proposées. Comme nous l'avions déjà souligné au sujet de FrontPage Express, cette possibilité est à déconseiller.

3 La définition de la taille du texte s'effectue en sélectionnant celui-ci et en cliquant sur le bouton fléché correspondant.

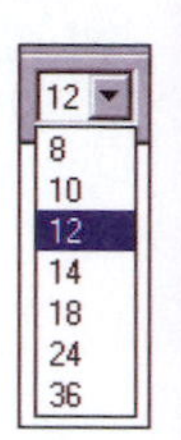

4 À l'inverse de FrontPage Express, vous pouvez choisir directement parmi sept tailles différentes. Cliquez sur la taille choisie : celle-ci s'applique au texte sélectionné. (Notre précédente remarque reste valable : l'option *8* correspondant à la taille minimum. Peu lisible, elle n'est pas recommandée).

5 Reste à choisir une police. Pour ce faire, sélectionnez le texte concerné.

6 Cliquez ensuite sur le bouton fléché situé à côté de l'option prédéfinie vectorielle.

7 Faites dérouler la liste des polices disponibles et cliquez sur celle de votre choix. Celle-ci s'affiche immédiatement.

Comme vous pouvez le constater, Netscape Composer vous permet de mettre en forme une page identique à la précédente. Il ne vous reste plus qu'à enregistrer votre création.

Enregistrez votre page

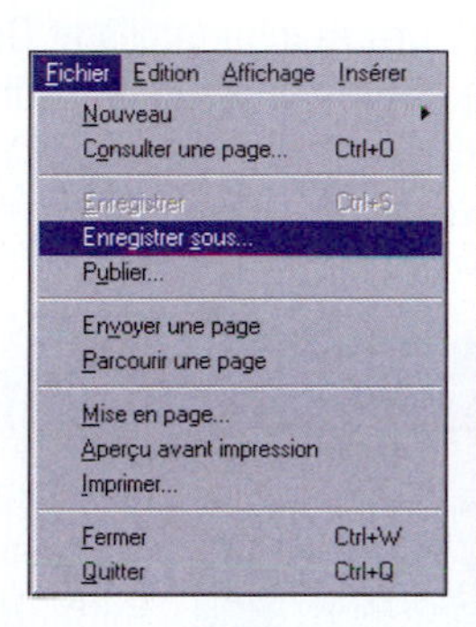

1 Pour enregistrer la page, sélectionnez la commande **Fichier/Enregistrer sous**.

INFO

Enregistrer à nouveau

Si votre page existe déjà, vous pouvez enregistrer les modifications que vous effectuez en sélectionnant la commande *Fichier/Enregistrer*.

Enregistrer sous
Dans : mapageweb
affichag, edition, edition02, edition06, fond01, fond02, loup, mapageweb, puces02, tableau, test01, test02, transpar1
Nom : affichag02 — Enregistrer
Type : HTML Files — Annuler

2 La boîte de dialogue **Enregistrer sous** s'affiche. Choisissez tout d'abord le dossier dans lequel enregistrer la page.

3 Spécifiez un nom de fichier. Vous devez conserver l'extension *.htm*.

4 Pour terminer, cliquez sur le bouton **Enregistrer**. Voilà votre page enregistrée.

Titre de page
Entrer un titre pour la page courante
Bienvenue
Le titre de la page identifie la page dans le titre de la fenêtre et dans les signets. Il peut comporter des espaces et des caractères spéciaux.
Le titre peut être modifié dans la boîte de dialogue Propriétés de la page.
OK — Annuler

5 Si vous n'aviez pas déjà défini de titre pour votre page, spécifiez-en un dans la boîte de dialogue **Propriétés de la page**. Cliquez ensuite sur OK.

Autres éditeurs

Nous avons découvert précédemment les éditeurs Arachnophilia et DominHTML. Ce sont tous deux des éditeurs HTML, dans lesquels les opérations d'édition et de mise en forme du texte sont quelque peu différentes de leurs homologues WYSIWYG. L'exemple de DominHTML nous montre comment procéder :

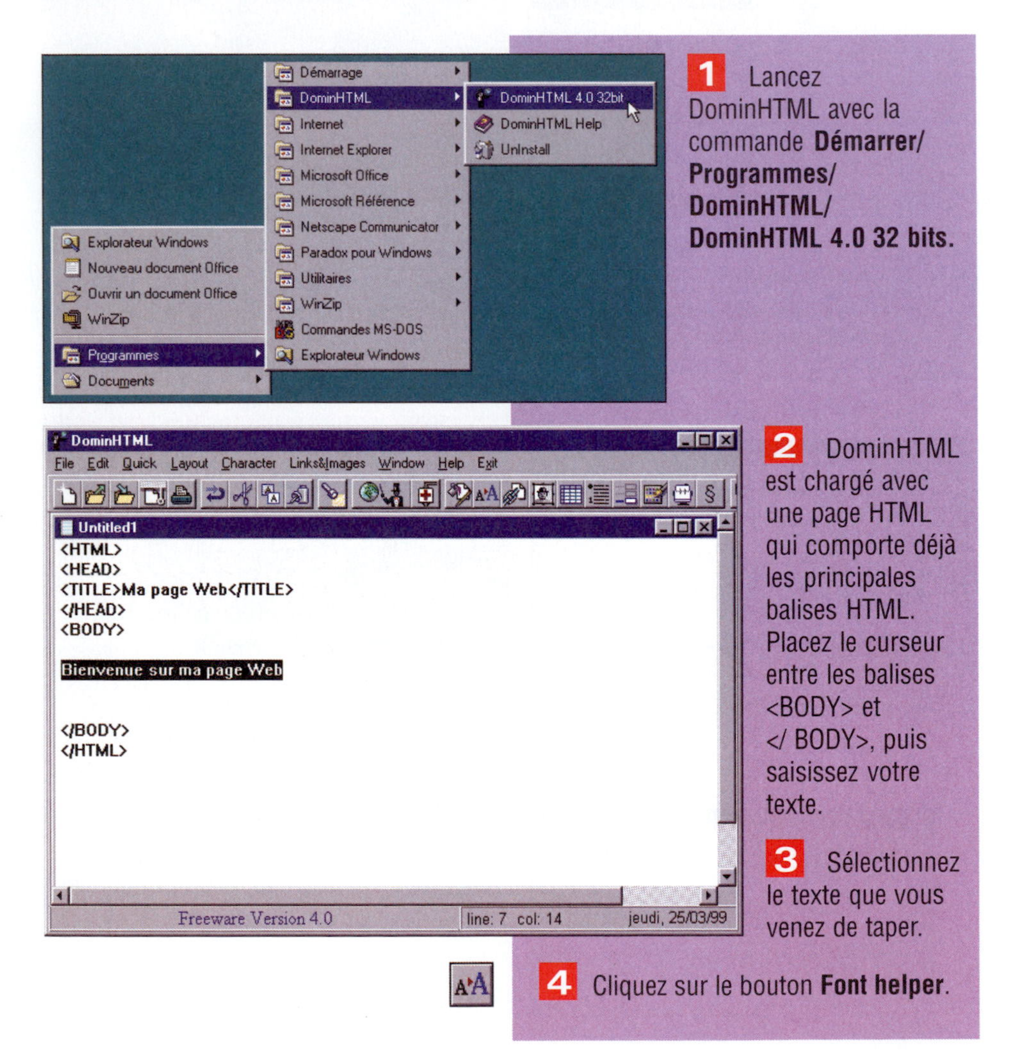

1 Lancez DominHTML avec la commande **Démarrer/ Programmes/ DominHTML/ DominHTML 4.0 32 bits.**

2 DominHTML est chargé avec une page HTML qui comporte déjà les principales balises HTML. Placez le curseur entre les balises <BODY> et </ BODY>, puis saisissez votre texte.

3 Sélectionnez le texte que vous venez de taper.

4 Cliquez sur le bouton **Font helper**.

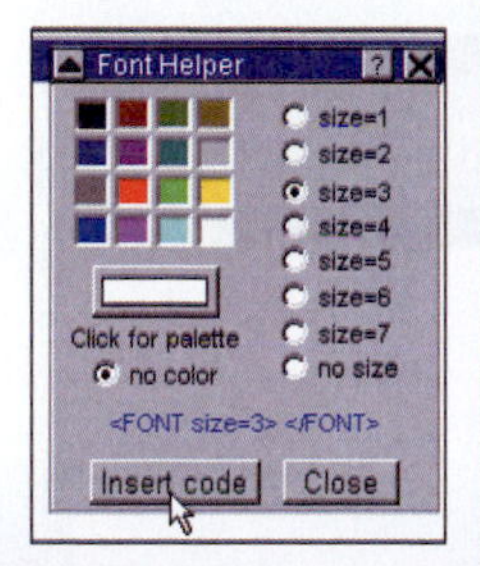

5 Une petite boîte de dialogue s'affiche, à partir de laquelle vous pouvez sélectionner la couleur du texte ou bien sa taille (par exemple *size=5*). Cliquez ensuite sur **Insert Code** et enfin sur **Close**.

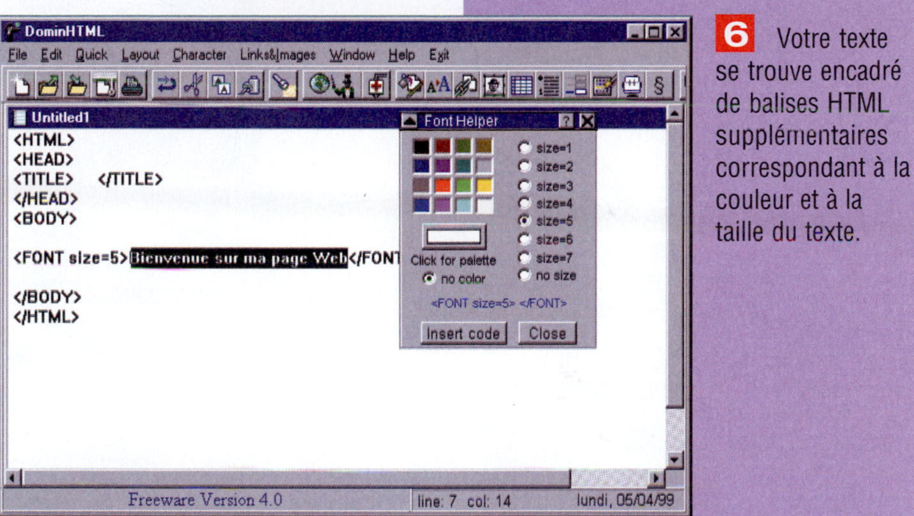

6 Votre texte se trouve encadré de balises HTML supplémentaires correspondant à la couleur et à la taille du texte.

INFO

Ajouter du texte

Vous pouvez ajouter du texte et le mettre en forme de la même façon. Insérez, par exemple, un saut de ligne ou un saut de paragraphe, à partir du menu *Layout*. Mais vous constatez que ces manipulations sont moins pratiques avec un éditeur HTML que sous FrontPage Express ou Netscape Composer.

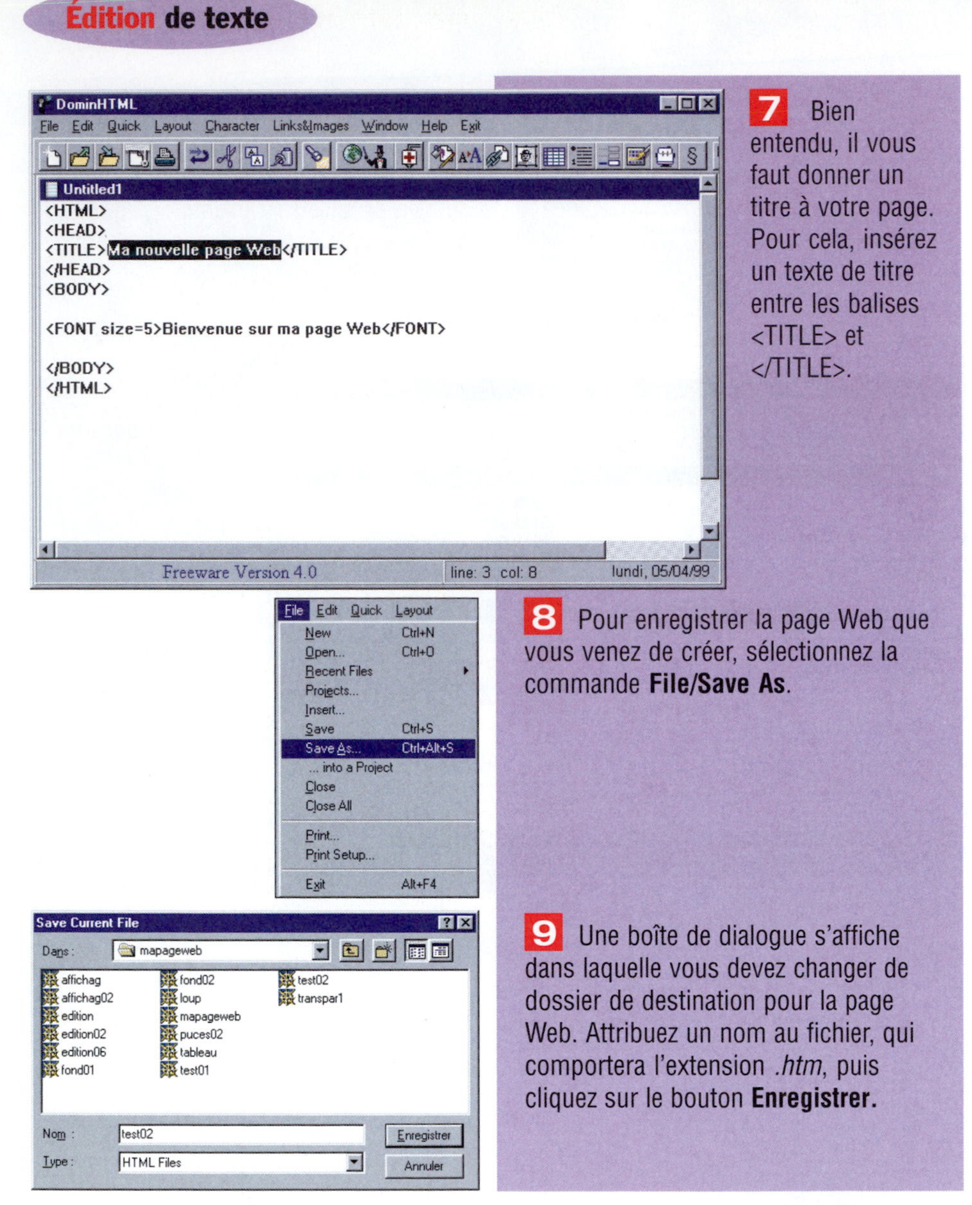

7 Bien entendu, il vous faut donner un titre à votre page. Pour cela, insérez un texte de titre entre les balises <TITLE> et </TITLE>.

8 Pour enregistrer la page Web que vous venez de créer, sélectionnez la commande **File/Save As**.

9 Une boîte de dialogue s'affiche dans laquelle vous devez changer de dossier de destination pour la page Web. Attribuez un nom au fichier, qui comportera l'extension *.htm*, puis cliquez sur le bouton **Enregistrer.**

Lorsque la page est enregistrée, vous pouvez la charger et la visualiser à partir de n'importe quel navigateur.

Testez votre page avec votre navigateur

Lorsque votre page Web élaborée à l'aide d'un éditeur Web est enregistrée, vous pouvez la visualiser dans n'importe quel navigateur.

INFO

Navigateur hors connexion

Si vous n'avez pas paramétré votre navigateur pour qu'il fonctionne hors ligne, un message apparaîtra indiquant que la page d'accueil est introuvable. Ne vous en formalisez pas : vos propres pages peuvent parfaitement être consultées hors ligne.

Le résultat avec Internet Explorer

1 Lancez Internet Explorer.

2 Sélectionnez la commande **Fichier/Ouvrir**.

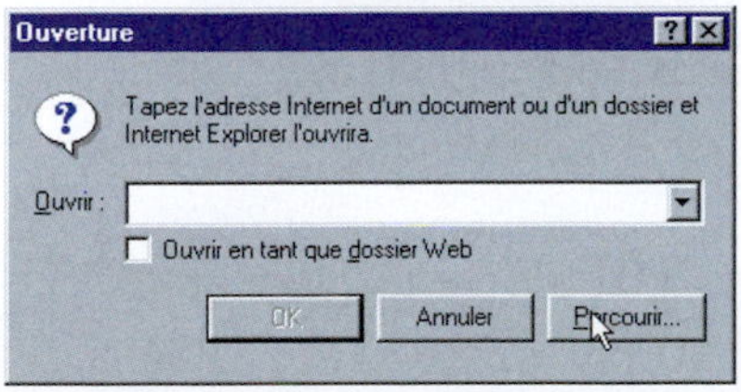

3 La boîte de dialogue **Ouvrir** apparaît. Cliquer sur le bouton **Parcourir**.

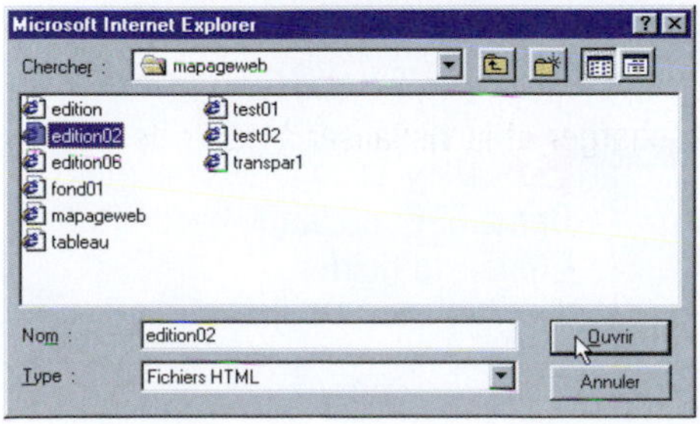

4 Une boîte de dialogue s'affiche. Passez dans le dossier dans lequel le fichier est enregistré.

5 Sélectionnez le fichier souhaité et cliquez sur le bouton **Ouvrir**, puis sur OK.

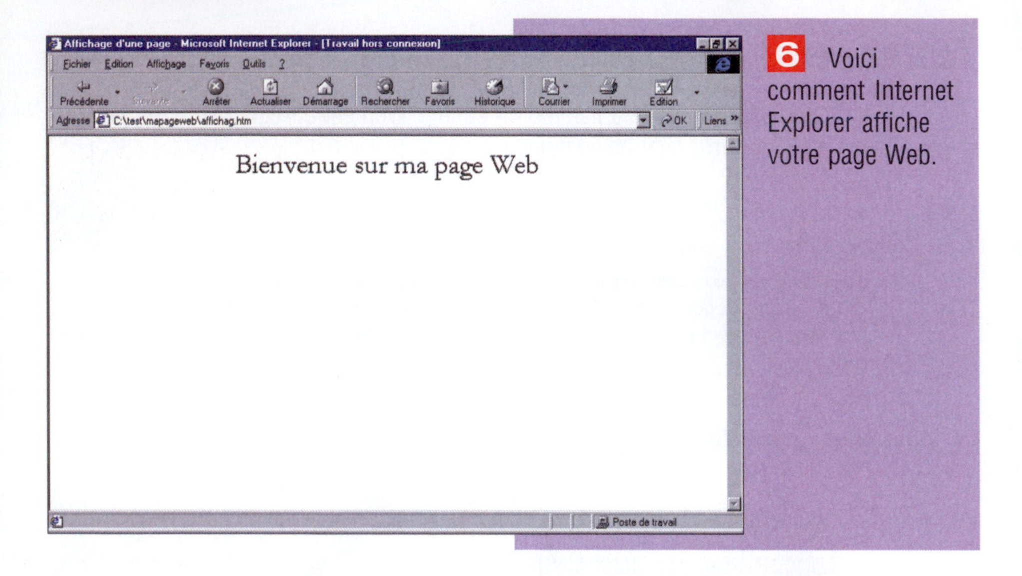

6 Voici comment Internet Explorer affiche votre page Web.

Le résultat avec Netscape Navigator

Vous pouvez contrôler votre page de la même façon sous Netscape Navigator :

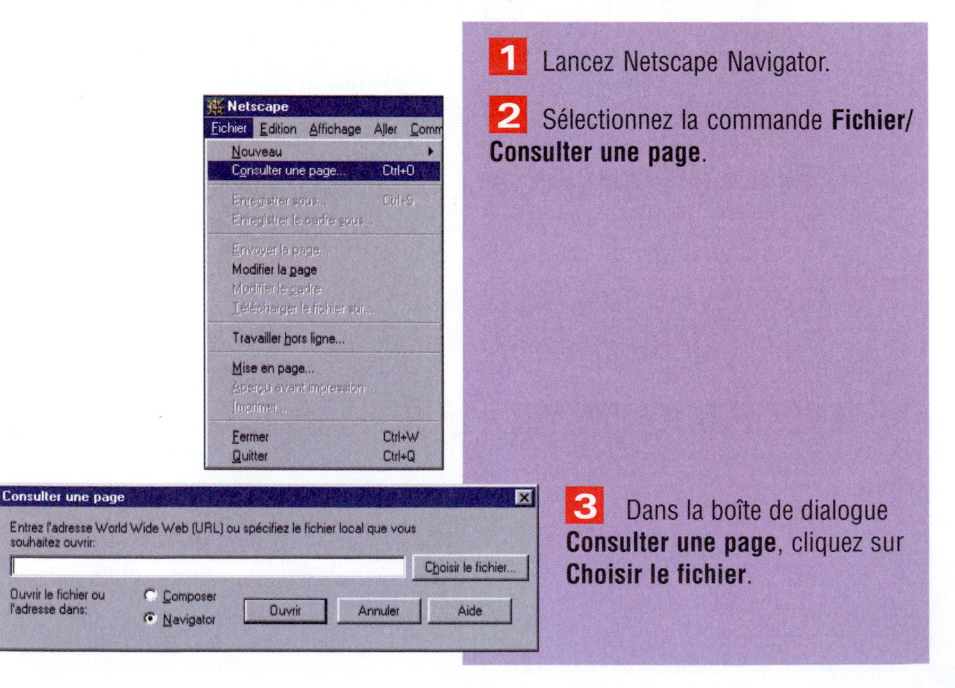

1 Lancez Netscape Navigator.

2 Sélectionnez la commande **Fichier/ Consulter une page**.

3 Dans la boîte de dialogue **Consulter une page**, cliquez sur **Choisir le fichier**.

4 Dans la boîte de dialogue **Consulter** qui apparaît, changez de dossier puis sélectionnez le nom de fichier correspondant à votre page Web. Cliquez sur **Ouvrir** puis à nouveau sur **Ouvrir**, pour charger le fichier.

INFO

Encore plus simple avec Netscape Composer

Les choses sont encore plus simples si vous concevez vos pages avec Netscape Composer pour les contrôler avec Netscape Navigator : Il vous suffit simplement de sélectionner la commande *Fichier/Parcourir une page* ou de cliquer sur le bouton *Aperçu*, pour que votre page soit affichée dans le navigateur.

Titres et autres styles

Au tout début du World Wide Web, les pages Web devaient être composées à la main. Mais à cette époque le Web était encore le domaine d'un cercle restreint de scientifiques qui communiquaient entre eux. Les documents impliqués devaient pouvoir être analysés automatiquement par des programmes informatiques. C'est la raison de la présence de balises HTML. Par exemple, les balises des premiers niveaux de titres et des niveaux suivants permettaient à certains programmes de construire des tables des matières automatiques. À mesure que le Web s'est étendu et a pris un tour commercial et populaire, ce principe est passé au second plan. Malgré cette évolution, ces balises de titre ainsi que d'autres indications de mise en forme ont subsisté dans le langage HTML.

Vous avez vu au chapitre précédent qu'il est possible de modifier l'apparence d'un texte (en augmentant sa taille, en le mettant en gras, etc.), de façon à lui donner l'apparence spécifique d'un titre. Vous n'avez donc en réalité nullement besoin d'un format titre spécifique. Examinons cependant comment tout cela fonctionne. Vous déciderez par vous-même de quelle manière vous composerez vos titres.

Charger un fichier dans FrontPage Express

Voyons pour commencer comment ouvrir à nouveau sous FrontPage Express le fichier que vous aviez créé pour votre première page Web.

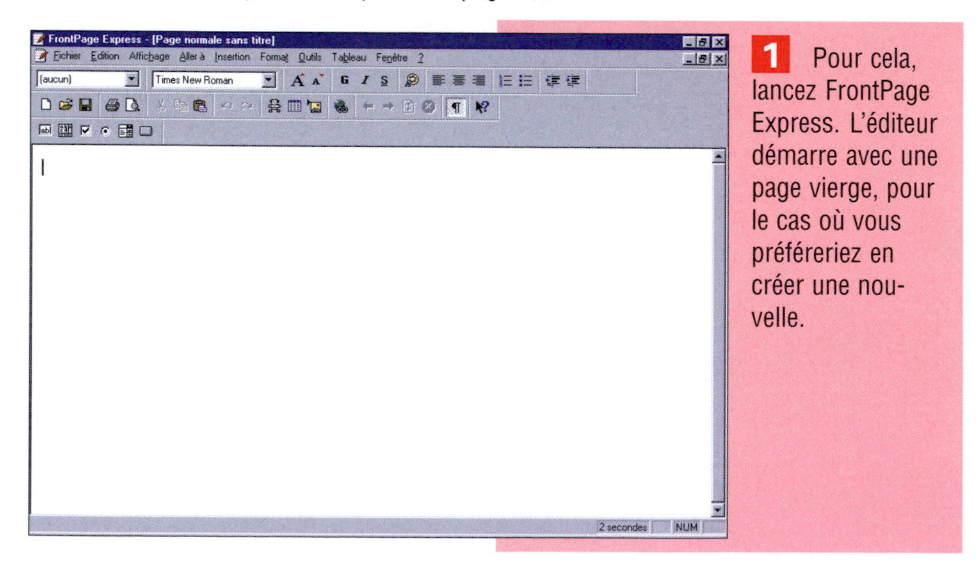

1 Pour cela, lancez FrontPage Express. L'éditeur démarre avec une page vierge, pour le cas où vous préféreriez en créer une nouvelle.

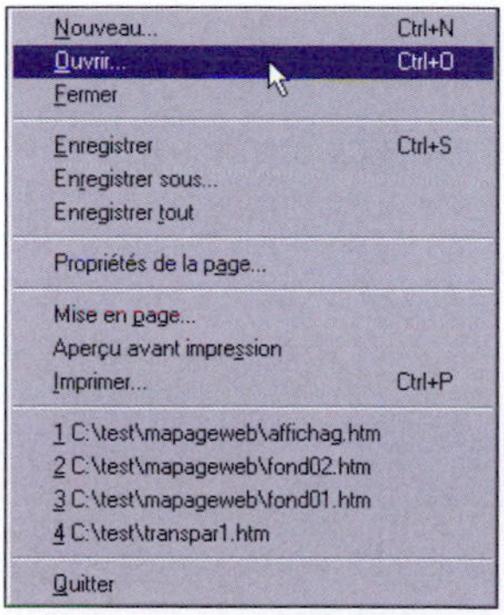

2 Pour charger une page Web précédemment créée, choisissez la commande **Fichier/Ouvrir**.

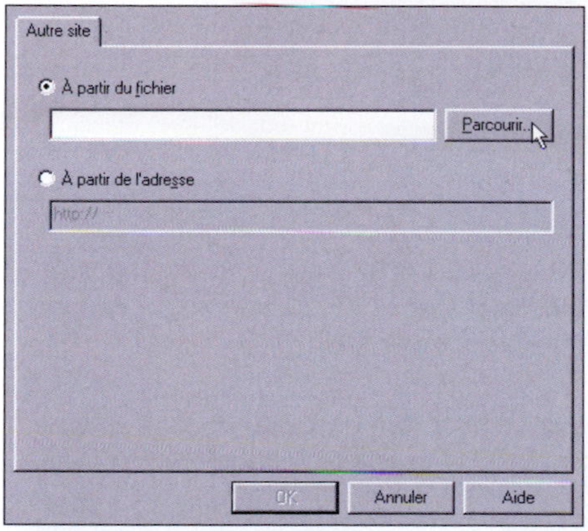

3 La fenêtre **Ouvrir fichier** s'ouvre. Cliquez sur le bouton **Parcourir**.

4 Vous vous trouvez dans une fenêtre de sélection. Cherchez d'abord le dossier dans lequel votre fichier a été enregistré. Sélectionnez ensuite le fichier en question.

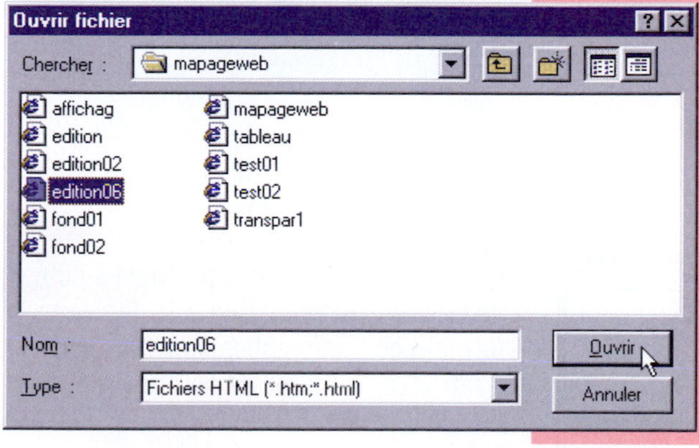

5 Cliquez sur le bouton **Ouvrir** pour l'afficher sous FrontPage Express et pour le modifier.

Titres

Les titres sont - tout comme l'alignement - une mise en forme s'appliquant systématiquement au paragraphe entier. Voici comment procéder pour transformer un paragraphe en titre.

1 Tapez tout d'abord votre paragraphe dans la page Web. Si vous voulez insérer un paragraphe au-dessus du texte courant, placez le curseur à gauche du premier caractère de la ligne supérieure et appuyez sur la touche **Entrée**.

INFO

Modifier la mise en forme

Si vous insérez un nouveau paragraphe entre deux paragraphes ou au-dessus d'un paragraphe existant, il reprend la mise en forme de celui dans lequel se trouvait le curseur lorsque vous avez appuyé sur la touche *Entrée*. Vous pouvez modifier cette mise en forme à tout moment. À cet égard, sachez que :

- **Les mises en forme de caractères, tels que gras ou titres supérieurs, peuvent être complètement supprimées. Sélectionnez le texte concerné et activez commande Format/Supprimer la mise en forme. Vous obtenez ainsi le format *Normal*.**
- **Les mises en forme de paragraphes, tel que l'alignement, ne peuvent être modifiées qu'en passant par les boutons correspondants.**

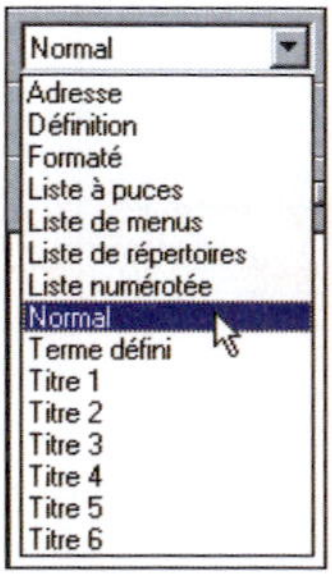

Normal
Adresse
Définition
Formaté
Liste à puces
Liste de menus
Liste de répertoires
Liste numérotée
Normal
Terme défini
Titre 1
Titre 2
Titre 3
Titre 4
Titre 5
Titre 6

2 Placez maintenant le curseur dans le nouveau paragraphe.

3 Cliquez sur le bouton fléché à côté de la valeur *Normal*. Une liste des formats de paragraphes apparaît. Vous y retrouvez les titres de niveau 1 à 6.

INFO

Niveaux de titres

Le titre de niveau le plus élevé est obtenu en sélectionnant *Format du paragraphe Titre 1*. L'importance du titre diminue à mesure que la valeur de son numéro augmente. Le plus petit est *Titre 6*. Vous pouvez choisir un niveau de titre par paragraphe.

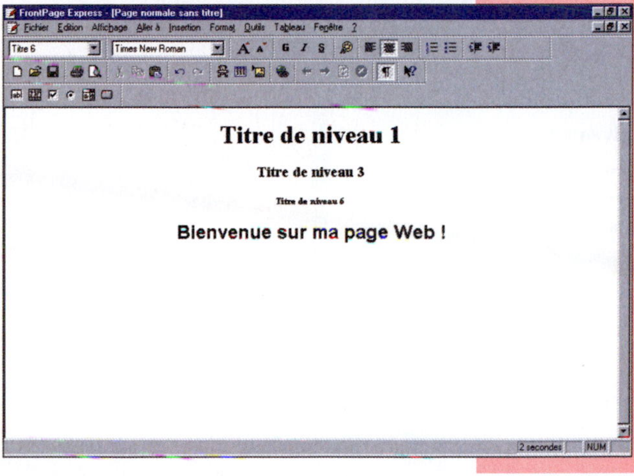

4 Sélectionnez un des titres en cliquant dessus. Le niveau de titre correspondant est immédiatement appliqué au paragraphe.

INFO

Titres et autres mises en forme

Comme vous pouvez le voir, les titres peuvent être centrés ou alignés à gauche ou à droite. Bien entendu, vous pouvez également en modifier la couleur, la police ou d'autres attributs encore.

Listes

Les listes à puces et les listes numérotées (toutes deux appartiennent à la catégorie liste) sont des balises HTML qui remontent aux débuts du World Wide Web, mais qui conservent leur utilité. Dans le cas des listes à puces, chaque entrée (paragraphe) est précédée d'une puce ou de tout autre signe d'énumération.

1 Pour créer une liste à puce, rédigez tout d'abord sur une nouvelle ligne le texte de chaque point à énumérer. Appuyez sur la touche **Entrée** après chaque ligne. Les textes apparaissent dans des paragraphes l'un en dessous de l'autre.

INFO

Pas de limite à la longueur du texte

Dans l'exemple suivant, chaque point ne comporte qu'un seul mot. Mais rien n'interdit d'avoir des textes plus longs pour chaque point énuméré. Dans ce cas également, le passage à la ligne se fait automatiquement avec un retrait positif à partir de la deuxième ligne.

2 Sélectionnez ensuite tous les paragraphes de la liste à puces.

Animaux de ma forêt :

- Sanglier
- Biche
- Cerf
- Ecureuil

3 Par un simple clic sur le bouton *liste à puces*, ces paragraphes sont transformés en une liste à puces classique.

INFO

Attention à l'alignement à gauche

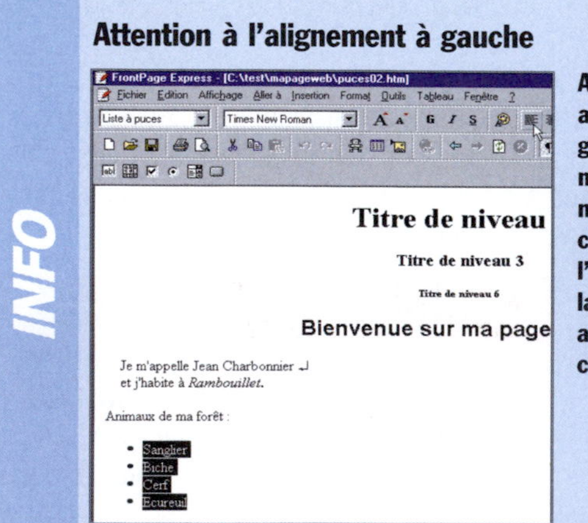

Au chapitre précédent, une remarque attirait votre attention sur l'alignement normal et l'alignement à gauche, dans le cas des listes à puces et des listes numérotées. Faites un essai : sélectionnez à nouveau tous les paragraphes de la liste à puces et cliquez ensuite sur le bouton correspondant à l'alignement à gauche. L'espace entre les lignes de la liste à puces augmente immédiatement. Pour annuler cet effet, cliquez à nouveau sur le bouton correspondant à l'alignement à gauche.

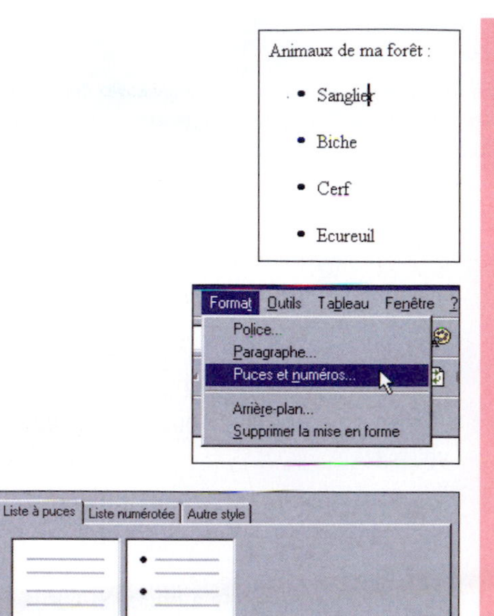

4 Vous pouvez encore modifier l'apparence des signes utilisés pour l'énumération. Placez le curseur sur l'une des lignes de la liste.

5 Choisissez ensuite la commande **Format/Puces et numéros**.

6 Un choix entre quatre variantes s'offre ainsi à vous. La première est équivalente aux paragraphes normaux tandis que la seconde correspond aux paramètres prédéfinis. Choisissez donc l'une des deux dernières variantes en cliquant dessus avec la souris.

7 Lorsque votre choix a été validé avec le bouton OK, la liste est pourvue des nouveaux signes d'énumération.

Notre page a déjà bonne allure. Mais continuons ! Car vous pouvez mettre en place des sous-listes, ce qui vous permet par exemple de représenter très clairement la structure d'un paragraphe.

1 Commencez par placer le curseur à la fin du point en-dessous duquel la sous-liste doit commencer.

2 Appuyez ensuite sur la touche **Entrée** : vous obtenez un nouveau point d'énumération sans texte.

INFO

Ajouter de nouveaux points après coup

À ce stade, vous pouvez taper du texte à côté du nouveau point de la liste. Vous savez donc d'emblée comment ajouter après coup de nouveaux points dans une liste à puces.

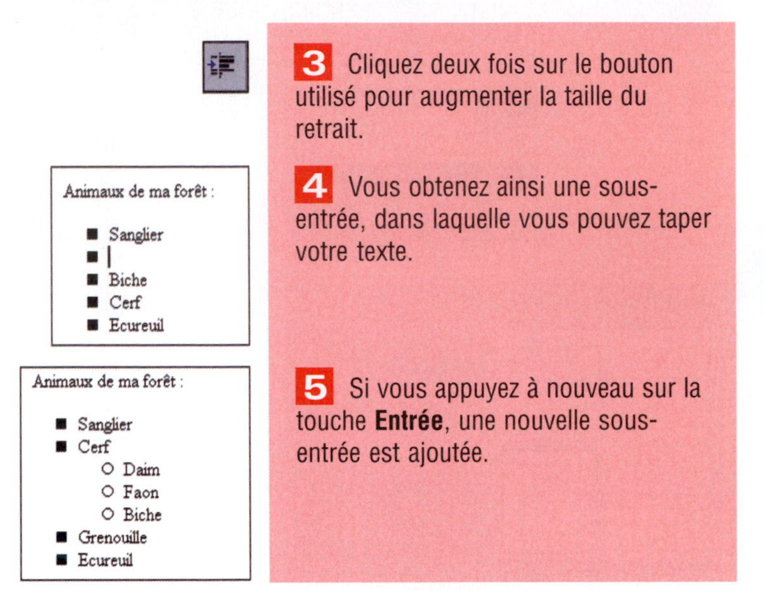

3 Cliquez deux fois sur le bouton utilisé pour augmenter la taille du retrait.

4 Vous obtenez ainsi une sous-entrée, dans laquelle vous pouvez taper votre texte.

5 Si vous appuyez à nouveau sur la touche **Entrée**, une nouvelle sous-entrée est ajoutée.

Listes numérotées

Les listes numérotées se différencient des listes à puces uniquement par la présence de chiffres ou de lettres devant chaque entrée de la liste.

1 Commencez par taper du texte disposé sur plusieurs paragraphes. Sélectionnez ensuite les paragraphes qui doivent être numérotés.

INFO

Autres options

Vous pouvez également sélectionner les différents éléments de la liste à puces et les transformer en liste numérotée, en procédant comme indiqué ci-après (la procédure est réversible).

2 Cliquez sur le bouton utilisé pour les listes numérotées afin de transformer la liste à puces en liste numérotée commençant par le numéro 1.

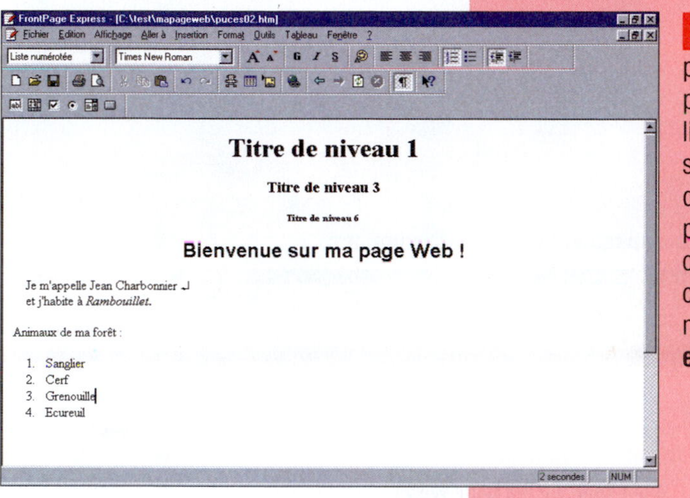

3 Les autres possibilités de paramétrage des listes numérotées sont plus nombreuses que celles des listes à puces. Pour accéder à ces paramètres, choisissez la commande **Format/Puces et numéros**.

4 La fenêtre **Propriétés de la liste** s'affiche. Sélectionnez un des types de numérotation (*1, 2, 3* ou *I, II, III*, etc.) en cliquant sur la zone choisie.

5 Vous avez la possibilité de démarrer la numérotation à partir d'un autre chiffre que *1* (ou d'une autre lettre que *A*). À cet effet, sélectionnez un numéro initial dans la zone de saisie **Démarrer à**.

INFO

Utilisation de lettres pour la numérotation

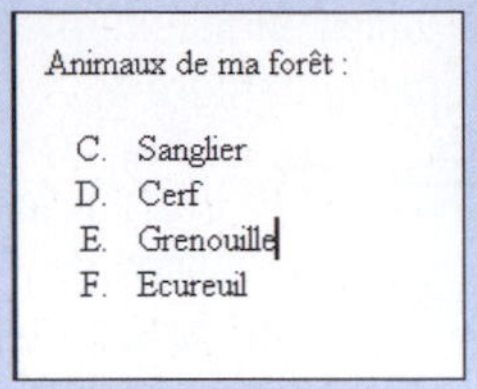

Animaux de ma forêt :

C. Sanglier
D. Cerf
E. Grenouille
F. Ecureuil

Si vous avez choisi un type de numérotation particulier, tel qu'avec lettres minuscules ou majuscules, vous pouvez par exemple commencer la numérotation à C. Comptez la position de cette lettre dans l'alphabet (par exemple C = 3) et spécifiez cette valeur dans la zone de saisie *Démarrer à*.

INFO

Attention aux anciennes versions des navigateurs !

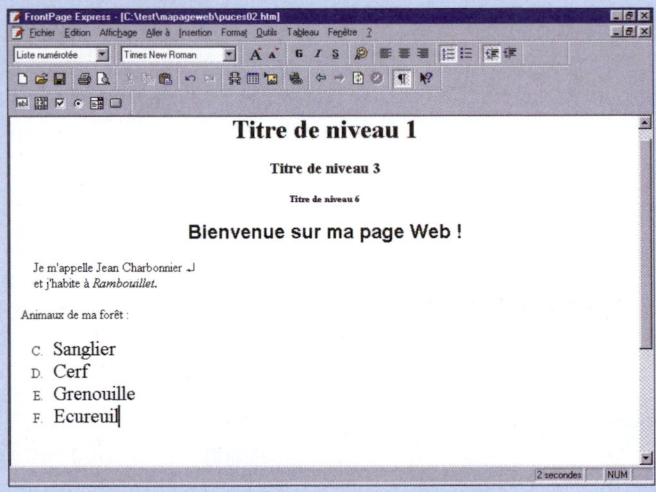

FrontPage Express - [C:\test\mapageweb\puces02.htm]

Fichier Edition Affichage Aller à Insertion Format Outils Tableau Fenêtre ?

Liste numérotée | Times New Roman

Titre de niveau 1

Titre de niveau 3

Titre de niveau 6

Bienvenue sur ma page Web !

Je m'appelle Jean Charbonnier
et j'habite à *Rambouillet*.

Animaux de ma forêt :

C. Sanglier
D. Cerf
E. Grenouille
F. Ecureuil

2 secondes | NUM

Malheureusement, certains navigateurs anciens ne prennent pas en charge les listes numérotées dans lesquelles les chiffres arabes sont remplacés par des chiffres romains ou par des lettres, ou dans lesquelles la numérotation démarre à un autre chiffre que 1. Même s'ils sont capables d'afficher les listes numérotées, ils persistent à commencer à 1, même si vous en avez décidé autrement. La prudence s'impose donc lorsque vous faites référence à une liste numérotée (notamment dans un renvoi qui serait rédigé ainsi : «Reportez-vous au point 7») qui ne commencerait pas à 1.

Les numéros des listes restent à la taille standard

Soyez enfin attentif à ce dernier point : les textes de listes à puces et de listes numérotées peuvent être mis en forme de différentes façons et leur taille peut également être augmentée. Sachez toutefois que la numérotation conserve quant à elle la mise en forme standard.

Images

Que serait une page Web sans images ni photos ? Un concentré de texte à l'apparence peu attrayante ! Voici donc venu le moment d'égayer votre page Web en y intégrant des images et des photos. L'insertion d'une image dans une page Web est d'une simplicité effarante. Les pièges sont en fait d'une autre nature : les images doivent avoir des formats de fichiers particuliers. Elles nécessitent par ailleurs d'être optimisées, si l'on veut accélérer leur chargement. Mais il suffit d'être informé pour éviter les écueils habituels. Mais rassurez-vous, cette introduction progressive va vous métamorphoser en spécialiste dans le domaine.

Où trouver des images ?

Bien entendu, les images que vous comptez utiliser dans votre page Web doivent être disponibles sous forme de fichiers graphiques. Selon vos intérêts et votre niveau de compétences, deux possibilités s'offrent à vous pour obtenir des images à insérer dans vos pages Web.

- Vous pouvez mettre à profit des images disponibles sur le World Wide Web, ce qui vous évitera de consacrer de longues séances à les créer vous-même. Ce choix s'accompagne néanmoins de restrictions juridiques sur lesquelles nous nous étendrons plus loin.
- Vos propres photos, images, etc. sont évidemment bienvenues sur le Web. Pour cela, vous devez être équipé pour numériser ces images. Deux mots sur ce dernier point.

INFO

Numériser des images

Il existe différentes possibilités en matière de numérisation d'images sur papier, de diapositives ou de négatifs couleur.

- **Les images papier peuvent être numérisées avec un scanner à plat. Peut-être connaissez-vous dans votre entourage quelqu'un qui possède un scanner. Sachez cependant que l'acquisition d'un tel appareil n'est plus inabordable aujourd'hui : les scanners vendus actuellement entre 500 et 700 francs sont tout à fait indiqués pour numériser des images pour le Web.**
- **Les diapositives et les négatifs couleurs peuvent être gravés sur CD photo dans un laboratoire spécialisé pour une cinquantaine de francs par film. Un CD photo de 100 clichés vous reviendra à 500 francs environ. Mais vous n'êtes pas obligé de graver 100 films d'un coup. Le prix est fonction de la quantité.**
- **Vous avez également la possibilité d'utiliser un appareil photo numérique pour prendre vos photos. Vous pouvez ensuite transférer vos images numérisées sur votre ordinateur où elles sont immédiatement exploitables.**

Attention au droit d'auteur

Si vous ne voulez pas créer vos propres images pour votre page Web, soyez attentif à ceci : les droits d'auteurs restent d'actualité sur Internet ! Vous avez certes le droit de charger une photo ou une image sur votre ordinateur : c'est d'ailleurs à cette fin qu'elles sont mises à disposition sur un serveur. Pas de problème non plus si vous voulez stocker des images, pour vous permettre de les visualiser tranquillement hors connexion, ou si vous voulez les imprimer pour votre usage personnel. Mais elles restent soumises à restriction si vous les destinez à être publiées - par exemple à partir de votre homepage - ainsi que pour toute autre utilisation commerciale. Les droits d'auteurs sont alors en vigueur et des autorisations doivent être sollicitées. Seule exception à la règle : les images qui appartiennent explicitement à la catégorie des freewares ou celles du domaine public. Évidemment la question ne se pose pas si l'auteur d'une image vous en a concédé (de préférence par écrit) le droit d'exploitation, pour les besoins de vos pages Web.

Images gratuites

Fort heureusement, le World Wide Web offre un grand nombre de compilations d'images en freeware. Si, pour vos premiers pas dans la réalisation de pages Web, vous ne voulez pas encore créer vos propres images, ces sites sont faits pour vous servir. Voici donc une liste d'adresses Internet intéressantes, proposant des compilations d'images.

Liste d'adresses Internet proposant des compilations d'images	
Aprilrain's Free Web Graphics	http://www.aprilrain.com/freegraphics/
The Clipart Universe	http://www.nzwwa.com/mirror/clipart/
PowerWorks zone	http://www.islandnet.com/~hlubin/
Paradox Graphics 2	http://www.geocities.com/SoHo/8103/
Liens vers d'autres sites	http://dir.yahoo.com/Computers_and_Internet/Graphics/Clip_Art/sur Yahoo

Voici comment procéder lorsque vous avez trouvé dans une de ces compilations gratuites une image que vous souhaitez exploiter pour votre page Web.

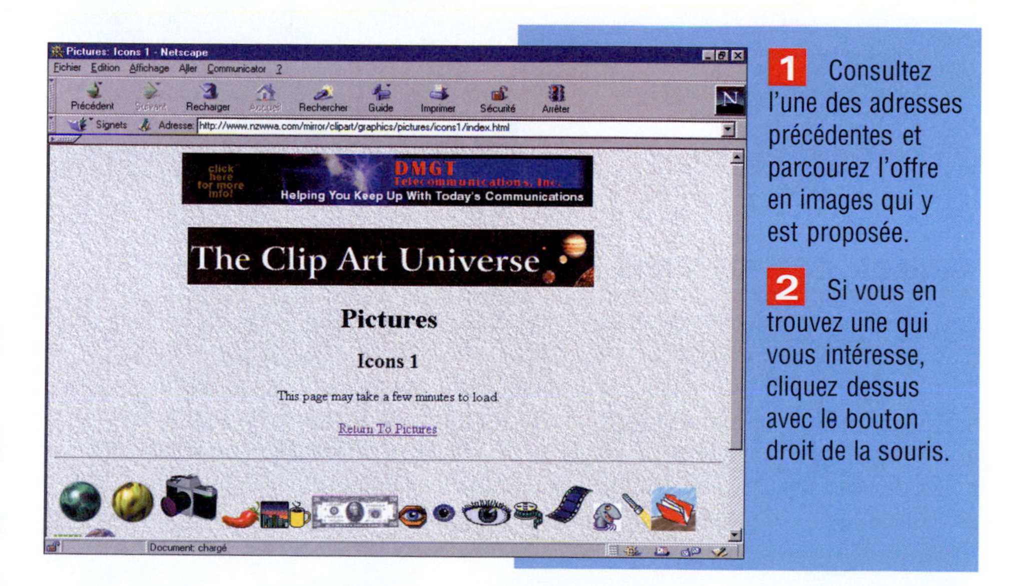

1 Consultez l'une des adresses précédentes et parcourez l'offre en images qui y est proposée.

2 Si vous en trouvez une qui vous intéresse, cliquez dessus avec le bouton droit de la souris.

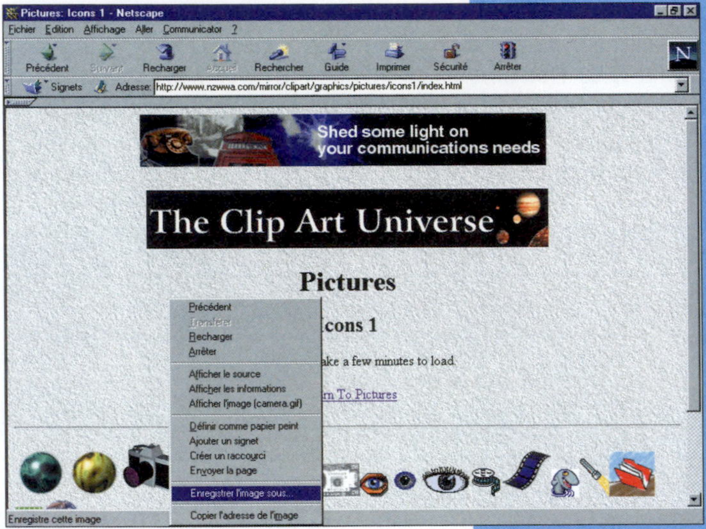

3 Un menu contextuel apparaît. Sélectionnez la commande **Enregistrer l'image sous**.

4 Une boîte de dialogue s'ouvre, où vous choisissez un dossier dans lequel stocker l'image Web.

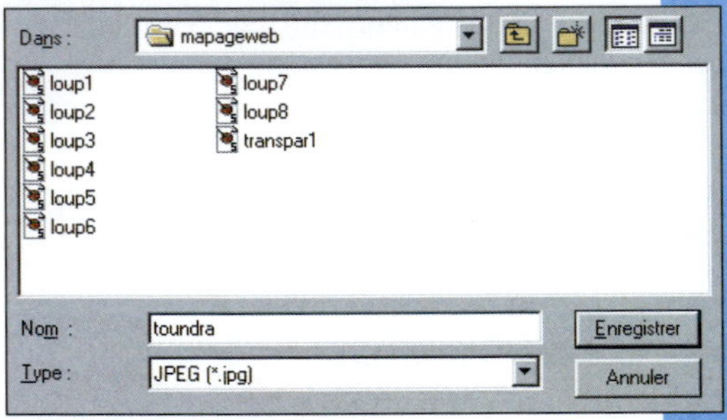

5 Le nom du fichier figure déjà dans la zone de saisie. Vous pouvez l'effacer, si vous voulez enregistrer l'image sous un autre nom.

6 Cliquez enfin sur le bouton **Enregistrer**. L'image que vous avez sélectionnée sur le Web est désormais stockée sur votre ordinateur. Vous pouvez l'utiliser à votre guise pour vos propres pages Web.

Aperçu des logiciels de traitement d'images

Si vous voulez inclure dans vos pages Web des images de votre propre confection, en plus des images en freeware, un logiciel de dessin vous sera utile. Il devra être en mesure d'exploiter les formats d'images Web. Nous ferons tout d'abord le tour des différents formats, en notant l'intérêt de chacun d'entre eux pour cet usage. Nous examinerons quelques-uns des logiciels de dessin susceptibles d'être exploités pour traiter de telles images. Mais commençons sans plus tarder : vous allez découvrir dans un instant comment préparer vos propres images pour Internet et comment les intégrer dans vos pages Web.

GIF et JPG : les formats d'images

Les navigateurs Web peuvent afficher en standard deux formats graphiques : le format GIF et le format JPG (du nom de leurs extensions *.gif* et *.jpg*). Récemment, le format PNG est venu s'ajouter à ces deux premiers, mais de nombreux navigateurs ne le reconnaissent pas encore : nous ne nous y intéresserons donc pas. De nombreux programmes vous permettent d'enregistrer vos images dans un des deux formats adaptés pour le Web.

Reste à déterminer lequel des deux formats convient le mieux, et à examiner leur intérêt respectif. Voici donc un petit comparatif.

Récapitulatif des formats graphiques GIF et JPG		
Format graphique	**GIF**	**JPG**
Couleurs utilisées	256 couleurs	16 millions de couleurs
Particulièrement indiqué pour	graphiques, logos, diagrammes	dégradés de couleurs et photographies
Exemple	Page Web	

Paint (Windows 98)

Le programme Paint, installé avec Windows 98, vous permet d'enregistrer des images aux formats JPG et GIF. Le programme Paint existe également sous Windows 95, mais il n'offre pas la possibilité d'enregistrer les images aux formats JPG et GIF. Si vous travaillez avec Windows 98, essayez donc Paint.

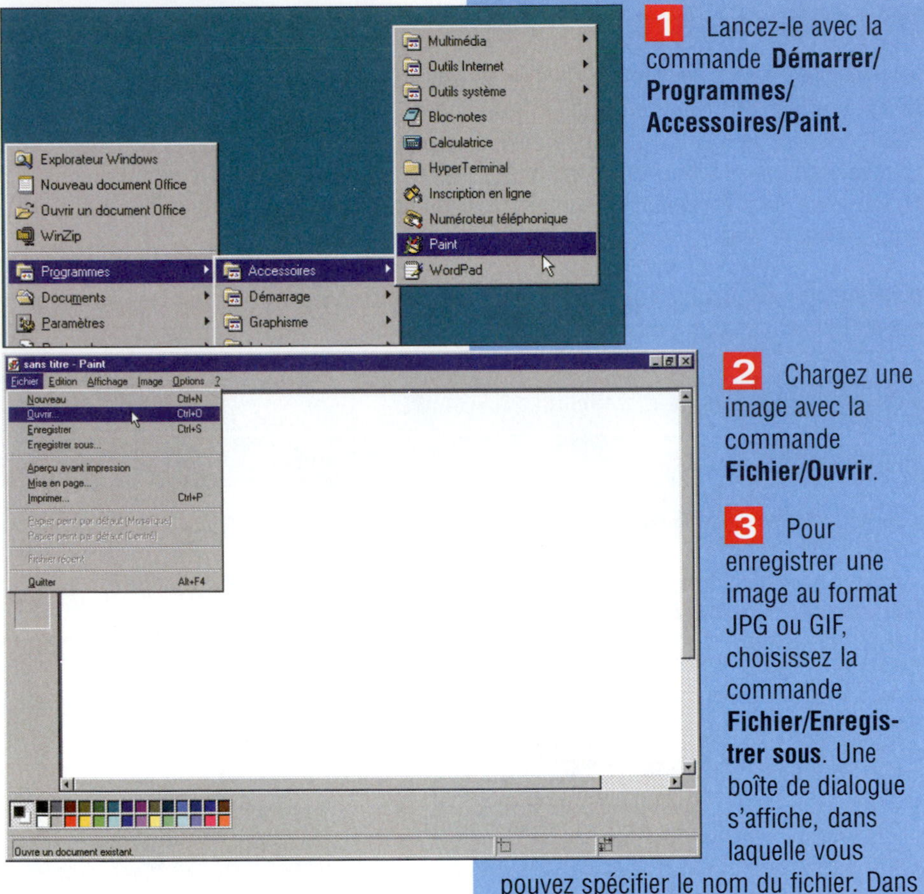

1 Lancez-le avec la commande **Démarrer/ Programmes/ Accessoires/Paint.**

2 Chargez une image avec la commande **Fichier/Ouvrir**.

3 Pour enregistrer une image au format JPG ou GIF, choisissez la commande **Fichier/Enregistrer sous**. Une boîte de dialogue s'affiche, dans laquelle vous pouvez spécifier le nom du fichier. Dans la rubrique *Type*, choisissez ensuite *Filtre JPEG* ou *Filtre GIF* et cliquez sur le bouton **Enregistrer**.

INFO

Réservé pour vos premiers pas

Certes, Paint pour Windows 98 permet d'enregistrer des fichiers aux formats GIF et JPG, mais uniquement avec un paramètre standard pour chacun des formats. C'est suffisant pour vos premiers pas dans la création de votre page Web. En revanche, il est impossible d'optimiser la taille du fichier. Vous devrez donc rapidement passer à un logiciel de traitement d'images plus performant.

Paint Shop Pro

Paint Shop Pro 5.0 est l'un des meilleurs logiciels de traitement d'image, et il présente un excellent rapport prix/performances (vous le trouverez à moins de 1 000 francs). Avantage supplémentaire : vous pouvez le tester gratuitement en shareware pendant 30 jours. Ce logiciel est proposé régulièrement dans les CD-Rom qui accompagnent les différentes revues d'informatique. Il peut également être téléchargé sur Internet, à partir du site WinShare Killer Aps, à l'adresse `http://www.wska.com`.

INFO

Ne jetez pas la version 4.0

Si vous retrouvez la version 4.0 de Paint Shop Pro sur l'un de ces CD-Rom proposés avec les revues d'informatique, conservez-le. Il s'agit d'un programme tout à fait convenable pour traiter les graphiques Web. Cette version a beau ne pas disposer des techniques particulièrement sophistiquées telle que la gestion des images multilayers, il permet de réaliser d'excellents travaux.

Nous allons voir en détail comment travailler avec Paint Shop Pro. Vous constaterez à quel point ce logiciel est convivial.

Autres logiciels de traitement d'images

De nombreux autres logiciels de traitement d'images sont disponibles dans le commerce. À commencer par le nec plus ultra de la catégorie, à savoir Photoshop, dont le prix est conséquent (comptez près de 6 000 francs), jusqu'à la version moins récente de quelques autres logiciels, qui vous reviendront à moins de 400 francs.

- De son côté, CorelDraw! propose Paint version 7 (CorelDraw Edition Select) pour près de 700 francs. Rien à voir avec la toute dernière version 8, pour laquelle vous devrez débourser la coquette somme de 3 600 francs.
- Picture Publisher de Micrografix vous reviendra à près de 900 francs. Mais si vous projetez de faire l'acquisition d'un scanner, ce logiciel peut être fourni avec le logiciel de numérisation qui l'accompagne. Vous avez une chance de trouver un scanner à un prix avoisinant les 500 à 700 francs et de bénéficier en prime de Picture Publisher.
- Dans la catégorie de prix au-dessus, Ulead PhotoImpact 4 est disponible à 1 300 francs. Peut-être trouverez-vous une version antérieure à un prix plus avantageux, sachant que ces versions «anciennes» demeurent performantes.

Créer une image JPG

Bienvenue dans l'univers du graphisme. Vous avez besoin d'une image numérisée (celle prise d'un CD photo, une image scannée ou encore un cliché pris par une caméra numérique). Chargez cette image sous Paint Shop Pro :

1 Lancez Paint Shop Pro en exécutant la commande **Démarrer/Programmes/Paint Shop Pro 5/Paint Shop Pro 5**.

2 Choisissez la commande **Fichier/Ouvrir**.

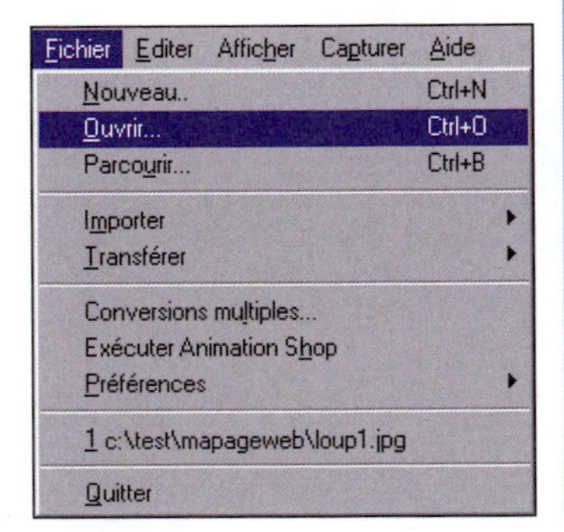

Aperçu des images

Vous pouvez choisir la commande *Fichier/Parcourir*. Sélectionnez ainsi un dossier de votre disque dur et prévisualisez sous forme de vignettes l'ensemble des images de ce dossier. Il vous suffit alors de double-cliquer sur une de ces images pour la charger dans Paint Shop Pro.

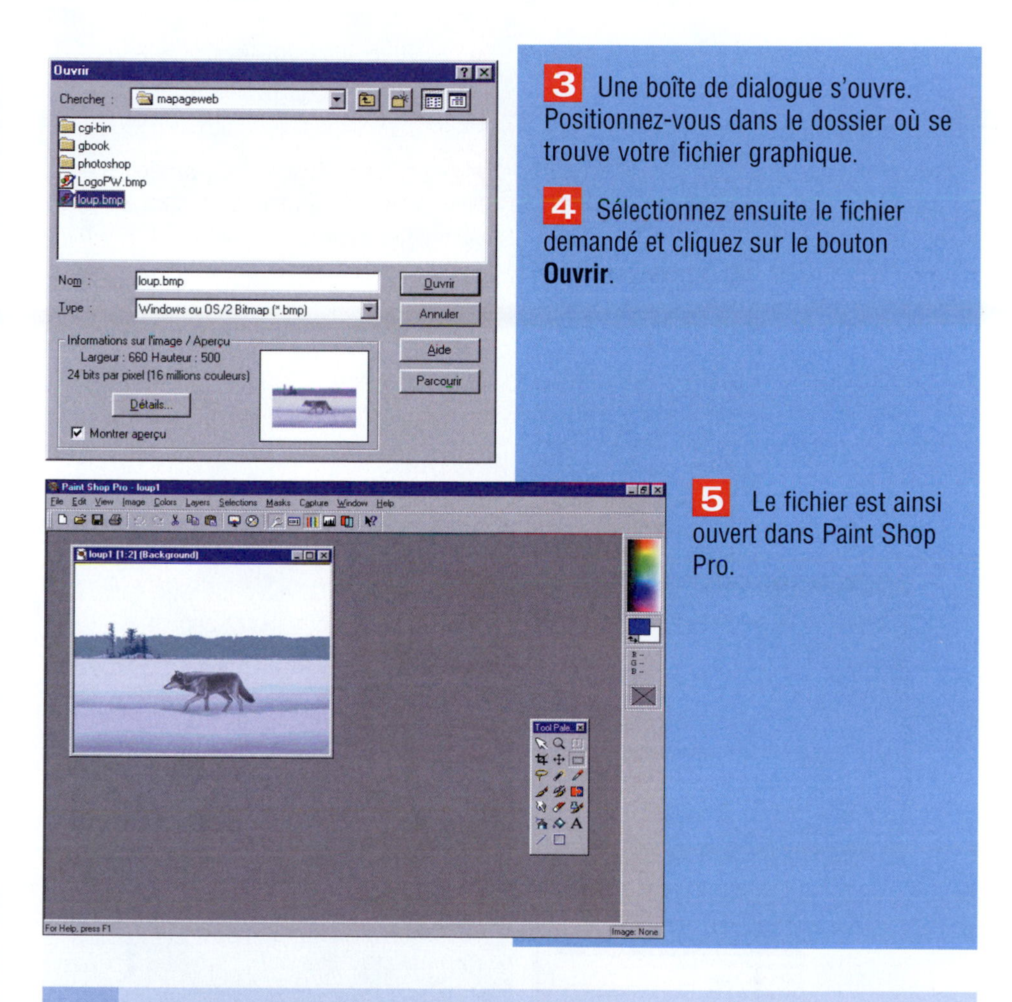

3 Une boîte de dialogue s'ouvre. Positionnez-vous dans le dossier où se trouve votre fichier graphique.

4 Sélectionnez ensuite le fichier demandé et cliquez sur le bouton **Ouvrir**.

5 Le fichier est ainsi ouvert dans Paint Shop Pro.

INFO

Traitement des images

Paint Shop Pro vous offre une large palette d'outils permettant d'augmenter ou de réduire la taille des images, de modifier la luminosité, d'enlever un point de couleur, etc. Entraînez-vous avec le programme pour affiner vos images.

Enregistrer une image au format JPG

Nous voici arrivés à la réalisation à proprement parler de notre image Web. Elle doit être enregistrée au format JPG. Le seul petit problème à ce niveau est le taux de compression, mais nous y reviendrons plus tard.

1 Commencez par réaliser sur l'image toutes les modifications qui s'imposent.

2 Lancez la procédure d'enregistrement avec la commande **Fichier/ Enregistrer sous**.

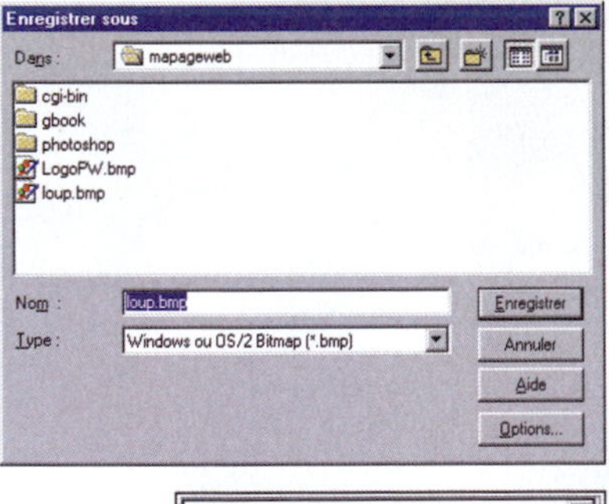

3 Une boîte de dialogue s'affiche, dans laquelle vous devez choisir le dossier où l'image doit être sauvegardée.

4 Cliquez sur le bouton fléché à côté de **Type**. Vous obtenez la liste de tous les formats graphiques pris en charge par Paint Shop Pro.

5 Parcourez la liste jusqu'à ce que vous trouviez l'entrée *JPEG . JFIF Compliant (*.jpg, *.jif, *.jpeg)* et cliquez dessus à l'aide de la souris.

6 Le nom du fichier porte maintenant l'extension *.jpg*. Vous pouvez lui attribuer un autre nom, mais sans toucher à son extension.

Options d'enregistrement
Codage
Codage standard
Codage progressif
Facteur de compression : 15
Compression minim., meilleure qualité
Compression max., qualité inférieure
OK Annuler Aide

7 Cliquez ensuite sur **Options**. La boîte de dialogue **Options d'enregistrement** apparaît à l'écran.

8 Faites glisser la règle graduée située au-dessous de *Taux de compression* jusqu'à atteindre la valeur *50*.

Saisie directe

Si la règle graduée vous semble peu pratique, vous avez la possibilité d'inscrire la valeur directement dans la zone de saisie numérique. Pour ce faire, cliquez dans le champ et tapez votre valeur.

9 Cliquez ensuite sur le bouton OK. La boîte de dialogue **Options d'enregistrement** se ferme et vous vous retrouvez à nouveau dans la boîte de dialogue.

10 Lorsque vous cliquez sur le bouton **Enregistrer**, l'image est enregistrée au format JPG.

INFO

Un petit détail qui fait la différence

loup.jpg [1:2] (Arrière-plan) **Jusqu'à présent, votre image ne se distingue que par un petit détail. Dorénavant, le nom du fichier graphique, qui apparaît dans la barre de titre en bleu, comporte l'extension *.jpg*.**

Mais quel rapport cela a-t-il avec le taux de compression ? La plupart des fichiers graphiques sont très volumineux. Ainsi, une image plein écran occupe 1 400 ko. Cela est énorme, surtout si elle est destinée à être transférée sur le Web. Le taux de compression supprime des détails superflus de l'image, ce qui permet d'en réduire sensiblement la taille. Le principe est que la taille du fichier diminue à mesure que le taux de compression augmente. Cela s'accompagne par une perte de détails dans l'image, qui se traduit par une dégradation de la qualité.

Vous allez maintenant procéder à un essai pour établir si le taux de compression donne lieu à une image de qualité suffisante. À vous de jouer.

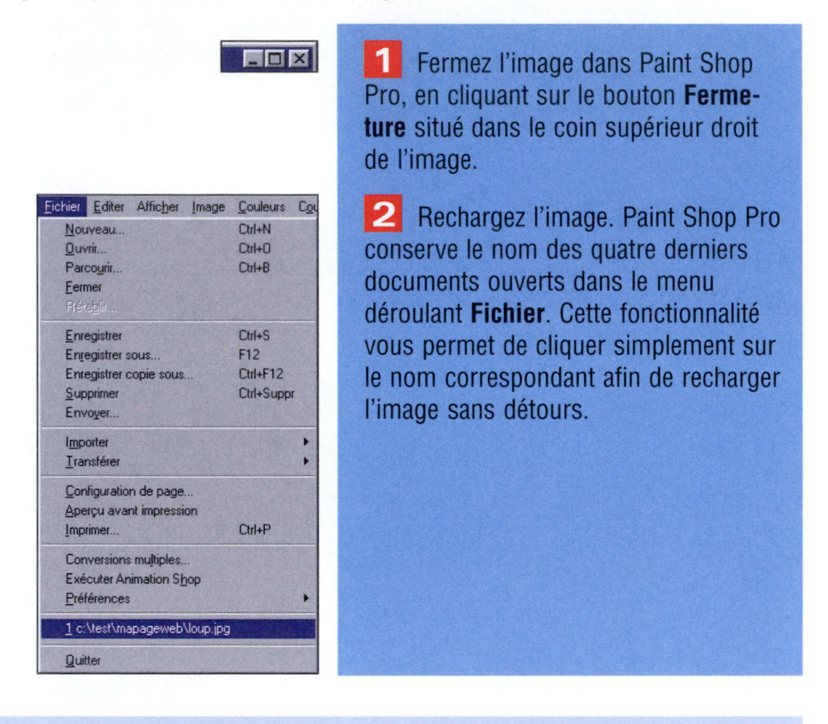

1 Fermez l'image dans Paint Shop Pro, en cliquant sur le bouton **Fermeture** situé dans le coin supérieur droit de l'image.

2 Rechargez l'image. Paint Shop Pro conserve le nom des quatre derniers documents ouverts dans le menu déroulant **Fichier**. Cette fonctionnalité vous permet de cliquer simplement sur le nom correspondant afin de recharger l'image sans détours.

INFO

Rechargez l'image modifiée pour appliquer les nouveaux paramètres

Le résultat de la compression n'est visible qu'après avoir fermé l'image et l'avoir rechargée. Ces deux opérations sont donc importantes.

Par ailleurs, Paint Shop Pro vous permet d'ouvrir simultanément plusieurs images. En ouvrant l'image originale à côté de la version compressée au format JPG, il vous sera plus facile de les comparer.

Choisir le bon taux de compression

Le taux de compression 50 est un bon choix pour un premier test : dans la grande majorité des cas, la taille du fichier qui en résulte est réduite de manière spectaculaire, sans que la qualité de l'image n'en pâtisse vraiment. Mais il peut être nécessaire d'adopter d'autres taux de compression, selon le motif.

INFO

Test : variation du taux de 10 en 10

Pour vous faire une idée, vous devez convertir l'image originale à plusieurs reprises en image JPG. Faites varier le taux de compression entre 20 et 90, en l'augmentant graduellement par crans de 10 unités. Attribuez à chacun de ces fichiers un nom différent, afin de pouvoir les comparer ensuite. Ce test vous permettra de constater que la qualité de l'image se dégrade à mesure que la compression augmente.

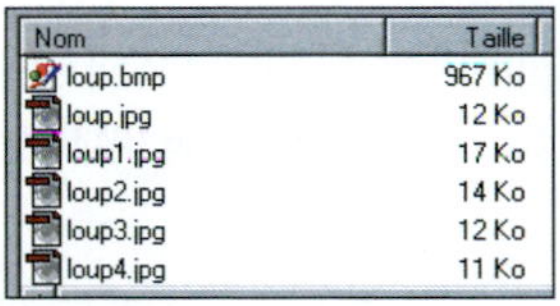

1 Lorsque vous aurez acquis quelque expérience avec les taux de compression, vous tiendrez judicieusement compte de la taille des images enregistrées.

2 Pour ce faire, démarrez l'Explorateur Windows et ouvrez le dossier contenant les images JPG. Vérifiez la taille des ces fichiers.

Nom	Taille
loup.bmp	967 Ko
loup.jpg	12 Ko
loup1.jpg	17 Ko
loup2.jpg	14 Ko
loup3.jpg	12 Ko
loup4.jpg	11 Ko

INFO

Taille XXL !

Voici une petite sélection des images de l'Explorateur Windows. L'original au format BMP occupe allègrement 967 ko. Le fichier loup1.jpg a été enregistré au taux de compression 20 et n'occupe plus que 17 ko, tout en restant d'excellente qualité. Quant au fichier loup4.jpg, il a été sauvegardé au taux 50 et reste de bonne qualité. Enfin, le fichier loup7.jpg a été sauvegardé au taux 80 : la perte de qualité est visible, même si en contrepartie, le fichier n'occupe plus que 7 ko.

Taux de compression 40
Volume 12 ko

Taux de compression 80
Volume 7 ko

Adoptez la règle d'or suivante régissant la taille d'une page Web : elle ne doit en général pas dépasser 30 ko, 50 ko étant la limite maximale, incluant la taille des images qui y figurent. Avec ces éléments, vous voilà maintenant en mesure de déterminer le facteur de compression adéquat pour votre page Web, compte tenu du volume et de la qualité d'une image.

Un point encore : L'image précédente a une dimension respectable. Il s'agit pratiquement d'une image plein écran, afin qu'elle soit bien visible dans ce Guidexpress. Mais dans la pratique, nous commencerons par réduire nettement l'image sous Paint Shop Pro. En choisissant le facteur de compression 50, on obtient une image de bonne qualité et en même temps beaucoup plus réduite.

Créer une image GIF

Les images GIF sont particulièrement adaptées pour les logos, les boutons, les diagrammes, bref pour toutes les images qui s'apparentent plus à des graphiques ou à des schémas qu'à des photos. Le format GIF réduit également très fortement la taille des fichiers, mais par une autre voie : le nombre de couleurs de l'image descend automatiquement à 256 couleurs, ce qui laisse cependant des possibilités de création intéressantes.

Procédez comme indiqué ci-après pour transformer une image en image GIF.

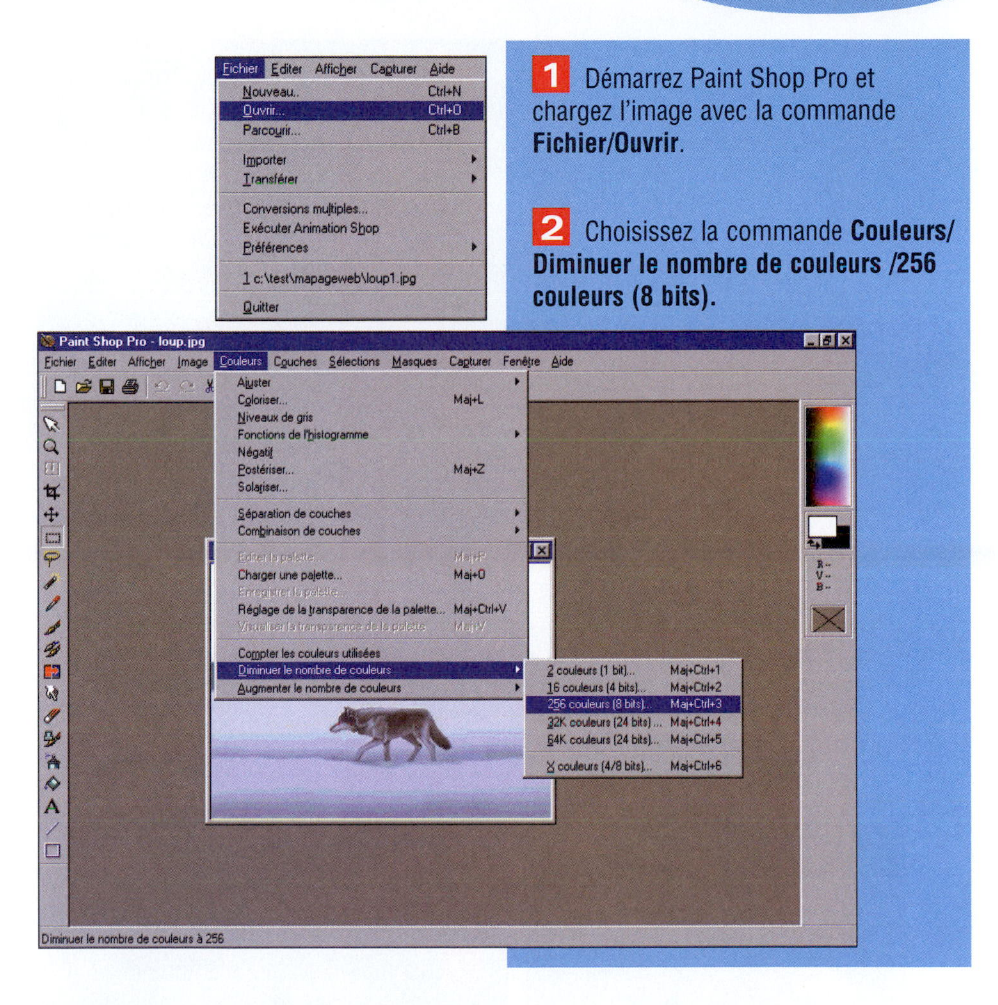

1 Démarrez Paint Shop Pro et chargez l'image avec la commande **Fichier/Ouvrir**.

2 Choisissez la commande **Couleurs/ Diminuer le nombre de couleurs /256 couleurs (8 bits).**

INFO

Cas de figure

Si l'image a été téléchargée à partir du WWW, ou si elle a été extraite d'une collection de cliparts, il peut arriver qu'elle soit déjà configurée à 256 couleurs. Dans ce cas de figure, l'entrée *256 couleurs (8 bits)* sera désactivée. Vous pouvez déjà enregistrer cette image au format GIF, comme décrit ci-après.

3 La boîte de dialogue **Diminution du nombre maximal de couleurs - 256 couleurs** s'affiche. Choisissez dans la rubrique *Palette* l'option *Coupe médiane optimisé*, dans la rubrique *Méthode* l'option *Couleur plus proche* et cochez la case *Inclure couleurs de Windows* dans la rubrique *Option*.

4 Cliquez ensuite sur le bouton OK.

5 Contrairement à l'enregistrement au format JPG, vous constatez immédiatement le résultat de la réduction du nombre de couleurs sur votre image.

INFO

Bonnes et mauvaises images

Selon le contenu de votre image, il peut advenir que ce procédé (à l'instar de son effet sur l'image précédente) donne un très bon rendu ou qu'au contraire il le détériore. Si le résultat ne vous convient pas, vous pouvez annuler l'opération aussitôt.

6 Utilisez pour cela la commande **Editer/Annuler Diminuer les couleurs à 256.**

7 La modification a été annulée et vous pouvez reprendre la procédure de réduction du nombre de couleurs et essayer un des autres paramétrages dans la boîte de dialogue **Diminution du nombre maximal de couleurs - 256 couleurs**.

Choisir la palette

Le choix des meilleurs paramètres dans la boîte de dialogue **Diminution du nombre maximal de couleurs - 256 couleurs** dépend du contenu de l'image. Les graphistes eux-mêmes ne parviennent à déterminer le paramétrage optimal pour une image donnée qu'au prix de nombreux essais.

Afin de vous donner quelques points de repère, voici donc une brève présentation des paramètres par lesquels vous devriez commencer :

Palette	L'option *Standard* donne rarement de bons résultats, car on utilise ici une palette de couleurs qui n'est pas adaptée au contenu de l'image. Les options *Coupe médiane Optimisé* et *Octree optimisé* donnent chacune une palette distincte mais qui reste adaptée au contenu de l'image. Il convient d'effectuer des essais.
Méthode de réduction	L'option *Couleur plus proche* donne des fichiers de taille très réduite. À essayer en premier. Si le résultat est médiocre (en particulier dans les dégradés), l'option *Diffusion d'erreur* est une bonne alternative. Les dégradés ressortent mieux, au prix d'un aspect granuleux, il est vrai.
Ajouter des couleurs Windows	Si cette option est susceptible d'être activée, vous devez cocher la case correspondante, pour que les couleurs système de Windows soient intégrées à la palette.

Lorsque vous aurez défini les paramètres de réduction du nombre de couleurs qui donnent les meilleurs résultats, il vous reste bien naturellement à enregistrer votre image au format GIF.

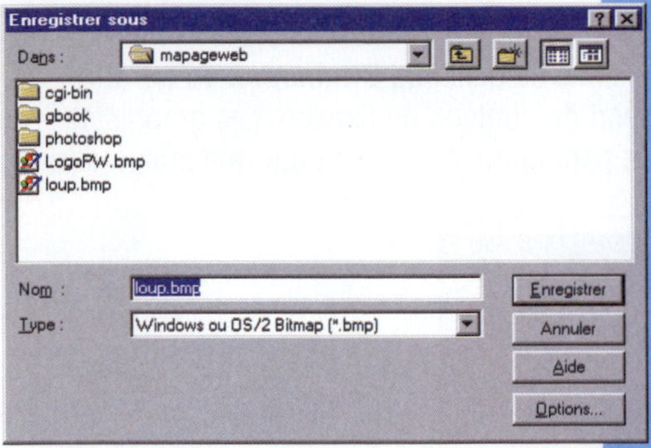

1 Pour cela, choisissez la commande **Fichier/Enregistrer sous**.

2 La boîte de dialogue s'affiche, dans laquelle vous devez choisir un dossier.

3 Dans la zone déroulante **Type**, choisissez l'option *CompuServe Graphics Interchange (*.gif)*.

4 Vous pouvez modifier le nom de fichier de l'image (sans changer son extension *.gif*).

5 Cliquez sur le bouton **Enregistrer** pour enregistrer votre fichier au format GIF.

La palette Netscape

En plus des options de palettes intéressant les fichiers GIF, il existe encore une autre possibilité : Netscape a développé pour ses navigateurs une palette que tous les navigateurs (Internet Explorer et d'autres logiciels y compris) sont en mesure d'afficher sans problème. Elle est conçue pour une utilisation à destination d'internautes ne disposant que d'une résolution d'écran de 256 couleurs. Avec la généralisation de cartes graphiques et de moniteurs plus performants (capables d'afficher 16 millions de couleurs), l'intérêt de cette palette ira en diminuant. Mais bon nombre d'internautes disposent encore de navigateurs avec un affichage de 256 couleurs.

Vous pouvez associer cette Palette Netscape (appelée également Netscape Color Cube) à n'importe quelle image GIF et vérifier si le résultat vous semble acceptable. Le cas échéant, il est recommandé d'enregistrer l'image avec la palette Netscape au format GIF. Mais pour cela, vous devez déjà disposer de la palette Netscape.

> INFO
>
> **Où trouver les couleurs Netscape**
>
> **Pour créer une palette Netscape, vous avez besoin d'une image GIF qui contienne déjà cette palette. Il faut bien qu'Internet serve à quelque chose, n'est-ce pas ? Voici donc quelques adresses de sites à partir desquels vous pourrez télécharger une de ces images GIF.**
>
> - `http://www.killersites.com/1-design/index.html`
> - `http://www.wpdfd.com/wpdgraph.htm`

Le fonctionnement du téléchargement est expliqué dans ce chapitre, dans la partie consacrée aux *Images gratuites*.

Vous devez maintenant réaliser un certain nombre d'opérations préalables, qui vous serviront ultérieurement.

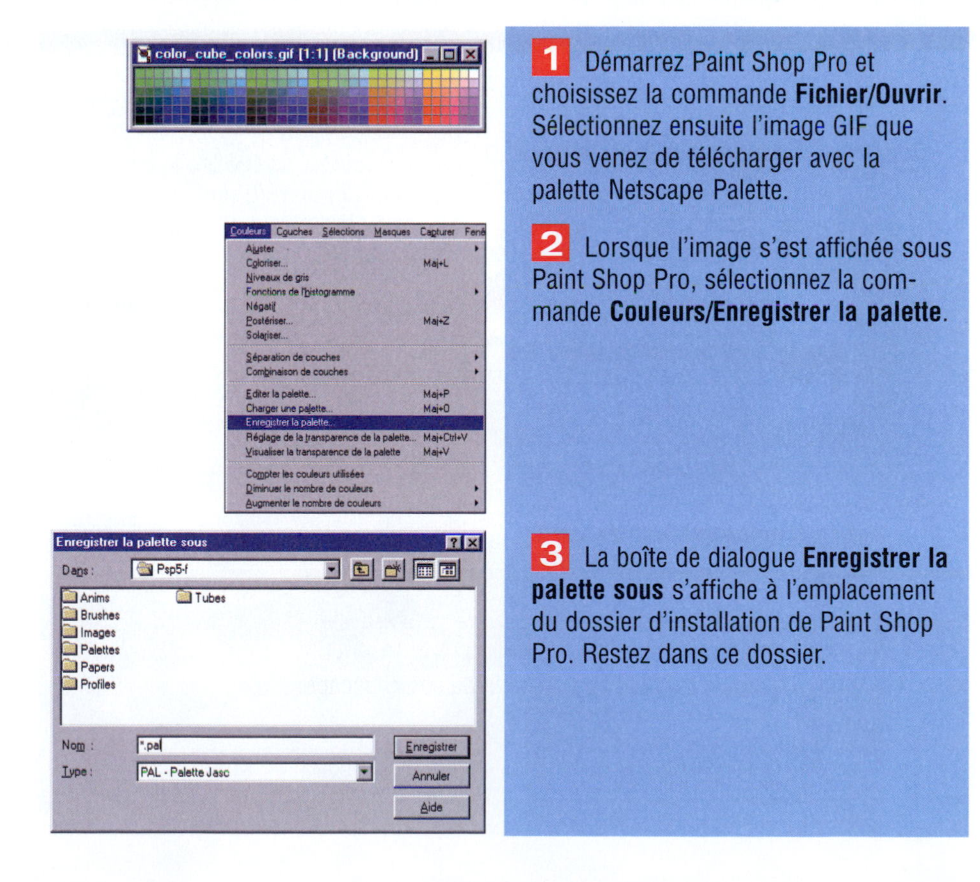

1 Démarrez Paint Shop Pro et choisissez la commande **Fichier/Ouvrir**. Sélectionnez ensuite l'image GIF que vous venez de télécharger avec la palette Netscape Palette.

2 Lorsque l'image s'est affichée sous Paint Shop Pro, sélectionnez la commande **Couleurs/Enregistrer la palette**.

3 La boîte de dialogue **Enregistrer la palette sous** s'affiche à l'emplacement du dossier d'installation de Paint Shop Pro. Restez dans ce dossier.

4 Dans la rubrique *Nom*, l'extension **.pal* est prédéfinie. Remplacez l'astérisque par un nom de fichier quelconque (`netscape.pal`, par exemple).

5 Cliquez ensuite sur le bouton **Enregistrer**. La palette Netscape est dorénavant à votre disposition.

Utiliser la palette Netscape

Si vous souhaitez maintenant associer la palette Netscape à une image, ces opérations préliminaires vous permettent de le faire à tout moment :

1 Chargez l'image choisie sous Paint Shop Pro.

2 Choisissez ensuite la commande **Couleurs/Charger une palette**. Une boîte de dialogue s'ouvre.

3 Cliquez sur le fichier *netscape.pal* ou, le cas échéant, sur le nom que vous lui avez attribué.

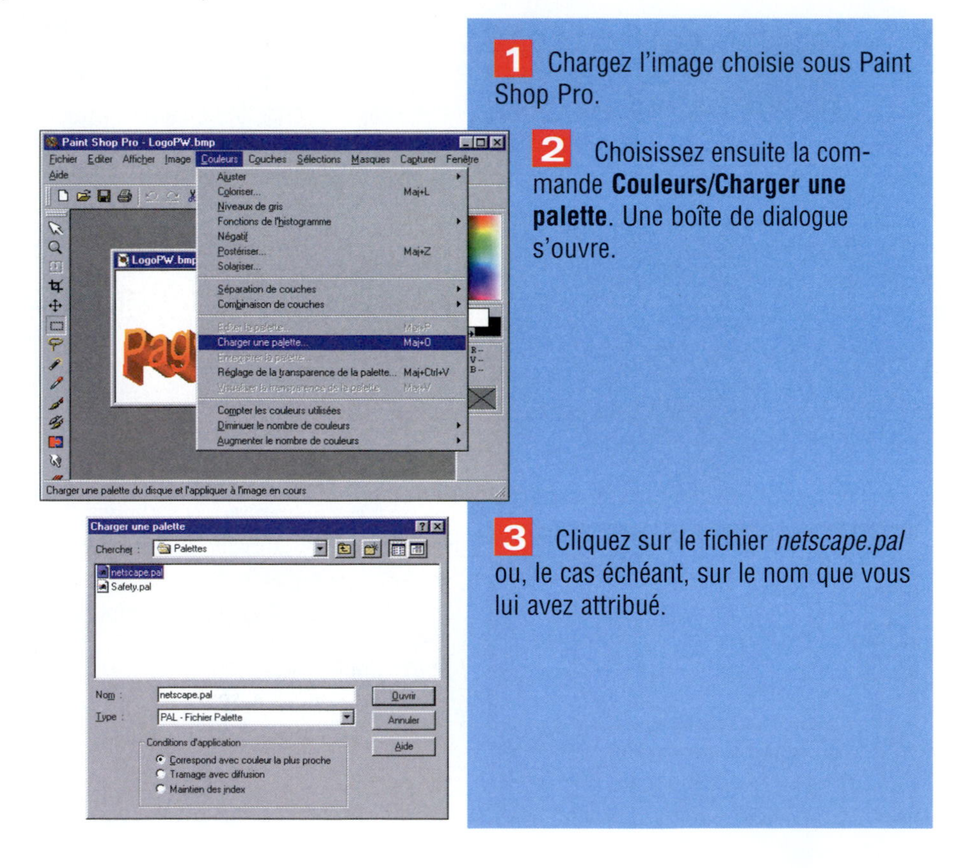

INFO

À cet endroit, vous avez également la possibilité de spécifier la méthode utilisée dans la gestion des couleurs actuelles. Vous avez le choix entre *Correspond avec couleur la plus proche, Tramage avec diffusion* et *Maintien des index.* Nous vous conseillons d'opter pour *Tramage avec diffusion,* dont le résultat se rapproche le plus de l'original.

Et vous pouvez bien entendu toujours annuler cette modification en choisissant la commande *Editer/Annuler,* ce qui vous permet de tester les autres méthodes.

4 Pour terminer, cliquez sur le bouton **Ouvrir**. La palette Netscape est maintenant associée à votre image.

5 Si le résultat vous satisfait, enregistrez l'image au format GIF.

Insérer une image

Dans la section précédente, vous avez vu comment convertir dans les meilleures conditions une image aux formats GIF et JPG. Ce travail était nécessaire pour permettre d'intégrer des images dans des pages Web, ces opérations s'effectuant de manière simple et conviviale sous FrontPage Express.

Avant de passer à l'insertion d'images sous FrontPage Express, il vous reste une chose à faire : vous avez enregistré dans un dossier de votre choix les pages Web que vous avez élaborées. Copiez également dans ce même dossier les images GIF et JPG que vous venez de créer.

Nous pouvons commencer : les images sous FrontPage Express - c'est simple comme bonjour :

1 Démarrez FrontPage Express. Chargez une image disponible, afin d'y insérez une image. Vous pouvez éventuellement utiliser la page ouverte lors du démarrage de l'application pour concevoir une nouvelle page Web.

Un conseil

Nous verrons un peu plus loin dans ce Guidexpress comment définir des liens hypertextes renvoyant vers d'autres pages Web. Il sera utile, dans cette perspective, que vous en ayez déjà élaboré d'autres. Vous pourrez alors tester les liens immédiatement.

2 Écrivez pour commencer plusieurs lignes dans votre page Web, de sorte que vous puissiez ensuite évaluer les interactions entre le texte et les images insérées.

INFO

Pour la taille du texte, vous êtes libre

Vous n'êtes pas obligé, comme dans notre exemple, d'écrire avec de gros caractères. Si nous le faisons, c'est pour vous en faciliter la lecture.

3 Placez le curseur à l'endroit où l'image doit être insérée.

4 Cliquez sur le symbole représentant l'insertion d'image (ou choisissez la commande **Insertion/Image**).

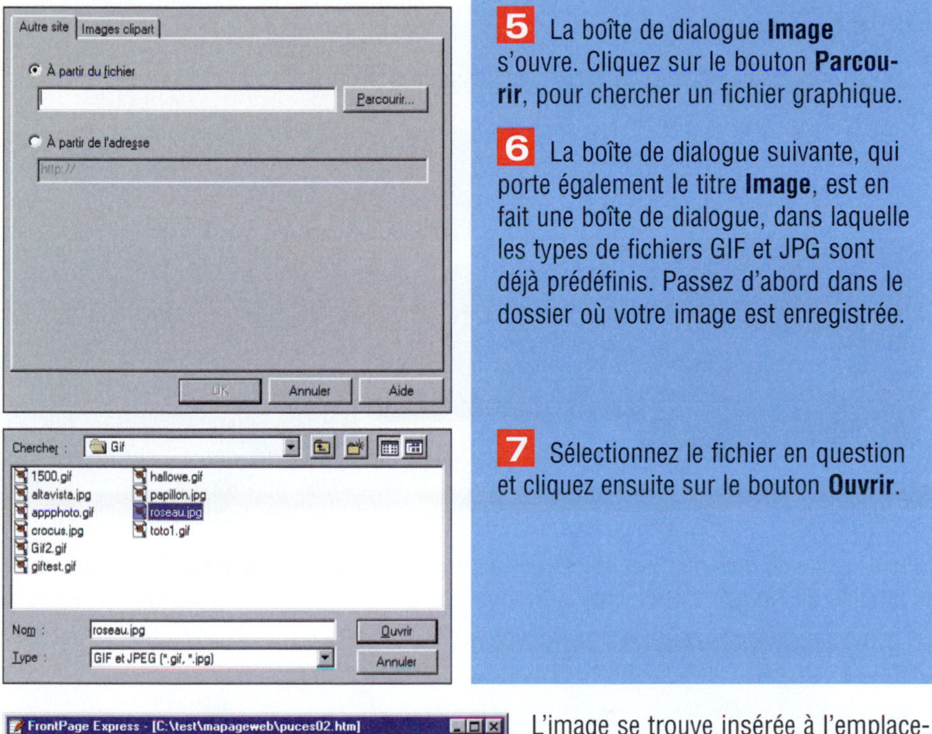

5 La boîte de dialogue **Image** s'ouvre. Cliquez sur le bouton **Parcourir**, pour chercher un fichier graphique.

6 La boîte de dialogue suivante, qui porte également le titre **Image**, est en fait une boîte de dialogue, dans laquelle les types de fichiers GIF et JPG sont déjà prédéfinis. Passez d'abord dans le dossier où votre image est enregistrée.

7 Sélectionnez le fichier en question et cliquez ensuite sur le bouton **Ouvrir**.

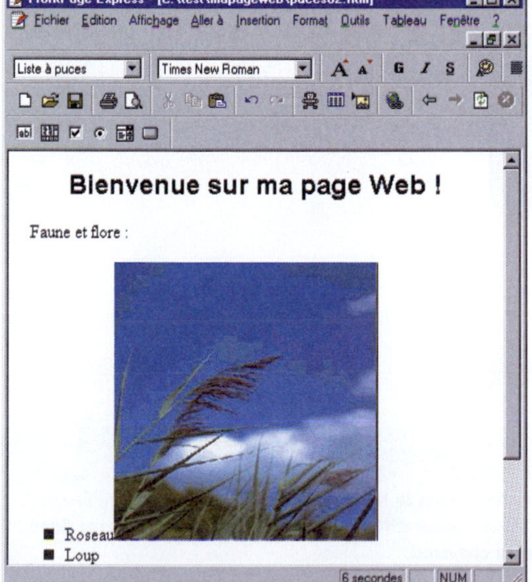

L'image se trouve insérée à l'emplacement du curseur. Il se présente comme une lettrine enchâssée à l'intérieur du texte, ce dernier étant aligné le long de la base de l'image. Mais nous pouvons modifier cette présentation à notre guise.

Aligner l'image

Vous contrôlez l'alignement de l'image et ses autres propriétés comme suit.

1 Sélectionnez tout d'abord l'image en cliquant dessus.

2 Sans déplacer le pointeur au-dessus de l'image, cliquez avec le bouton droit de la souris (c'est le fameux clic droit). Dans la liste déroulante qui s'ouvre, cliquez sur **Propriétés de l'image**.

Dans la boîte de dialogue **Propriétés de l'image** qui apparaît, définissez l'ensemble des propriétés de l'image sélectionnée.

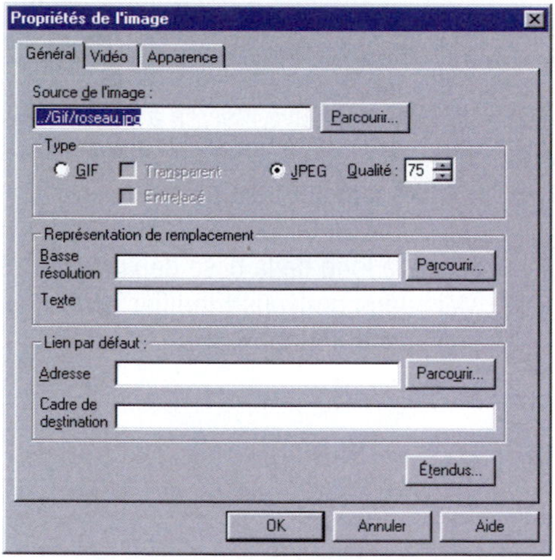

Le clic droit, disions-nous

Vous ne verrez le résultat de vos modifications dans la boîte de dialogue *Propriétés de l'image* qu'après avoir refermé celle-ci. Si vous voulez tester différents paramétrages, vous devrez donc à chaque fois ouvrir la boîte de dialogue d'un clic droit.

3 Au début, la boîte de dialogue s'ouvre sur l'onglet **Général**. Il y a là une modification importante : à la rubrique *Représentation de remplacement*, tapez dans la zone de saisie *Texte* une brève description de l'image.

INFO

Un texte de remplacement : pour quoi faire ?

Le texte que vous avez tapé dans la rubrique *Représentation de remplacement* est vu par le visiteur de votre page dans un certain nombre de cas :

- **Lorsque, dans le navigateur, l'option d'affichage des images est désactivée ;**
- **L'image n'a pas été transférée correctement ou en entier ;**
- **Dans les navigateurs les plus récents, ce texte apparaît sous forme de note sur fond jaune.**

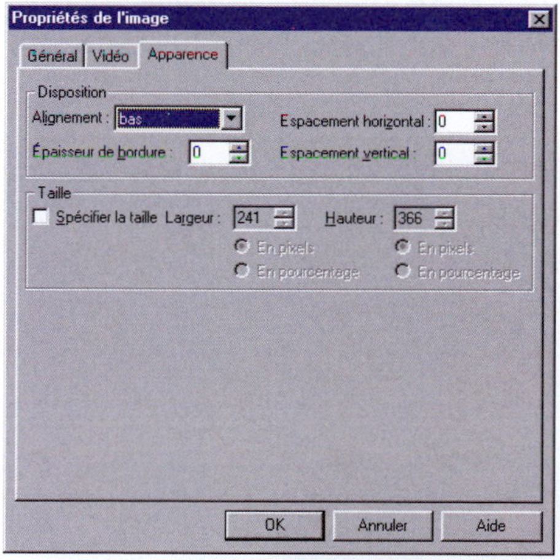

4 Passez à l'onglet **Apparence** en cliquant dessus.

5 Dans la rubrique *Disposition*, cliquez sur le bouton fléché à côté de *Alignement*.

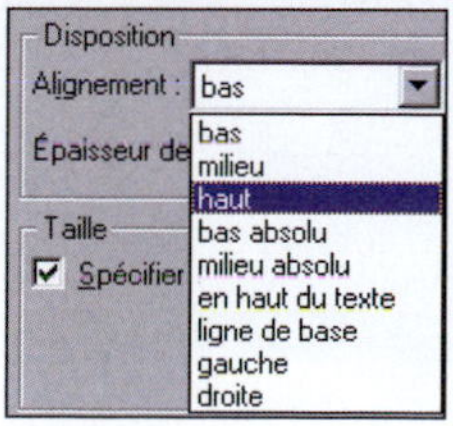

6 Une liste déroulante se développe. Cliquez sur *haut*, pour un premier test.

7 Fermez la boîte de dialogue **Propriétés de l'image** en cliquant sur le bouton OK.

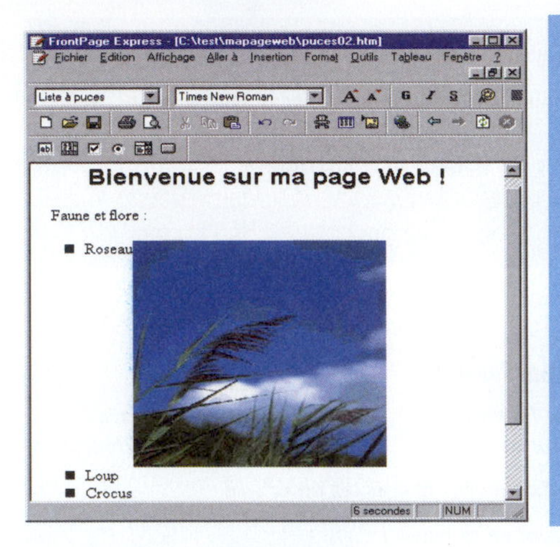

8 L'image est toujours insérée à l'intérieur du texte. Mais le texte qui entoure l'image est aligné sur le bord supérieur de l'image.

INFO

Habillez votre image avec du texte

Cet exemple vous permet d'observer le placement du texte en dessous de l'image, bien qu'il y ait suffisamment de place à côté de celle-ci. Il ne s'agit donc pas d'une image habillée avec du texte, comme cela se passe dans les traitements de textes. Mais la possibilité d'habillage de l'image existe bel et bien.

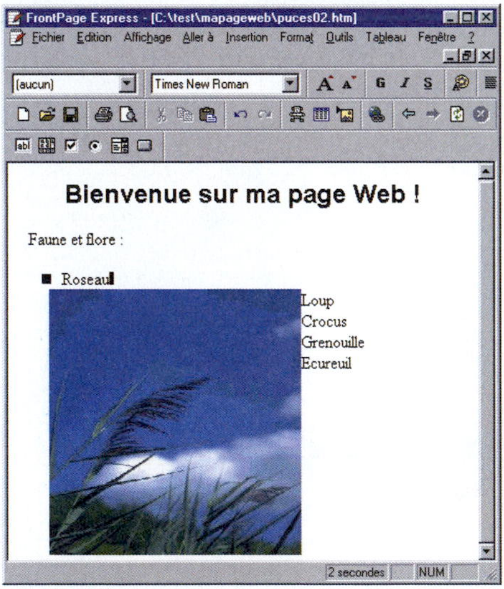

1 Ouvrez à nouveau la boîte de dialogue **Propriétés de l'image** en cliquant avec le bouton droit sur l'image sélectionnée.

2 Sélectionnez l'alignement *gauche* et fermez la boîte de dialogue en cliquant sur OK.

3 Vous êtes parvenu à décaler l'image sur la marge gauche et à l'habiller avec le texte.

INFO

Comment bien choisir l'alignement ?

Pour des images de dimension réduite, qui permettent un habillage avec le texte, vous pouvez sélectionner les alignements *haut, milieu* ou encore *bas*, afin d'aligner le texte en haut, au milieu ou en dessous de l'image. Pour autant, l'image n'est pas habillée.

Les alignements *bas absolu, milieu absolu, en haut du texte* et *ligne de base* constituent des variantes minimes des options d'alignement *haut, milieu* et *bas*. Mais comme les différents navigateurs gèrent différemment ces paramètres, ces quatre options d'alignement sont peu utilisées.

Les alignements *gauche* et *droite* placent l'image respectivement sur la marge gauche et droite de la fenêtre du navigateur et habillent l'image avec le texte placé après cette dernière.

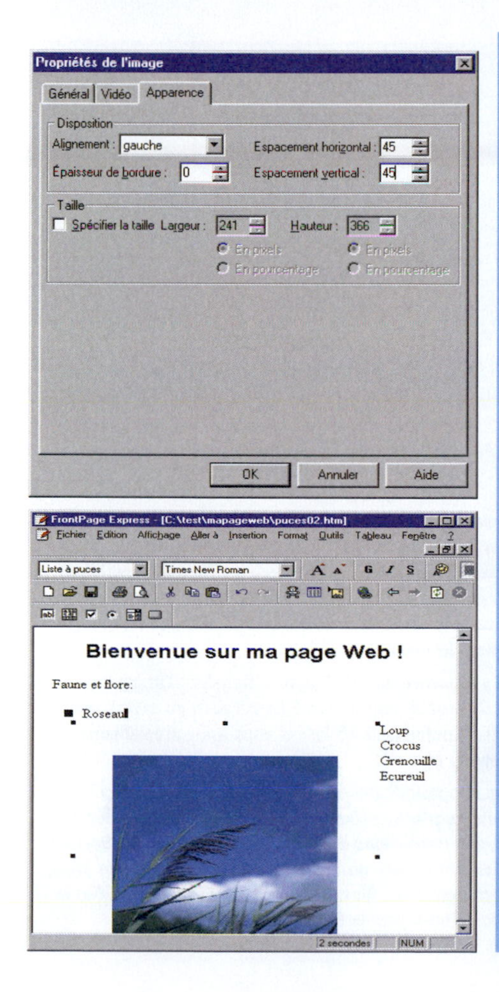

4 Testons une autre possibilité d'alignement : Dans les zones de saisie numérique *Espacement horizontal* et *Espacement vertical*, tapez par exemple la valeur 45 (En cliquant avec le bouton droit de la souris, ouvrez à nouveau la boîte de dialogue **Propriétés de l'image**. Définissez vos paramètres, puis fermez la boîte de dialogue avec OK).

5 L'image est positionnée des deux côtés du texte, ou en haut et en bas de celui-ci, à la distance qui a été définie (exprimée en pixels).

INFO

Épaisseur de la bordure

Un autre paramètre consiste à indiquer (en pixels) une épaisseur de bordure. Cependant, quelques navigateurs ne font apparaître cette bordure que lorsque l'image est définie comme lien hypertexte. Par ailleurs, avec leur cadre noir, ces images ne sont pas particulièrement plus réussies.

Hauteur et largeur

La hauteur et la largeur de l'image peuvent également être modifiées. Voici comment procéder. Nous verrons plus loin pour quelles raisons ces modifications ne sont pas réellement recommandées.

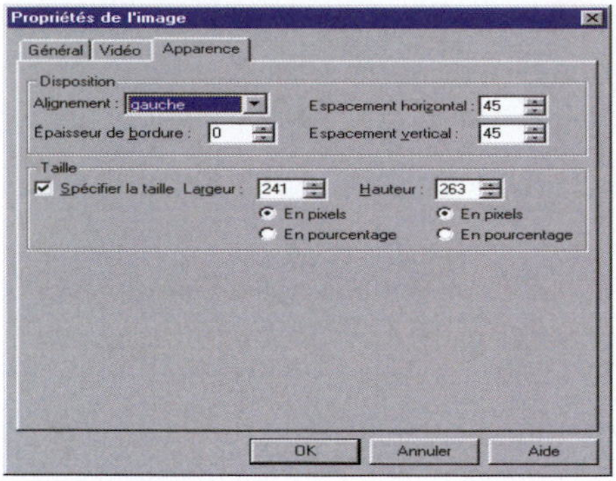

1 Pour modifier la taille de l'image, cochez tout d'abord la case *Spécifier la taille*.

2 Vous pouvez modifier la taille d'origine de l'image, exprimée à l'origine en pixels.

INFO

Qu'est-ce qui ne colle pas ?

Première chose : l'image est transférée telle quelle au navigateur. C'est ce dernier qui calcule sa taille, à partir des valeurs indiquées pour la largeur et la hauteur. Comme les méthodes de calcul sont variables, il se peut que l'image apparaisse vectorisée sur un navigateur, avec des modifications de couleurs sur un autre, sans que vous puissiez le contrôler. Il est donc préférable que vous déterminiez vous-même la taille de l'image à partir d'un logiciel de traitement d'image tel que Paint Shop Pro, qui vous permet de fixer définitivement le résultat.

Pour ce qui est de la réduction des images, il y a encore un autre point à signaler : l'image transférée continue à occuper 20 ko. Or, sa taille est si réduite que 5 ko auraient pu suffire pour son transfert. Vous avez pour ainsi dire transféré inutilement 15 ko : si vous aviez préalablement réduit l'image, la page se serait chargée beaucoup plus vite.

Mais, pour finir, le coup de maître réside dans la possibilité de spécifier la taille de l'image *En pourcentage*. Détrompez-vous si vous avez cru que cela s'applique à la hauteur et à la largeur de l'image : le calcule se fait en fait relativement aux dimensions de la fenêtre du navigateur. Selon que vous consultiez une page Web depuis la fenêtre réduite de votre navigateur ou en pleine page, vous risquez d'obtenir une image complètement déformée. Alors suivez ce conseil : ne modifiez la taille de l'image que si vous voulez faire du morphing à peu de frais !

Autres astuces concernant les images

Vous avez appris au chapitre précédent à insérer des images dans une page Web. L'heure est venue de découvrir d'autres astuces concernant les images, qui vous permettront de concevoir des pages plus attrayantes : voici donc les images transparentes, les images animées et les images d'arrière-plan.

Images GIF transparentes

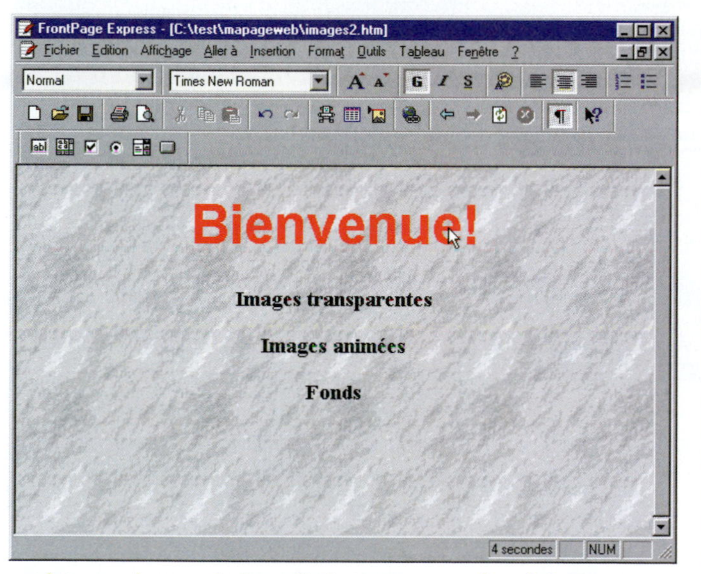

Examinez la page Web ci-après : Le message *Bienvenue !* n'est pas du texte mais une image insérée. Malgré cela, cette image à une apparence peu ordinaire, car le fond transparaît à travers les lettres du texte (nous y reviendrons à la fin de ce chapitre). En fait, il s'agit bien entendu d'une image tout à fait normale. Simplement, la couleur au-dessus de laquelle le texte apparaît a été mise en transparence.

INFO

De quoi avez-vous besoin pour créer des images GIF transparentes ?

N'importe quelle image GIF peut être mise en transparence. Vous savez, depuis le chapitre précédent, comment transformer une image GIF. Il y a cependant une limitation : sur les 256 couleurs d'une image GIF, une seule peut être définie comme couleur de transparence. L'idéal est donc de créer une image comportant un fond monochrome et de transformer cette couleur de fond en couleur de transparence.

1 Démarrez Paint Shop Pro et chargez l'image GIF demandée en exécutant la commande **Fichier/Ouvrir**.

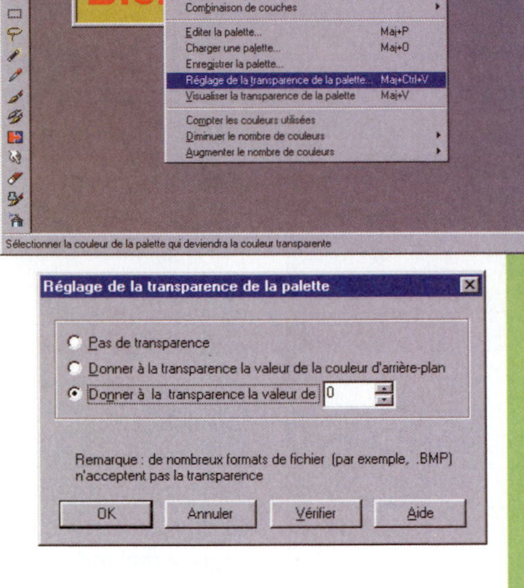

2 Sélectionnez ensuite la commande **Couleurs/Réglage de la transparence de la palette.**

3 La boîte de dialogue **Réglage de la transparence de la palette** s'ouvre. Sélectionnez-y la case d'option, à gauche du champ *Donner à la transparence la valeur de.*

4 Déplacez ensuite la souris sur l'image. Le pointeur de la souris se transforme en pipette. Déplacez sa pointe sur une zone dont la couleur doit servir de couleur de transparence.

INFO

Ça ne fonctionne pas : la boîte de dialogue dissimule l'image

Il peut arriver que la boîte de dialogue *Réglage de la transparence de la palette* s'ouvre juste au-dessus de l'image, qui est ainsi dissimulée. Qu'à cela ne tienne ! Cliquez sur la barre de titre en bleu et maintenez le bouton gauche de la souris appuyé. Vous pouvez tirer la boîte de dialogue jusqu'à un endroit où elle ne vous gène plus.

5 Cliquez sur la couleur choisie.

6 Le côté du champ **Donner à la transparence la valeur de.** est immédiatement modifié, en fonction de la couleur sélectionnée. Le nombre qui s'affiche dépend du contenu de votre image ainsi que de la couleur sélectionnée.

7 Fermez la boîte de dialogue **Réglage de la transparence de la palette** à l'aide du bouton OK.

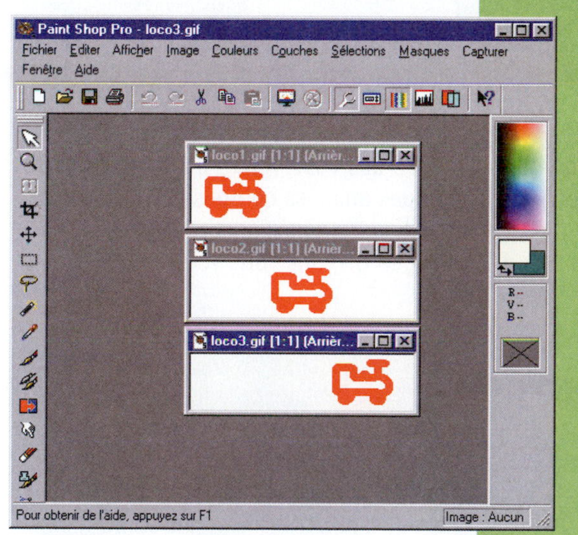

8 Enregistrez l'image afin qu'elle puisse être utilisée par FrontPage Express.

9 Lancez FrontPage Express (si vous ne l'avez pas déjà fait) et insérez l'image comme d'ordinaire. La couleur de transparence sélectionnée n'est plus visible sous FrontPage Express : vous venez de créer une image transparente.

Images GIF animées

Les images animées sont des images GIF. Leur fichier graphique contient plusieurs images (de taille identique), destinées à être affichées successivement.

INFO

De quoi avez-vous besoin ?

Pour créer des images animées, il vous faut plusieurs images GIF de même taille, qui seront associées à l'aide d'un logiciel spécifique, de façon à obtenir des images GIF animées. Si vous travaillez avec Paint Shop Pro 5.0, ce logiciel est déjà installé ! Il s'agit du logiciel Animation Shop. Dans le cas contraire, nous vous indiquerons à la fin de cette partie quels logiciels vous pourrez vous procurer gratuitement sur Internet.

Prenons trois images GIF qui représentent une locomotive se déplaçant de gauche à droite. Vous êtes libre de définir le nombre d'images que vous voulez utiliser dans une animation. Gardez seulement à l'esprit que les images animées composées de 10 ou de 20 images donnent rapidement lieu à des fichiers de taille considérable. Mais cessons ces préliminaires. Vous disposez de 3 ou de 5 images GIF, que vous voulez monter dans une animation ? Alors allons-y :

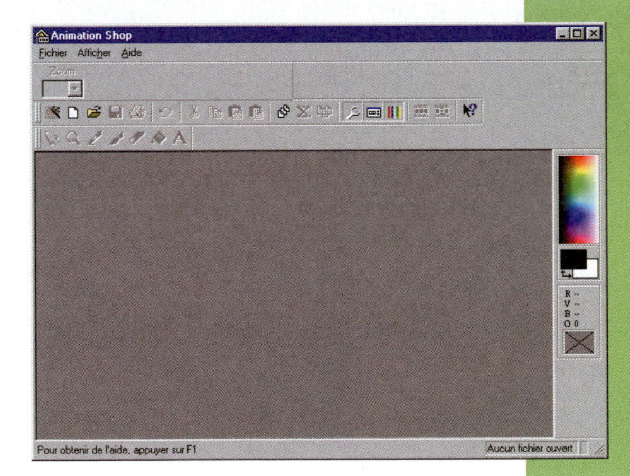

1 Lancez le logiciel Animation Shop de Paint Shop Pro 5.0 en exécutant la commande **Démarrer/Programmes/Paint Shop Pro 5/Animation Shop**.

2 Si vous lancez Animation Shop pour la première fois, une boîte de dialogue s'affiche dans laquelle il vous est demandé de sélectionner les associations de fichiers. Cliquez sur le bouton **Annuler**.

3 Vous vous trouvez à présent sous Animation Shop qui vous propose l'*Assistant d'animation*, à l'aide duquel vous pourrez créer immédiatement des images animées.

4 Choisissez à cet effet la commande **Fichier/Assistant d'animation**. L'assistant vous propose une succession de boîtes de dialogue qui vous permettent de définir différents paramètres. Si vous avez déjà créé des images isolées de même taille, comme cela vous a été recommandé, la plupart de ces paramétrages ne s'appliquent pas.

5 Maintenez cochée l'option *Même taille que la première image* et cliquez directement sur **Suivant**.

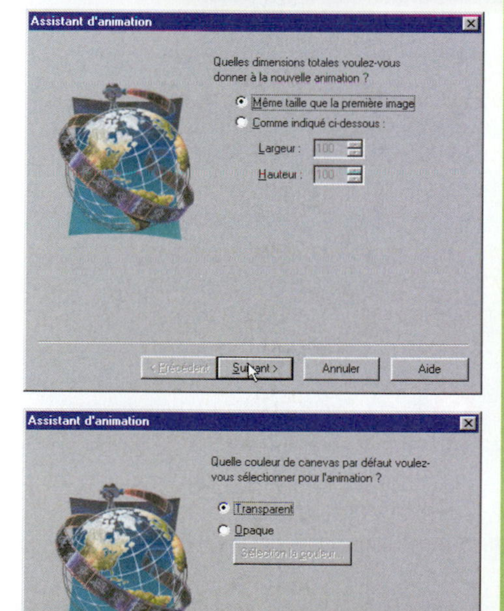

6 Dans la boîte de dialogue suivante, conservez le paramètre *Transparent* et cliquez encore sur **Suivant**.

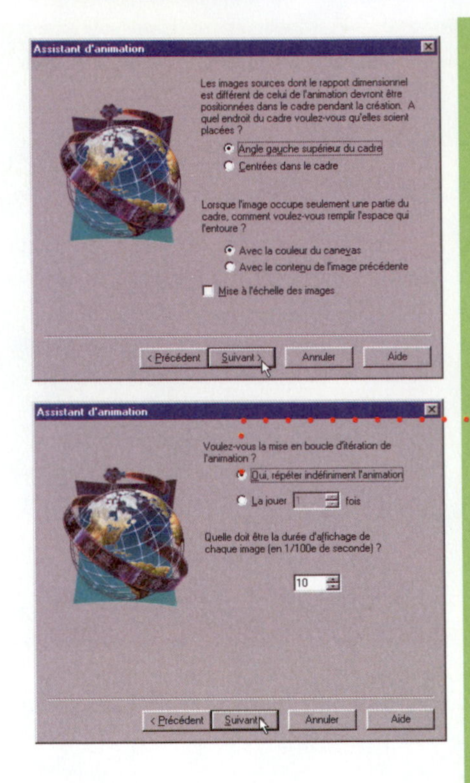

7 Vous n'avez rien à changer ici non plus, pour autant que vous utilisiez des images de taille identique. Dans le cas contraire, vous pouvez décider si elles seront affichées en haut à gauche ou bien centrées. Cliquez sur **Suivant**.

8 Dans la plupart des animations, les paramètres par défaut conviennent. En cas de besoin, vous pouvez décider si l'animation sera exécutée en boucle continue (cliquez sur *Oui, répéter indéfiniment l'animation*) ou si elle devra s'arrêter après un certain nombre d'itérations. Vous paramétrez ici également la durée d'affichage de chaque image. Le paramètre par défaut de 10 centièmes de seconde convient tout à fait. Si vous souhaitez que la durée d'affichage soit plus longue, spécifiez une valeur supérieure. Cliquez ensuite sur le bouton **Suivant**.

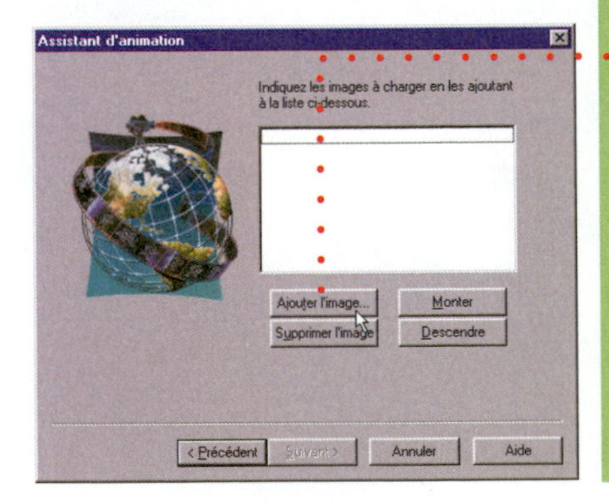

9 C'est maintenant que cela devient intéressant : vous devez indiquer les fichiers graphiques qui vont composer l'animation. Pour cela, cliquez sur le bouton **Ajouter l'image**.

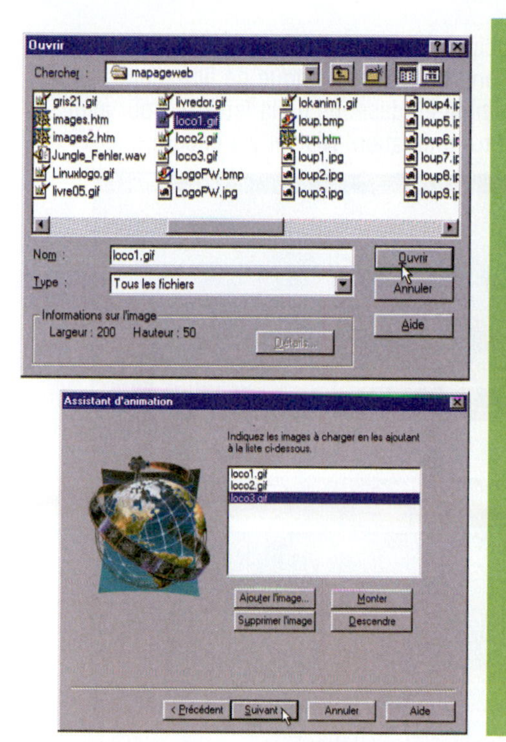

10 Une boîte de dialogue s'affiche. Sélectionnez un dossier et les images adéquates. Sélectionnez le nom du fichier qui doit ouvrir l'animation et cliquez sur **Ouvrir**.

11 Le premier fichier figure dans la liste. Recommencez les étapes 9 et 10 pour tous les fichiers constitutifs de l'animation. Lorsque vous avez terminé, cliquez à nouveau sur **Suivant**.

Vous vous êtes trompé dans l'ordre des images ?

Si vous vous êtes trompé dans l'ordre des fichiers graphiques, vous pouvez rectifier très simplement : sélectionnez le nom du fichier décalé et faites-le remonter ou descendre d'un niveau en cliquant respectivement sur *Monter* ou *Descendre*.

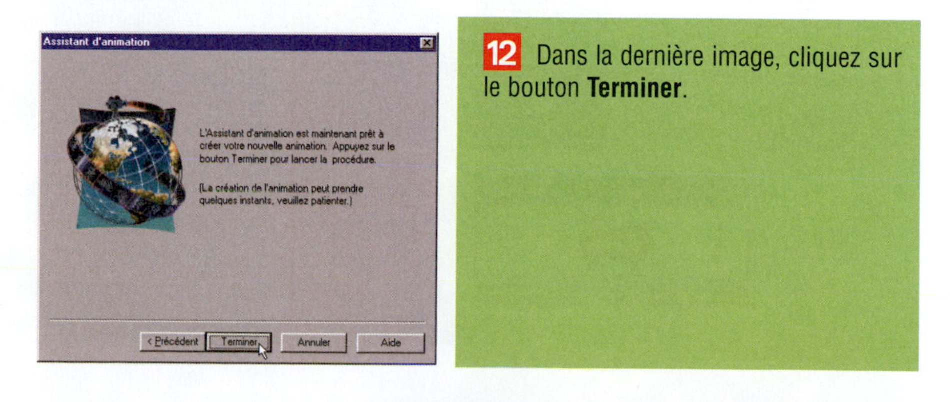

12 Dans la dernière image, cliquez sur le bouton **Terminer**.

Vous êtes revenu à la boîte de dialogue principale d'Animation Shop et les différentes images apparaissent alignées comme dans une bande magnétique de film. Faites glisser à gauche et à droite la barre de défilement située en dessous de la fenêtre, pour avoir une première idée de l'apparence qu'aura votre animation. Mais il y a encore mieux.

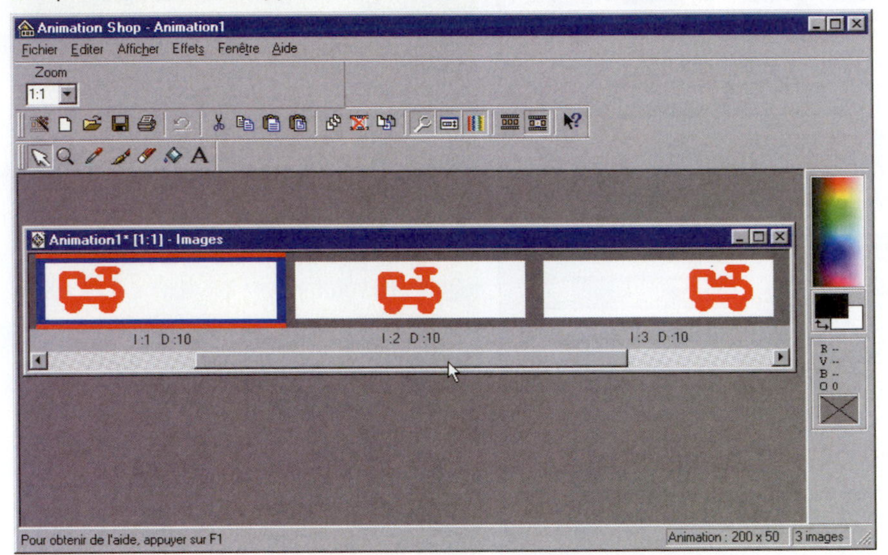

Visualisation et enregistrement des animations

1 Sélectionnez la commande **Afficher/Animation**.

2 Votre animation se révèle dans une petite fenêtre telle qu'elle apparaîtra dans votre page Web. (Malheureusement, ce résultat ne peut être restitué dans ce guide...)

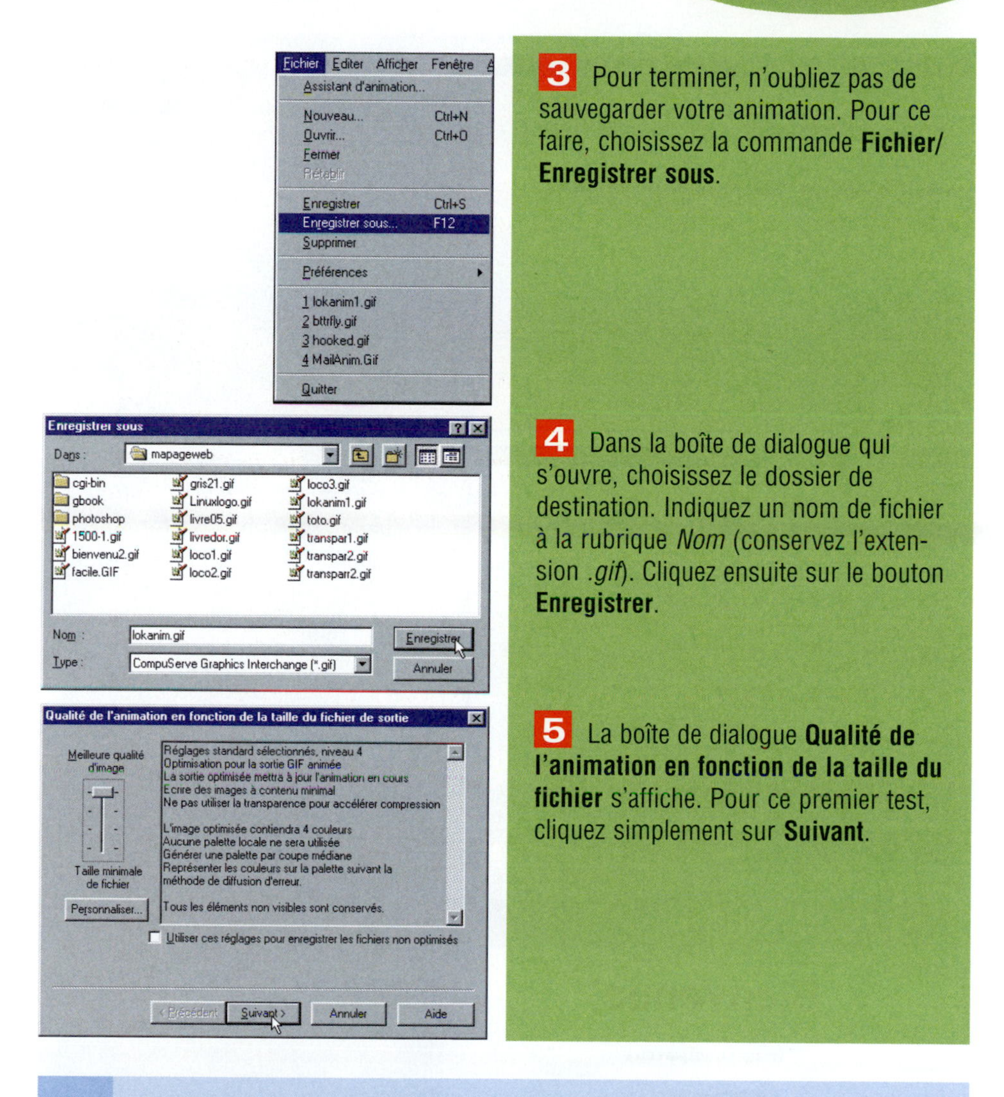

3 Pour terminer, n'oubliez pas de sauvegarder votre animation. Pour ce faire, choisissez la commande **Fichier/ Enregistrer sous**.

4 Dans la boîte de dialogue qui s'ouvre, choisissez le dossier de destination. Indiquez un nom de fichier à la rubrique *Nom* (conservez l'extension *.gif*). Cliquez ensuite sur le bouton **Enregistrer**.

5 La boîte de dialogue **Qualité de l'animation en fonction de la taille du fichier** s'affiche. Pour ce premier test, cliquez simplement sur **Suivant**.

INFO

Votre fichier est-il trop volumineux ?

Les fichiers GIF animés deviennent vite très volumineux. Si vous estimez que votre fichier gagnerait à être réduit en taille, revenez à l'étape précédente en cliquant sur *Précédent*. De retour dans la boîte de dialogue *Qualité de l'animation en fonction de la taille du fichier*, cochez la case *Utiliser ces réglages pour enregistrer les fichiers non optimisés*. Utilisez le potentiomètre à glissière pour trouver un compromis entre une qualité d'image optimisée et un volume réduit. Procédez à plusieurs tentatives jusqu'à ce que le résultat soit conforme à votre souhait.

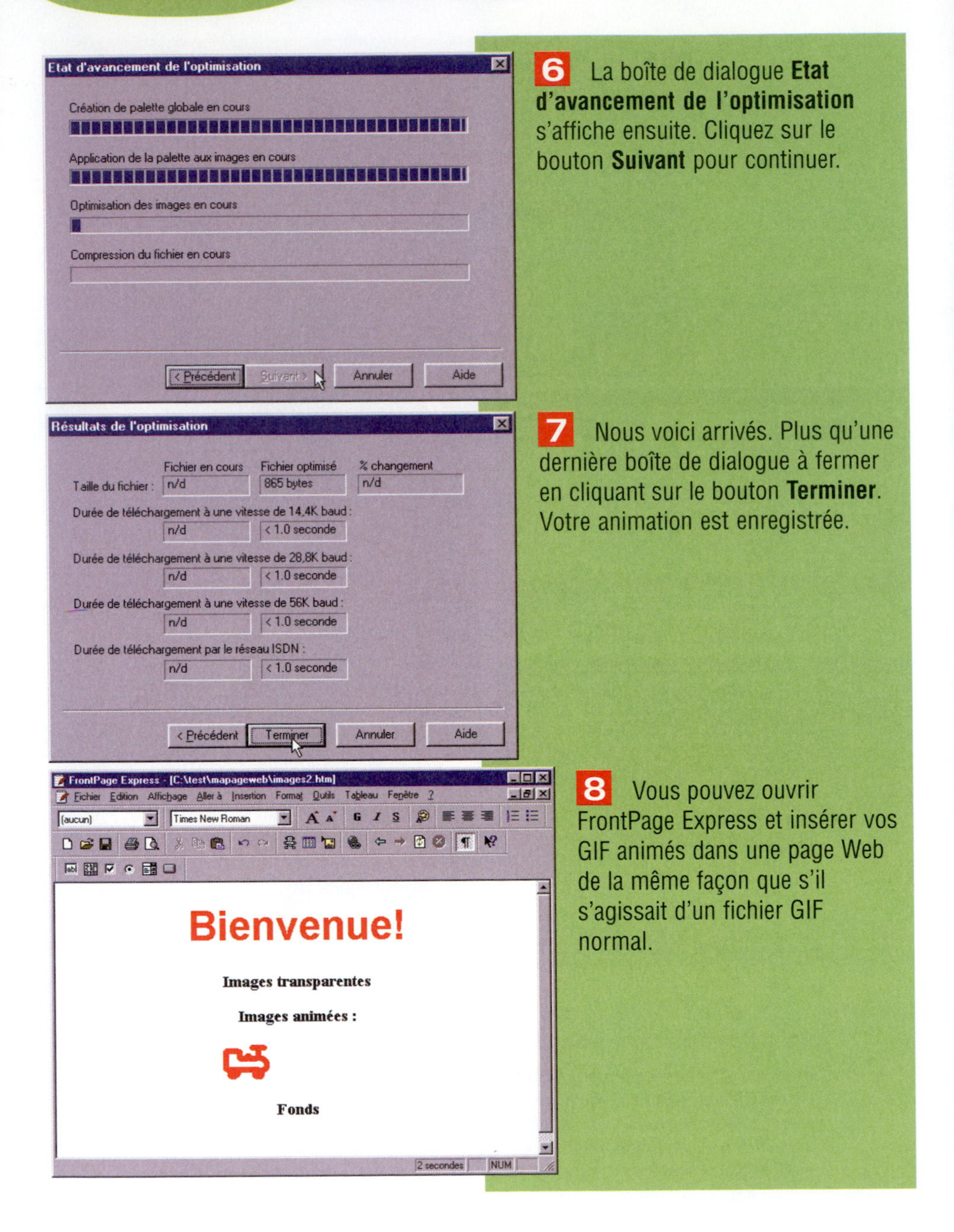

6 La boîte de dialogue **Etat d'avancement de l'optimisation** s'affiche ensuite. Cliquez sur le bouton **Suivant** pour continuer.

7 Nous voici arrivés. Plus qu'une dernière boîte de dialogue à fermer en cliquant sur le bouton **Terminer**. Votre animation est enregistrée.

8 Vous pouvez ouvrir FrontPage Express et insérer vos GIF animés dans une page Web de la même façon que s'il s'agissait d'un fichier GIF normal.

INFO

Un peu figée, pour une image animée ?

FrontPage Express vous montre une image GIF animée statique, car cet éditeur n'est pas en mesure de rendre le mouvement de l'image. Mais si vous enregistrez la page Web avec le GIF animé sous FrontPage, et si vous la visualisez à l'aide d'un navigateur, l'image s'anime à souhait.

Autres logiciels

Paint Shop Pro 5.0 propose ainsi, avec le module Animation Shop, un logiciel de réalisation d'images animées simple d'emploi. Mais si vous ne possédez pas ce logiciel, vous avez d'autres possibilités : les freewares et les sharewares ci-après sont également tout à fait aptes à réaliser des GIF animés.

- GIF Construction Set ;
- GIF Movie Gear ;
- Lake Clear Animator ;
- WWW Gif Animator.

Vous pouvez vous procurer ces logiciels sur Internet, à partir d'un des différents serveurs de TUCOWS. Vous les trouverez sous la rubrique *Windows 95/98 / Multimedia Tools / Image Animators.*

Les adresses Web sont indiquées au chapitre *Logiciels disponibles*, dans la section consacrée au site TUCOWS.

Images d'arrière-plan

Jusqu'à présent, vous avez inséré dans vos pages Web des images qui étaient associées à du texte. Il est par ailleurs possible d'attribuer à chaque page Web une couleur ou une image d'arrière-plan. Cela se fait également en quelques clics de souris et contribue à donner une apparence professionnelle à vos pages Web.

Images en mosaïque

Pour insérer une image d'arrière-plan, vous devez bien entendu commencer par créer l'image correspondante, ou vous en procurer une dans une compilation d'images gratuites. Voici celle qui nous servira pour illustrer la procédure.

INFO

Voyagez léger

Les images d'arrière-plan peuvent être des images GIF ou JPG, mais il est inutile qu'elles soient trop volumineuses. Prenons un fichier de 250 x 80 pixels. Ce choix est justifié à plus d'un titre. Non seulement les images de grande taille nécessitent des fichiers volumineux (dont le transfert risque de lasser plus d'un visiteur), mais il y a plus important : les images d'arrière-plan sont organisées d'une façon bien particulière : elles sont juxtaposées et superposées comme dans un damier, jusqu'à ce que le fond de la page Web soit complètement rempli.

Regardez avec quelle simplicité vous pouvez insérer une image d'arrière-plan.

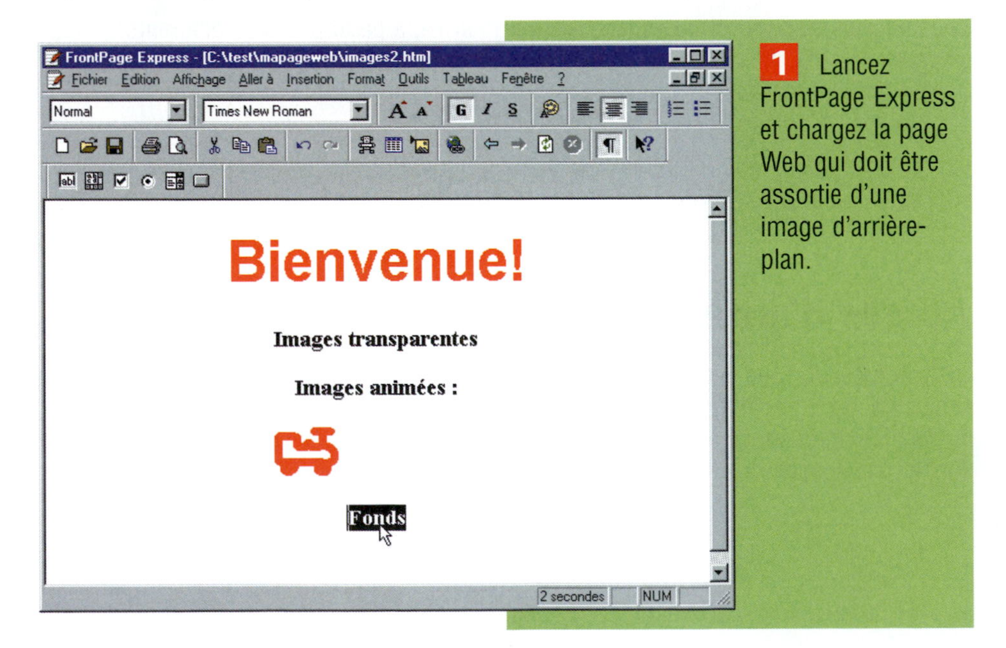

1 Lancez FrontPage Express et chargez la page Web qui doit être assortie d'une image d'arrière-plan.

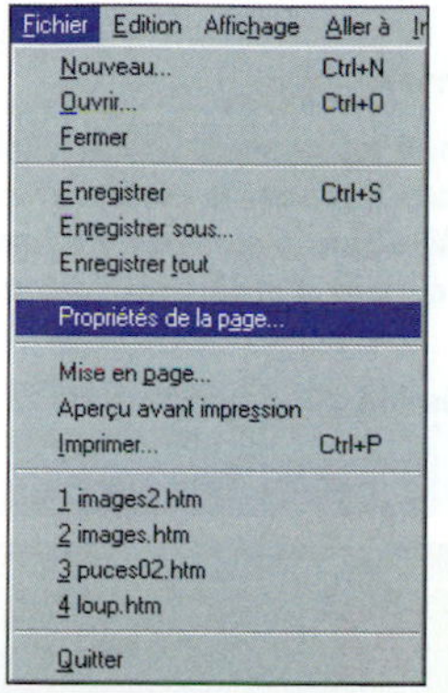

2 Choisissez pour commencer la commande **Fichier/Propriétés de la page**.

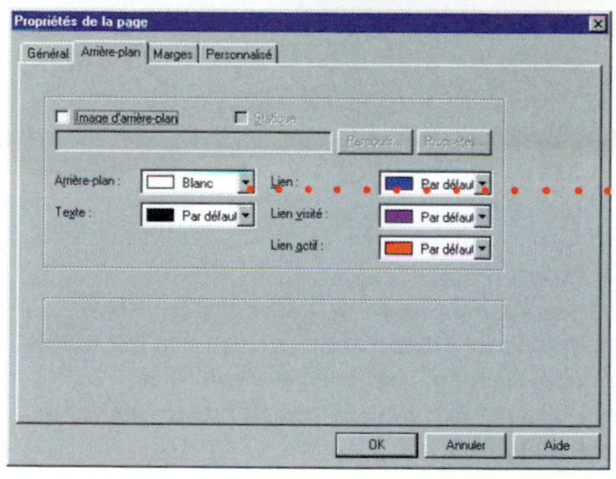

3 Arrivé dans la boîte de dialogue **Propriétés de la page**, choisissez l'onglet **Arrière-plan**.

4 Pour paramétrer une couleur d'arrière-plan, cliquez sur le bouton fléché à côté de la liste déroulante *Arrière-plan.*

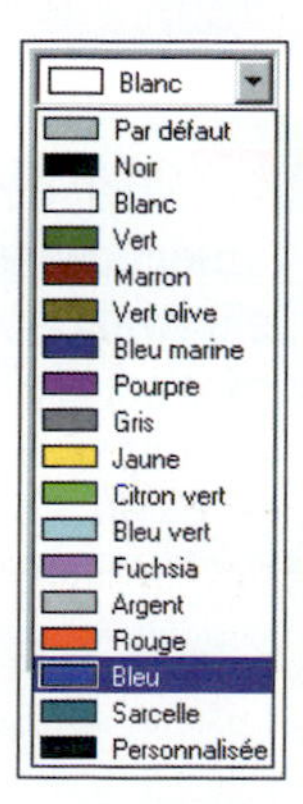

5 Cliquez sur la couleur que vous souhaitez donner à l'arrière-plan de votre page Web.

6 Si vous voulez définir une autre couleur d'arrière-plan, sans choisir d'image d'arrière-plan, cliquez déjà sur le bouton OK. Votre page Web a maintenant la couleur d'arrière-plan que vous venez de lui affecter.

Luminosité et contraste

Si vous voulez diminuer la force d'une image d'arrière-plan et améliorer la lisibilité du texte au premier plan, il vous faut augmenter la luminosité de l'image d'arrière-plan et réduire son contraste. À quoi bon avoir un programme comme Paint Shop Pro si ce n'est pour le mettre à profit dans de telles situations ?

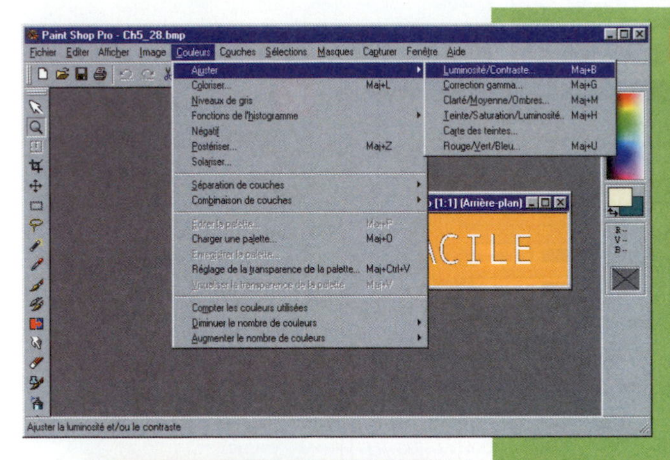

1 Lancez Paint Shop Pro et chargez l'image d'arrière-plan avec la commande **Fichier/ Ouvrir**.

2 Modifiez les valeurs de luminosité et de contraste de l'image chargée à l'aide de la commande **Couleurs/ Ajuster/Luminosité - Contraste**.

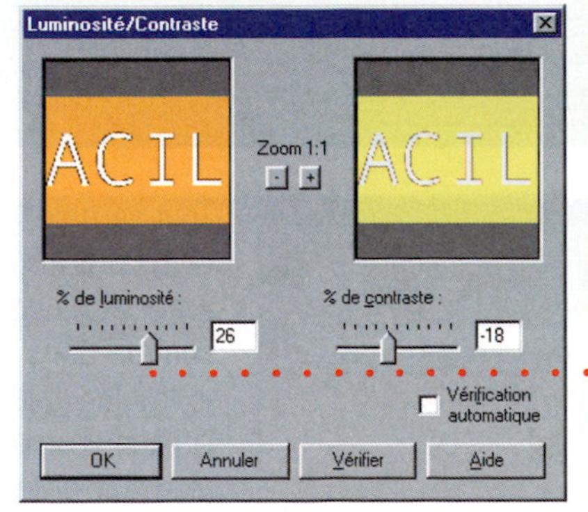

3 La boîte de dialogue **Luminosité/ Contraste** qui s'ouvre fait apparaître dans deux cadres une portion de votre image. Le cadre gauche présente l'image originale, tandis que celui de droite vous la présente après les modifications en cours.

4 Modifiez avec le curseur de la graduation *% de luminosité* la luminosité jusqu'à atteindre une valeur positive (une valeur située entre 20 et 30 % donne en général de bons résultats).

5 Modifiez avec le curseur de la graduation *% de contraste* le contraste jusqu'à atteindre une valeur négative (une valeur située entre -10 et -20 % donne en général de bons résultats).

INFO

Variante

Vous pouvez également saisir les valeurs de luminosité et de contraste directement au clavier, dans les zones de saisie correspondantes. Pour ce faire, placez le pointeur de la souris dans la zone à modifier et tapez la nouvelle valeur.

Par ailleurs, il n'y a pas de valeurs optimales valables pour toutes les images. Faites donc plusieurs essais jusqu'à trouver le résultat convenable.

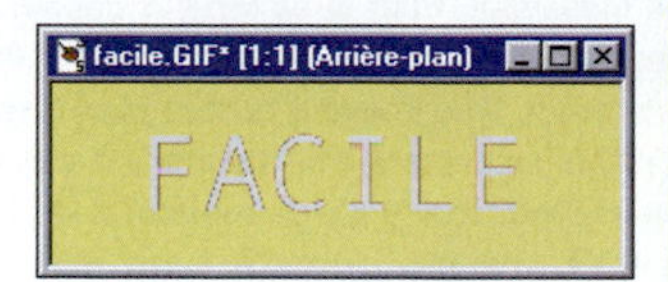

6 Lorsque le résultat du cadre droit correspond à vos attentes, cliquez sur OK pour appliquer à l'image les paramètres sélectionnés.

7 Enregistrez l'image modifiée sous un nouveau nom de fichier, en choisissant le format GIF ou JPG.

INFO

Enregistrer au format GIF ou JPG

Vous trouverez au chapitre précédent la procédure détaillée pour enregistrer des images au format GIF ou JPG. Si votre image d'arrière-plan était à l'origine au format GIF, conservez ce même format. Faites de même pour un fichier au format JPG.

8 Il ne vous reste plus qu'à charger la nouvelle image d'arrière-plan sous FrontPage Express, en exécutant la commande **Fichier/Propriétés de la page**. Le résultat est déjà plus présentable et le texte au premier plan est également plus lisible.

1 500 pixels de large : astuce

Pour terminer, voici une astuce intéressante, en relation avec les images d'arrière-plan. Notez que cette astuce ne vaut la peine qu'avec des images au format GIF, car lorsqu'elles comportent des surfaces monochromes de grande taille, elles n'occupent que très peu de place. C'est pourquoi les fichiers GIF décrits ci-après sont très petits, bien qu'ils soient très larges.

INFO

L'astuce

Une image d'arrière-plan s'affiche toujours en mosaïque. Mais si sa largeur dépasse celle de la fenêtre du navigateur, elle est affichée une seule fois en largeur, mais continue à être reproduite de haut en bas, un peu comme des lattes de parquet. Une image d'arrière-plan très large (1 500 pixels, par exemple) mais haute de quelques pixels seulement peut donner un arrière-plan qui apparaît divisé en deux : le côté gauche comporte une bande d'une couleur, dans laquelle vous pouvez par exemple placer des liens ; le côté droit, plus large, constitue une zone monochrome pour afficher le véritable contenu de la page.

1 Lancez Paint Shop Pro.

2 Choisissez la commande **Fichier/Nouveau** pour créer une nouvelle image.

3 La boîte de dialogue **Nouvelle image** s'ouvre. Si la liste déroulante, à droite des zones de saisie *Largeur* et *Hauteur*, ne contient pas l'option *Pixels*, cliquez sur le bouton fléché à côté et sélectionnez *Pixels*.

4 Dans la zone *Largeur*, spécifiez 1 500. Dans la zone *Hauteur*, spécifiez 20 (cette dernière valeur peut être légèrement supérieure).

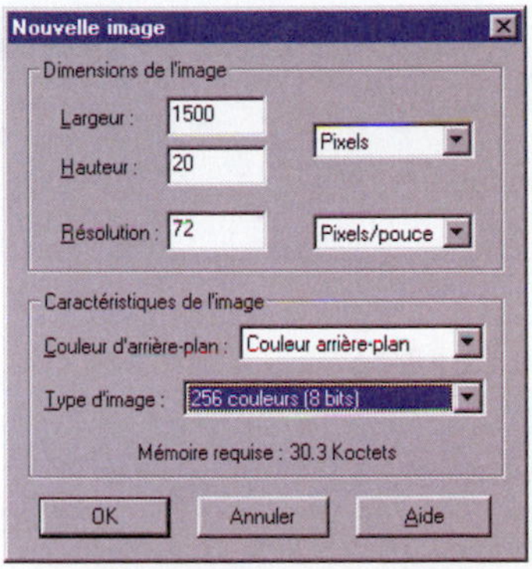

5 Dans la zone *Caractéristiques de l'image*, cliquez sur le bouton fléché et choisissez l'option *256 couleurs (8 bits)* : l'image obtenue, au format GIF, ne peut comporter de toutes façons que 256 couleurs.

6 Un clic sur OK et voici créée sous Paint Shop Pro une nouvelle image de 1 500 x 20 pixels.

7 Comme cette image encore vide est très large, elle est affichée en réduction par Paint Shop Pro. Pour l'agrandir, cliquez sur le bouton représentant une loupe.

8 Si vous déplacez le pointeur de la souris au-dessus de l'image, il se transforme en loupe. Pour zoomer sur l'image, cliquez une ou plusieurs fois avec le bouton gauche de la souris ; pour réduire à nouveau le zoom, appuyez sur le bouton droit.

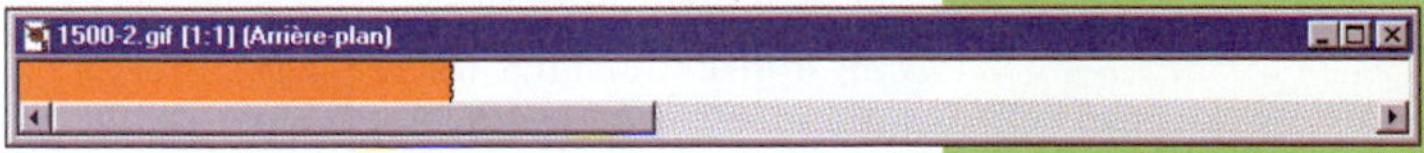

9 Avec la souris, faites glisser à l'extrême gauche la barre de défilement située en dessous de la fenêtre de l'image. Vous pouvez alors utiliser l'un des outils de dessin de Paint Shop Pro pour remplir la partie gauche de l'image avec une couleur ou un motif. Voici un exemple de ce que vous pouvez obtenir.

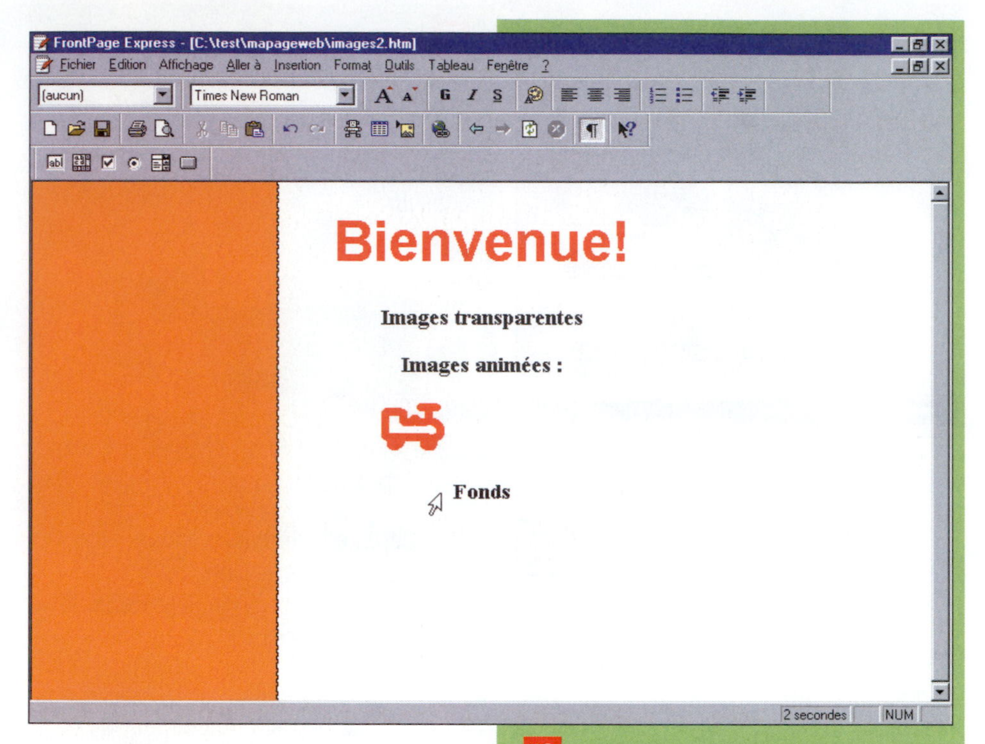

10 Vous disposez maintenant d'une image très large, comportant dans sa partie gauche une bande d'une couleur distincte. Enregistrez-la au format GIF. Chargez-la ensuite à partir de FrontPage Express dans votre page Web à l'aide de la commande **Fichier/Propriétés de la page**, sous l'onglet **Arrière-plan**. La mosaïque apparaît alors comme une répétition de la même image sur l'axe vertical uniquement.

Créer une page Web multimédia

Le World Wide Web est un univers réellement multimédia. De ce fait, outre les images que vous avez appris à insérer dans une page Web, il est également possible d'intégrer des sons et même des vidéos. Nous verrons dans un instant comment réaliser tout cela. Mais un conseil préalable s'impose : prenez le temps de bien lire ce chapitre, car gérer des sons et des vidéos peut soumettre vos nerfs à rude épreuve.

Attention : fichiers volumineux

Voici quelques mois déjà, la sonde martienne Pathfinder a atterri sur la planète rouge. Vous avez sans doute suivi l'événement avec intérêt. De nombreux internautes se sont rendus sur Internet pour rechercher des informations et des images inédites sur le sujet. Leurs espoirs n'ont pas été déçus : il y avait même une vidéo à télécharger, dans laquelle on pouvait voir la sonde évoluer autour de la zone d'atterrissage. Le téléchargement de la vidéo sur l'ordinateur d'un particulier prenait dix bonnes minutes, mais ça en valait vraiment la peine. Parfois, la durée du téléchargement, même très longue, se révèle être un bon investissement. Mais ce n'est pas toujours le cas. Et il arrive souvent qu'après avoir consacré un bon quart d'heure à télécharger une vidéo sur votre ordinateur, vous constatez qu'elle ne présente aucun intérêt. Des images banales défilent dans une fenêtre miniature de la taille d'un timbre-poste. Bref, l'exploitation de fichiers audio et vidéo est vraiment lourde. Elle ne vaut la peine d'être entreprise que si le contenu a une réelle pertinence.

Intégrer un son

Les documents audio sont de deux types : les fichiers AU et les fichiers WAV peuvent contenir divers types de sons (des voix et des bruits), mais ils sont volumineux. À l'inverse, si les fichiers MIDI sont peu volumineux, ils sont en revanche limités à quelques instruments de musique, qui peuvent offrir une qualité de restitution médiocre, selon la carte son dont vous disposez.

Dans tous les cas, l'intégration de ces sons se fait selon un procédé identique. Nous l'étudierons avec un fichier MIDI, mais la procédure est la même pour les fichiers AU et WAV.

Intégrer un fichier audio

1 Pour intégrer un fichier audio, la première opération à réaliser consiste à copier systématiquement le fichier dans le dossier qui contient vos pages Web. Notez également le nom de ce fichier, car vous devrez le spécifier à la main. Vous pouvez maintenant commencer.

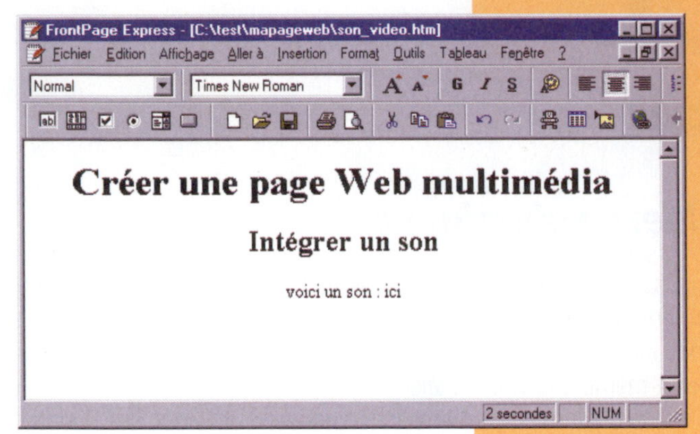

2 Chargez à partir de FrontPage Express la page Web à laquelle vous voulez associer un son. Rédigez quelques mots (ou insérez une image) sur lesquels le visiteur de votre page devra cliquer pour écouter le son.

3 Sélectionnez le texte (ou l'image) et cliquez sur le bouton **Lien**.

4 Dans la boîte de dialogue **Editer le lien** qui s'affiche, sélectionnez l'onglet **World Wide Web**.

5 Effacez le contenu de la zone de saisie, à droite d'*URL*, et tapez le nom du fichier audio (par exemple claudia.mid).

6 Fermez la boîte de dialogue **Editer le lien** en cliquant sur le bouton OK.

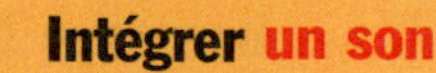

7 Enregistrez votre page sous FrontPage Express. Lancez ensuite votre navigateur et chargez votre page.

8 Cliquez sur le lien audio. Selon le type de navigateur que vous utilisez et ses paramètres, vous pouvez obtenir le résultat suivant : La boîte de dialogue **Affichage de l'adresse** s'ouvre pour télécharger le fichier audio et lancer l'afficheur externe.

9 Le lecteur multimédia Windows Media Player est lancé et le fichier audio est lu.

INFO

Attention à la durée de téléchargement

Ne vous laissez pas abuser par la vitesse à laquelle le fichier audio est téléchargé à partir de votre disque dur. Lorsque vos pages Web seront publiées, le transfert nécessitera bien plus de temps.

Fond sonore : uniquement sous Internet Explorer

À première vue, FrontPage Express offre un moyen encore plus souple d'intégrer un fichier audio : vous pouvez définir un fond sonore qui sera lu automatiquement lors du chargement de la page. Il y a quand même un hic : Netscape Communicator n'est pas en mesure d'exploiter ce type de fichiers. Il ne les lit donc pas. Malgré cela, nous verrons ici comment procéder.

1 Choisissez la commande **Fichier/ Propriétés de la page**.

Copie de fichiers

Là aussi, vous devez au préalable copier le fichier son souhaité dans le dossier où se trouvent vos pages Web.

2 Sous l'onglet **Général**, cliquez sur le bouton **Parcourir** situé dans la rubrique *Fond sonore.*

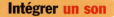

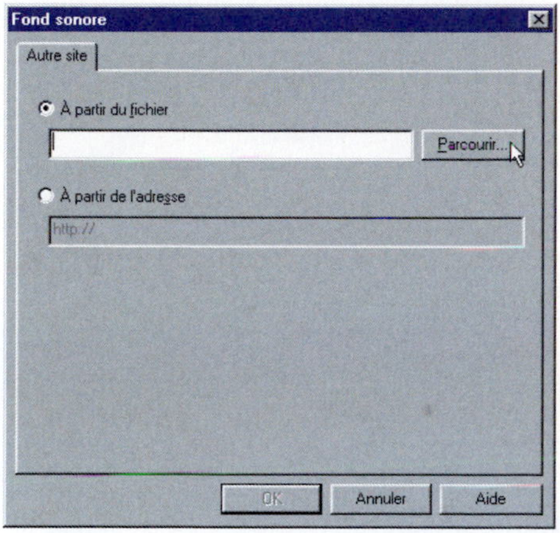

3 Vous vous trouvez dans la boîte de dialogue **Fond sonore** où vous devez également cliquer sur le bouton **Parcourir**.

4 Dans la boîte de dialogue qui s'affiche, passez dans le dossier où se trouve votre fichier audio.

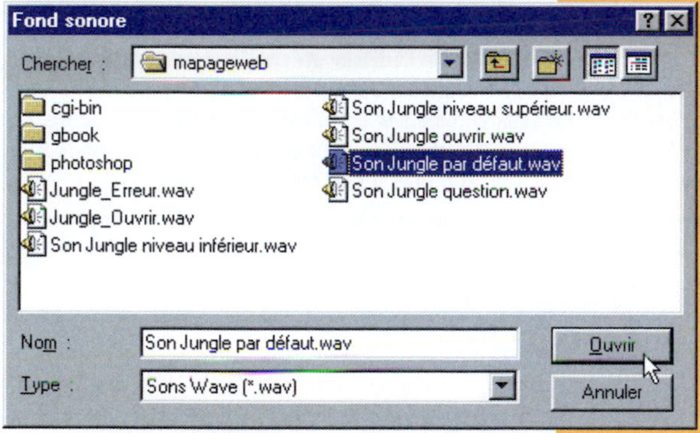

5 Sélectionnez le fichier souhaité et cliquez sur le bouton **Ouvrir**.

6 La boîte de dialogue **Propriétés de la page** comporte maintenant le nom de ce fichier audio défini comme fond sonore.

INFO

Une et deux et trois...

Vous pouvez spécifier, dans la zone de saisie numérique à côté de *Répéter*, combien de fois le fichier audio doit être lu après le chargement de la page. Indiquez simplement la valeur souhaitée. Vous pouvez en outre cocher la case *Toujours* afin que le fichier audio soit lu aussi longtemps que la page reste ouverte. Cette option doit être réservée à des cas exceptionnels, car une musique jouée interminablement agacerait très vite les visiteurs de votre page.

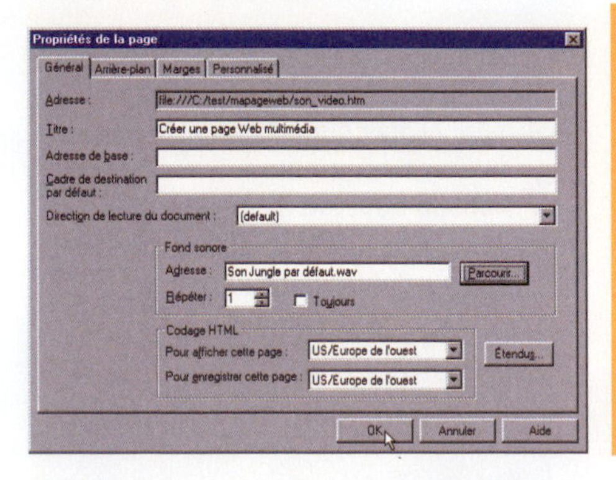

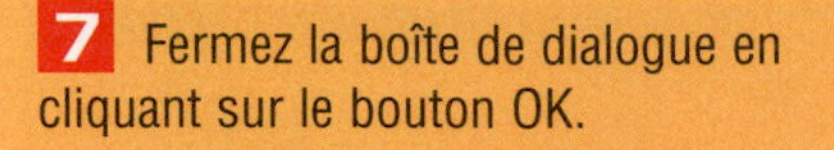

7 Fermez la boîte de dialogue en cliquant sur le bouton OK.

INFO

Ne nous pressons surtout pas !

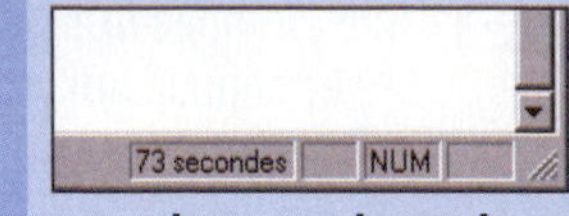

Si vous liez un fond sonore à partir de FrontPage Express, la partie inférieure droite de l'éditeur affiche la valeur particulièrement élevée de 87 secondes. Voilà à quoi elle correspond : FrontPage Express signale par cette valeur la durée nécessaire à un modem pour charger la page Web. Le fichier audio choisi ici dure en tout 1 seconde, mais il requiert une durée de chargement de 86 secondes, soit plus d'une minute.

Notez cependant que cette information ne s'applique que pour les sons (et les vidéos) que vous intégrez comme fond sonore et non pour ceux que vous rendez accessible à travers un lien hypertexte.

8 Enregistrez la page Web sous FrontPage Express. Si vous la chargez maintenant à partir d'Internet Explorer, le son est lu automatiquement à l'issue du chargement de la page.

Intégrer une vidéo

Il est même possible d'intégrer un fichier vidéo dans une page Web. Sachez cependant que la taille des fichiers vidéo est beaucoup plus importante que celle des fichiers audio. Mais si vous disposez d'une vidéo au format AVI particulièrement intéressante, ne vous privez pas de la rendre accessible à travers un lien hypertexte.

1 Là aussi, vous devez commencer par copier le fichier vidéo dans le dossier où se trouvent vos pages Web.

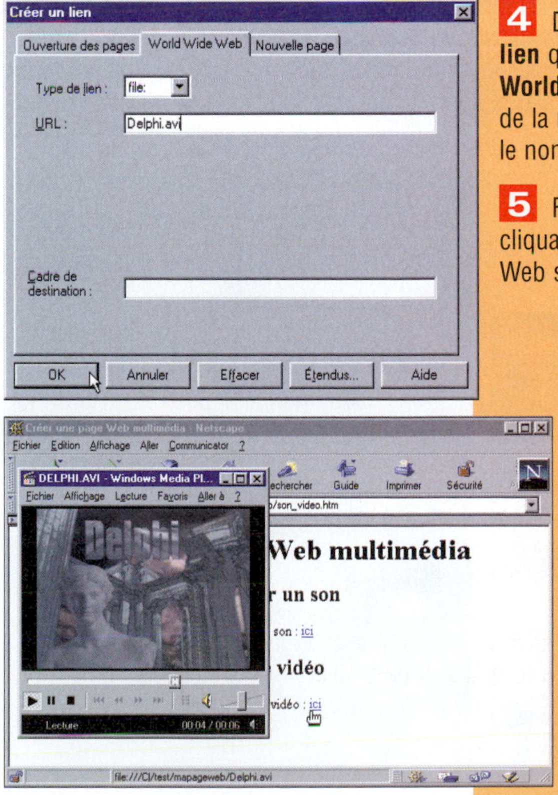

2 Sous FrontPage Express, écrivez dans votre page Web un texte (ou une image) destiné à servir de lien hypertexte.

3 Sélectionnez le texte (ou l'image) et activez le bouton **Lien**.

4 Dans la boîte de dialogue **Créer un lien** qui s'affiche, sélectionnez l'onglet **World Wide Web**. Effacez le texte à côté de la rubrique **URL** et remplacez-le par le nom du fichier vidéo.

5 Fermez la boîte de dialogue en cliquant sur OK et enregistrez la page Web sous FrontPage Express.

6 Lorsque vous ouvrez la page Web à partir du navigateur et que vous cliquez sur le lien vidéo, la vidéo est exécutée.

Tableaux

Si vous avez toujours trouvé quelque peu stérile la présentation en tableau, la longueur de ce chapitre ne va pas vous rassurer. Surtout si vous pensez que les tableaux ne servent qu'à aligner proprement des colonnes de chiffres et que les chiffres vous ennuient. Mais il en est tout autrement dans les pages Web, où les tableaux sont l'un des éléments de mise en forme les plus importants. Ils d'ailleurs être utilisés sans bordure. Le quadrillage du tableau est alors invisible. Seuls les textes et les images sont répartis harmonieusement dans la page Web. Ce chapitre ambitionne donc de vous réconcilier avec les tableaux. Essayez plutôt !

Premier tableau

Le premier tableau va servir à mettre en forme la page Web. Il ne doit donc pas comporter de bordure. Avant de vous engager plus loin, vous avez tout intérêt à réfléchir préalablement au nombre exact de lignes et de colonnes que votre tableau doit compter. Vous pouvez toujours modifier ces valeurs après coup, mais autant le faire dès le début pour gagner du temps.

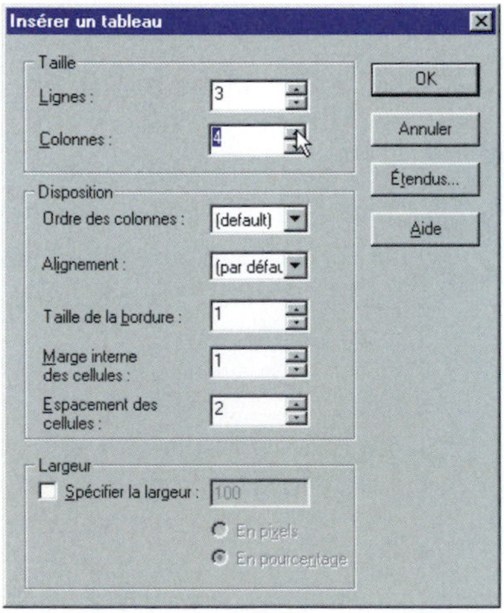

1 Lancez FrontPage Express. Si vous voulez insérer le tableau dans une page Web existante, chargez cette dernière.

2 Placez le curseur à l'endroit où vous voulez placer le tableau. Exécutez ensuite la commande **Tableau/Insérer un tableau**.

3 Indiquez tout d'abord le nombre de lignes et de colonnes à la rubrique *Taille*, dans les zones de saisie *Lignes* et *Colonnes*.

4 Dans la rubrique *Disposition*, cliquez ensuite sur le bouton fléché à côté de la liste déroulante *Alignement*. C'est là que vous spécifiez si votre tableau doit être aligné à gauche ou à droite, ou bien s'il doit être centré.

INFO

Alignement par défaut = Gauche

Tout comme dans l'alignement des paragraphes, l'alignement gauche est le paramètre par défaut pour les tableaux. Il est donc en général superflu de sélectionner l'option *Gauche*.

5 Passez maintenant aux paramètres *Taille de la bordure*, *Marge interne des cellules* et *Espacement des cellules*. Si vous voulez créer un tableau invisible (qui sera utilisé pour la mise en forme de votre page Web), tapez la valeur 0 dans la zone *Taille de la bordure*.

INFO

Marge interne et espacement des cellules

Le paramètre *Marge interne des cellules* s'applique à la distance minimale entre le texte et la bordure des cellules. Le paramètre *Espacement des cellules* s'applique à la distance minimale séparant les cellules. Ces deux valeurs sont exprimées en pixels.

Si vous voulez placer principalement du texte dans votre tableau, la valeur d'espacement des cellules doit être supérieure à 0. Les textes sont ainsi suffisamment espacés. Si vous voulez y placer des images qui doivent apparaître collées, fixez les valeurs de marge interne et d'espacement des cellules à 0. Sachez d'ores et déjà que toutes ces valeurs peuvent être modifiées à tout moment.

6 Déterminez ensuite la largeur du tableau à la rubrique *Largeur*. Différentes options s'offrent à vous :

- Laissez non cochée la case à côté de la zone de saisie numérique *Spécifier la largeur*. Il en résulte un tableau dont la largeur initiale est minimale. Mais elle augmente automatiquement au fur et à mesure que s'allonge le texte saisi dans les différentes cellules. Conservez ce paramétrage pour de premiers essais.

- Cochez la case *Spécifier la largeur* et sélectionnez l'option *En pourcentage*. La largeur du tableau peut ainsi être déterminée proportionnellement à celle de la fenêtre du navigateur.

- Cochez la case *Spécifier la largeur* et sélectionnez l'option *En pixels*. La largeur du tableau exprimée en pixels est fixée de manière absolue. Si elle est supérieure à la largeur de la fenêtre du navigateur, une barre de défilement horizontale apparaît.

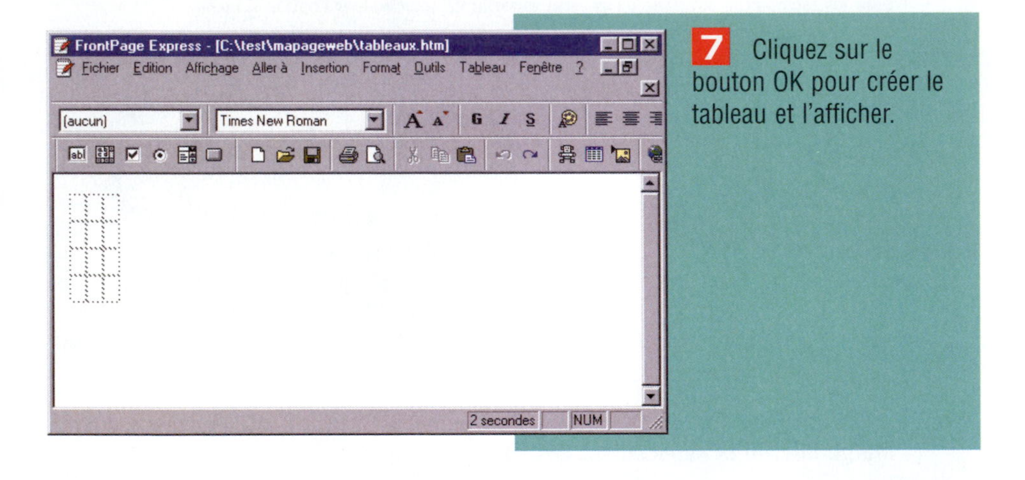

7 Cliquez sur le bouton OK pour créer le tableau et l'afficher.

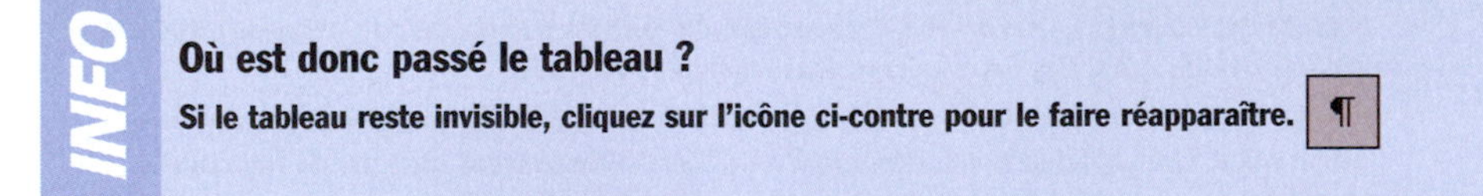

INFO

Où est donc passé le tableau ?

Si le tableau reste invisible, cliquez sur l'icône ci-contre pour le faire réapparaître. ¶

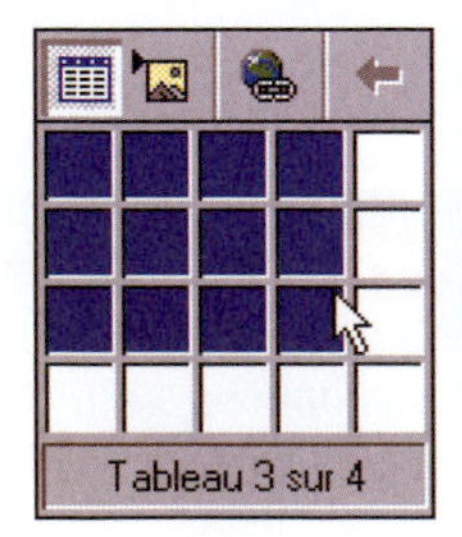

8 Si vous voulez faire apparaître un tableau ex nihilo, utilisez le bouton **Insérer tableau**. En cliquant sur ce bouton, une grille s'affiche, à l'intérieur de laquelle vous pouvez spécifier au moyen de la souris le nombre de lignes et de colonnes.

INFO

Ajouter de nouvelles lignes ou des colonnes supplémentaires

Si vous déplacez la souris vers la partie inférieure droite de la grille, celle-ci s'agrandit automatiquement. Vous pouvez créer d'un clic de souris des tableaux de plus de 3 x 4 cellules.

Le texte dans les tableaux : simple comme bonjour !

Un texte vous manque et la page paraît quelque peu déserte. Pourtant il est très facile de remplir le tableau de textes de tous types :

1 Placez le curseur dans la cellule du tableau de votre choix.

2 Tapez votre texte comme à l'accoutumée. Mettez-le en forme selon votre goût : choisissez du gras, de l'italique, ajoutez une couleur, changez de police, etc.

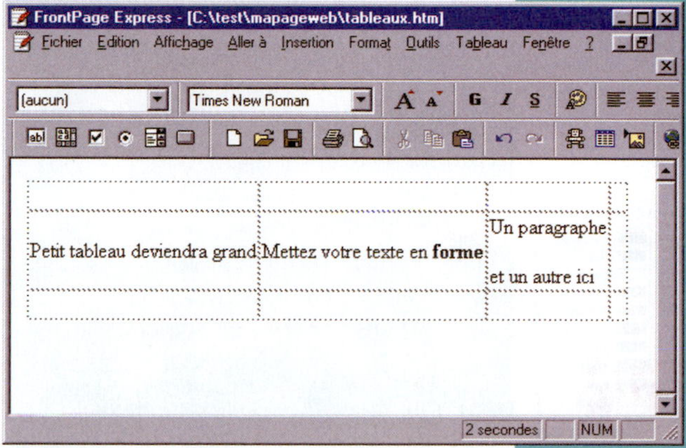

3 Vous pouvez bien entendu insérer également des sauts de ligne et de nouveaux paragraphes dans les cellules du tableau. Les dimensions de ce dernier augmentent en proportion, même si le texte est très long.

Vous avez sans doute constaté que la disposition du texte dans notre tableau ne correspond pas exactement au résultat escompté. Qu'à cela ne tienne, vous pouvez adapter les propriétés du tableau et celles des cellules selon votre souhait.

Propriétés du tableau

Les propriétés du tableau s'appliquent au tableau dans sa totalité. Les propriétés de la cellule vous permettent de formater chaque cellule individuellement. Mais commençons par les propriétés du tableau.

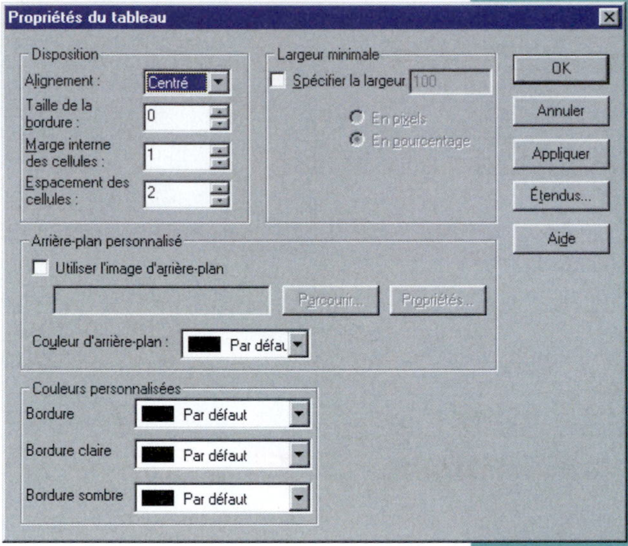

1 Pour définir les propriétés du tableau, placez la souris dessus et cliquez avec le bouton droit. Dans le menu déroulant qui s'ouvre, choisissez la commande **Propriétés du tableau**.

2 La boîte de dialogue **Propriétés du tableau** s'ouvre. Vous connaissez déjà la plupart des paramètres qui s'y trouvent. Ils sont identiques à ceux que vous avez vus lors de la création du tableau. Modifiez ces propriétés à votre guise.

3 Pour modifier la couleur d'arrière-plan, cliquez sur le bouton fléché à côté de la liste *Couleur d'arrière-plan*. Cliquez ensuite sur une couleur d'arrière-plan.

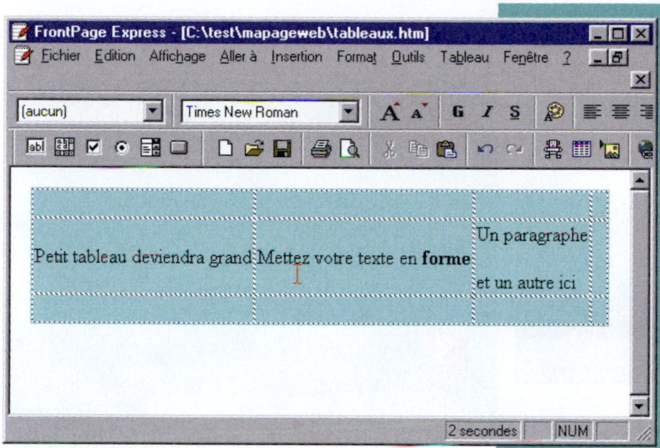

4 Cliquez sur le bouton OK pour fermer la boîte de dialogue **Propriétés du tableau**. Le tableau apparaît avec la couleur d'arrière-plan souhaitée.

INFO

Et les images d'arrière-plan ?

Il est par ailleurs possible de personnaliser le tableau en définissant une image d'arrière-plan à partir de la boîte de dialogue *Propriétés du tableau*. Cochez pour cela la case *Utiliser l'image d'arrière-plan* et cliquez sur le bouton *Parcourir*. Dans la boîte de dialogue *Sélectionner l'image d'arrière-plan* qui s'ouvre, choisissez une image d'arrière-plan.

Mais attention ! Seuls les navigateurs les plus récents sont en mesure d'afficher les images d'arrière-plan dans les tableaux. Cela étant, les internautes qui ont conservé les versions précédentes des navigateurs tireront profit de votre tableau même sans cette image d'arrière-plan.

Couleurs personnalisées

À côté de ces fonctionnalités, la boîte de dialogue *Propriétés du tableau* vous offre la possibilité de définir des couleurs personnalisées pour la bordure de votre tableau. Cette option est bien entendu inutile si vous avez défini des bordures transparentes. Mais même dans les tableaux où la bordure est visible, la prudence est de mise, dans la mesure où Netscape et Internet Explorer affichent des résultats différents.

Propriétés de la cellule

La commande **Propriétés de la cellule** vous permet de définir les propriétés les plus importantes pour chaque cellule du tableau. Cette fonctionnalité est particulièrement conviviale. Vous pouvez même modifier les propriétés de plusieurs cellules à la fois ! Voici comment procéder :

Modifier les propriétés d'une cellule

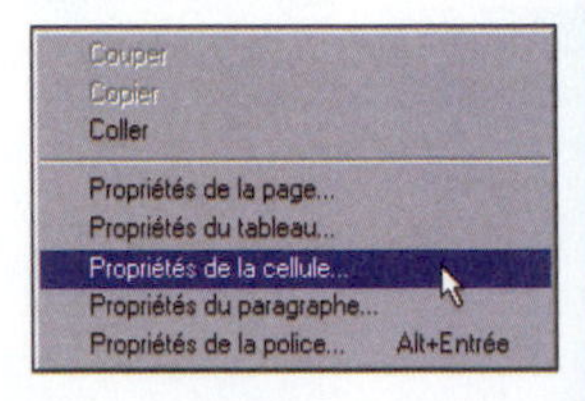

1 Cliquez sur la cellule à modifier à l'aide du bouton droit de la souris.

2 Vous obtenez un menu déroulant dans lequel vous sélectionnez la commande **Propriétés de la cellule**.

3 Vous voici dans la boîte de dialogue **Propriétés de la cellule**. Elle vous permet de contrôler l'ensemble des propriétés de la cellule.

Propriétés de la cellule
Disposition
Alignement horizontal : Gauche
Alignement vertical : Milieu
Cellule d'en-tête
Pas de renvoi à la ligne
Largeur minimale
Spécifier la largeur : 0
En pixels
En pourcentage
OK
Annuler
Appliquer
Étendus...
Aide
Arrière-plan personnalisé
Utiliser l'image d'arrière-plan
Parcourir...
Propriétés...
Couleur d'arrière-plan : Par défau
Couleurs personnalisées
Bordure Par défau
Bordure claire Par défau
Bordure sombre Par défau
Taille en cellule
Nombre de lignes équivalentes 1
Nombre de colonnes équivalentes 1

4 Dans la rubrique *Disposition* de la boîte de dialogue, cliquez tout d'abord sur le bouton fléché, à côté de l'option *Alignement horizontal*.

5 Sélectionnez à l'aide de la souris l'option d'alignement *Gauche*, *Centré* ou *Droite*, pour déterminer l'alignement du texte (ou de l'image) dans la cellule sélectionnée.

INFO

Modifier les paramètres par défaut

Les paramètres *Gauche*, *Centré* et *Droite* sont des paramètres par défaut qui s'appliquent dans un premier temps à tous les paragraphes au sein d'une cellule de tableau. Si l'alignement d'un (ou de plusieurs) paragraphe doit être distinct de celui du reste de la cellule, sélectionnez-le et modifiez son alignement à l'aide du bouton adéquat.

6 Cliquez maintenant sur le bouton fléché, situé à côté de l'option *Alignement vertical* : choisissez l'option *Haut*, *Milieu* ou *Bas*, qui s'appliquera alors au texte (ou à l'image) sélectionné.

INFO

Cellule d'en-tête et renvoi à la ligne

La possibilité de sélectionner l'option *Cellule d'en-tête* pour un tableau remonte aux débuts du langage HTML. Si vous cochez la case correspondante, le texte de la cellule en question est mis en gras. Mais depuis, la mise en forme pour chaque caractère individuellement a été introduite, ce qui rend cette option dépassée.

L'option *Pas de renvoi à la ligne* évite de faire passer automatiquement sur une nouvelle ligne le texte d'une cellule. Ainsi, la largeur de la cellule augmente à mesure que vous y rajoutez du texte.

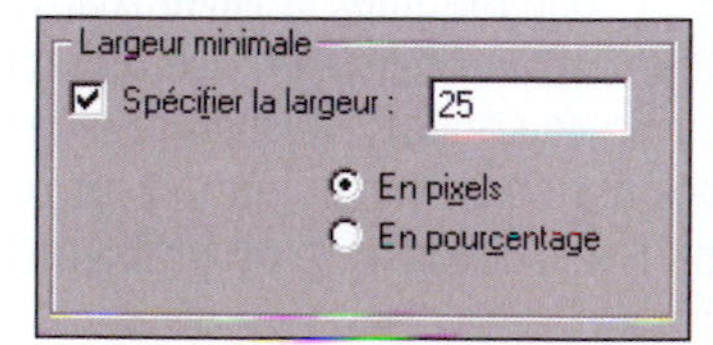

7 À la rubrique *Largeur minimale*, vous pouvez déterminer la largeur minimale de la cellule, exprimée en pourcentage ou en pixels. Les différentes possibilités sont les suivantes :

- Désactivez la case *Spécifier la largeur* si vous voulez que la largeur de la cellule soit optimisée automatiquement par le navigateur.
- Cochez la case *Spécifier la largeur* et sélectionnez l'option *En pixels* si vous voulez spécifier une largeur absolue en pixels. Notez bien qu'il s'agit d'une largeur minimale ! Si l'espace disponible est plus important, le navigateur élargit également la cellule.
- Cochez la case *Spécifier la largeur* et sélectionnez l'option *En pourcentage* si vous voulez spécifier une largeur proportionnelle à la largeur du tableau.

8 Vous pouvez également définir une couleur d'arrière-plan pour chaque cellule. Ce paramètre prend le pas sur la couleur d'arrière-plan qui a été définie pour le tableau. Pour ce faire, cliquez sur le bouton fléché à côté de *Couleur d'arrière-plan*. Choisissez une couleur dans la liste déroulante qui s'ouvre alors.

INFO

Autres paramètres

La rubrique *Couleurs personnalisées* vous permet de définir différentes couleurs pour la bordure de la cellule. Précisons cependant que ces paramètres ne sont pas pris en charge par la plupart des navigateurs. Par ailleurs, les navigateurs les plus récents interprètent ces paramètres chacun à sa manière.

Le paramètre *Taille en cellule* indique le nombre de cellules ou de colonnes auxquelles s'appliquent les options de la cellule courante. Si vous modifiez la valeur par défaut, il en résultera des effets inattendus, dans la mesure où ces modifications se répercutent sur la structure du tableau dans son ensemble. Suivez ce conseil : conservez les paramètres par défaut. Nous verrons dans la partie suivante comment fractionner et fusionner des cellules pour obtenir le résultat escompté, sans que cela entraîne de problèmes.

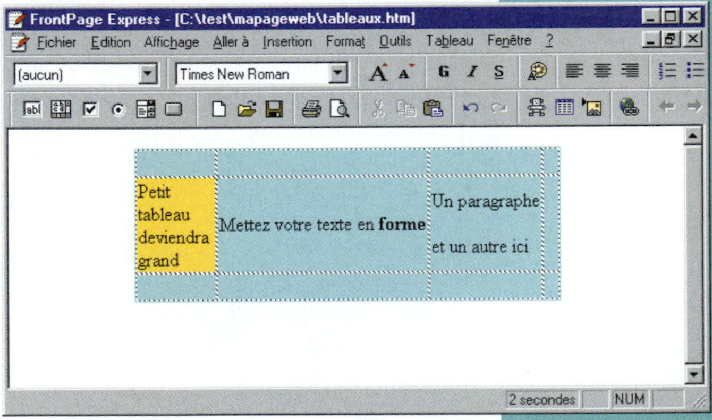

9 Avez-vous sélectionné vos paramètres ? Alors cliquez sur le bouton OK pour visualiser le résultat. Vous pouvez bien entendu accéder à tout moment aux propriétés d'une cellule afin d'y opérer les modifications nécessaires. Procédez à des essais jusqu'à ce que le résultat soit conforme à votre objectif.

INFO

Quelques pièges à éviter

Les modifications des propriétés d'une cellule se répercutent sur le tableau entier. En conséquence, si vous modifiez les propriétés d'une cellule particulière, vous devez également vérifier les propriétés de toutes les autres. Voici les pièges qui vous sont tendus et que vous devez éviter.

- **Les cellules d'une colonne doivent avoir la même largeur, par exemple 20 % ou 250 pixels. Seule exception : les cellules d'une colonne dans laquelle la largeur n'a pas été spécifiée. La largeur de ces cellules est définie en fonction des valeurs qui ont été spécifiées dans les autres cellules de la colonne.**
- **La largeur totale de toutes les cellules d'une ligne d'un tableau doit concorder avec celle du tableau. Ainsi, dans un tableau de 600 pixels de large, l'addition des largeurs des cellules d'une ligne doit totaliser 600 pixels. Si cette valeur est exprimée en pourcentage, la somme des cellules d'une ligne doit être de 100 %.**
- **Cette dernière règle connaît une exception intéressante : dans une ligne où la largeur d'une ou de plusieurs cellules est exprimée en pixels, la cellule suivante peut avoir sa largeur définie en % (99 %). En d'autres mots, cette cellule occupe toute la place restante.**

Définir les propriétés de plusieurs cellules en même temps

Maintenant que vous avez défini individuellement les propriétés des cellules d'un tableau, nous allons nous attacher à simplifier cette procédure en définissant les mêmes propriétés pour plusieurs cellules. Voici comment procéder :

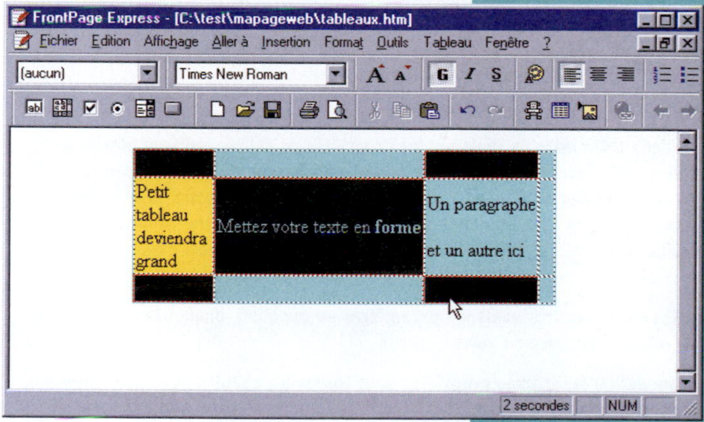

1 Vous devez d'abord sélectionner toutes les cellules auxquelles vous voulez définir simultanément les propriétés. Maintenez la touche **Alt** appuyée et cliquez sur une des cellules concernées. Cette manipulation a pour effet de sélectionner la cellule.

2 Relâchez la touche **Alt** et appuyez à la place sur la touche **Ctrl**. Maintenez-la appuyée.

3 Avec la souris, cliquez à présent successivement sur les autres cellules. Lorsque toutes les cellules sont sélectionnées, relâchez la touche **Ctrl**.

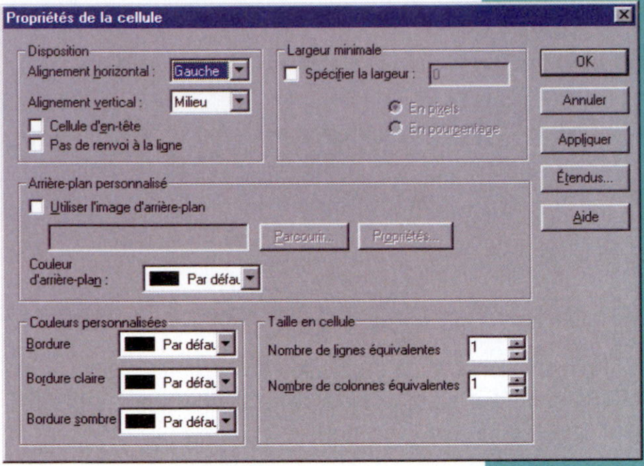

4 Cliquez ensuite avec le bouton droit de la souris dans une des cellules sélectionnées. Dans le menu déroulant qui s'affiche, cliquez sur **Propriétés de la cellule**.

5 La boîte de dialogue **Propriétés de la cellule** s'ouvre. Vous pouvez y définir simultanément les propriétés de toutes les cellules sélectionnées.

Cela dit, soyez attentif au point suivant :

INFO

Certains paramètres n'apparaissent pas

Seules apparaissent dans cette boîte de dialogue les propriétés de cellule qui sont identiques dans toutes les cellules sélectionnées. Il peut donc arriver que la zone de saisie *Alignement vertical* soit vide, dès lors que les propriétés d'alignement des cellules sélectionnées sont différentes. De la même façon, la case à cocher *Spécifier la largeur* peut être grisée si des valeurs de largeur différentes ont été définies dans les cellules sélectionnées. Face à cette situation, vous n'avez que deux possibilités.

- Ou bien vous voulez conserver tels quels les paramètres en question, auquel cas ne changez rien aux paramètres affichés en grisé ou vides.
- Ou bien vous voulez définir les mêmes propriétés pour toutes les cellules ainsi sélectionnées, auquel cas vous devez cliquer sur les paramètres affichés en grisé ou vides, afin d'y apporter les modifications souhaitées.

6 Pour terminer, cliquez sur le bouton OK pour accepter les modifications des propriétés des cellules.

Fusionner et fractionner des cellules

Un tableau qui fait par exemple 5 x 4 cellules ne correspond certainement pas encore à ce que vous imaginiez pour mettre en forme votre page Web. C'est pourquoi vous avez toute latitude pour apporter les modifications que vous souhaitez. Vous pouvez en particulier fusionner plusieurs cellules voisines en une seule, mais également fractionner une cellule en plusieurs. Cette fonctionnalité contribue à augmenter nettement l'éventail des possibilités de mise en forme en relation avec les tableaux.

Fusionner des cellules

Que ce soit sur l'axe des colonnes ou sur celui des lignes, vous pouvez fusionner quand vous voulez des cellules voisines en une seule cellule. Pour ce faire, il vous faut tout d'abord les sélectionner, comme décrit précédemment. Mais il est quelque peu fastidieux de sélectionner des cellules à l'aide des touches **Alt** et **Ctrl**. La fusion de cellules s'applique par ailleurs souvent à une colonne ou à une ligne entière. Nous verrons donc d'abord comment sélectionner simplement une ligne ou une colonne.

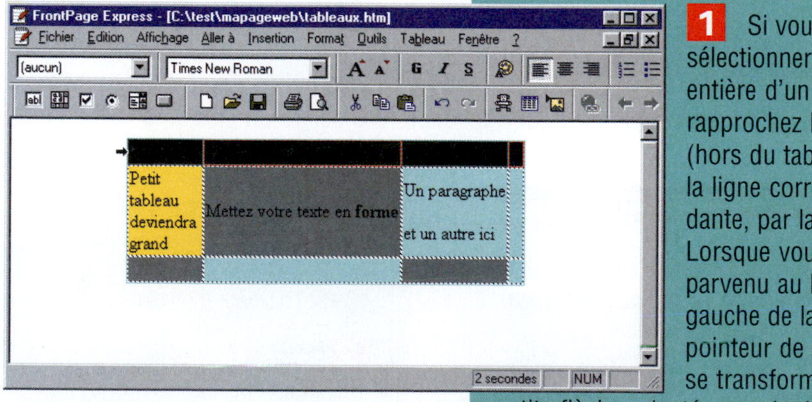

1 Si vous voulez sélectionner une ligne entière d'un tableau, rapprochez la souris (hors du tableau) de la ligne correspondante, par la gauche. Lorsque vous êtes parvenu au bord gauche de la ligne, le pointeur de la souris se transforme en une petite flèche orientée vers la droite.

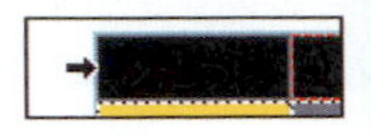

2 Cliquez avec le bouton gauche de la souris, pour sélectionner la ligne.

3 Si vous voulez sélectionner une colonne entière, rapprochez la souris du haut du tableau vers la colonne correspondante. Le pointeur de la souris se transforme en une petite flèche orientée vers le bas. Cliquez pour sélectionner la colonne.

Vous avez sélectionné les colonnes voisines à fusionner en utilisant cette astuce ou à l'aide des touches **Alt** et **Ctrl** ? Dans ce cas, nous pouvons commencer :

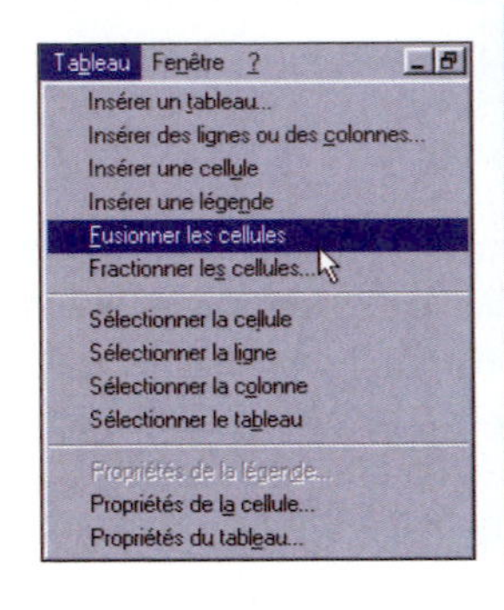

1 Choisissez la commande **Tableau/ Fusionner les cellules**. Les cellules sélectionnées sont fusionnées en une seule cellule.

2 La cellule fusionnée peut recevoir du texte de la même façon que n'importe quelle autre.

Fractionner des cellules

La procédure est tout aussi simple pour fractionner une cellule en plusieurs.

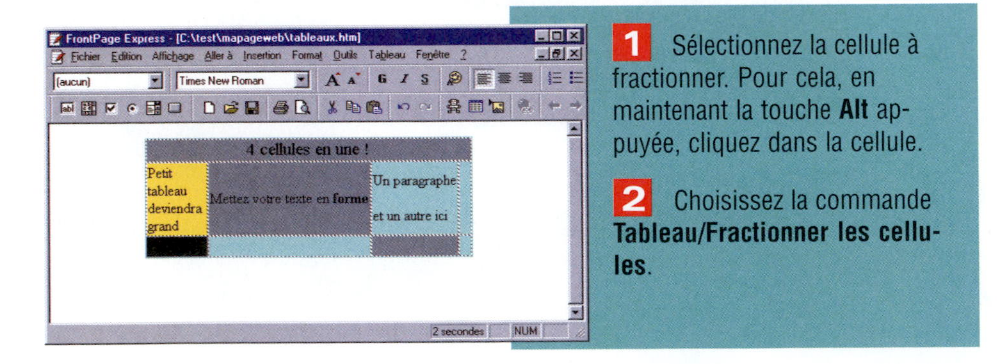

1 Sélectionnez la cellule à fractionner. Pour cela, en maintenant la touche **Alt** appuyée, cliquez dans la cellule.

2 Choisissez la commande **Tableau/Fractionner les cellules**.

3 La boîte de dialogue **Fractionner les cellules** s'ouvre. Sélectionnez tout d'abord la zone d'option à côté de *Fractionner en colonnes*, si vous voulez fractionner la cellule en plusieurs colonnes. Sélectionnez la zone d'option à côté de *Fractionner en lignes*, si vous voulez fractionner la cellule en plusieurs lignes.

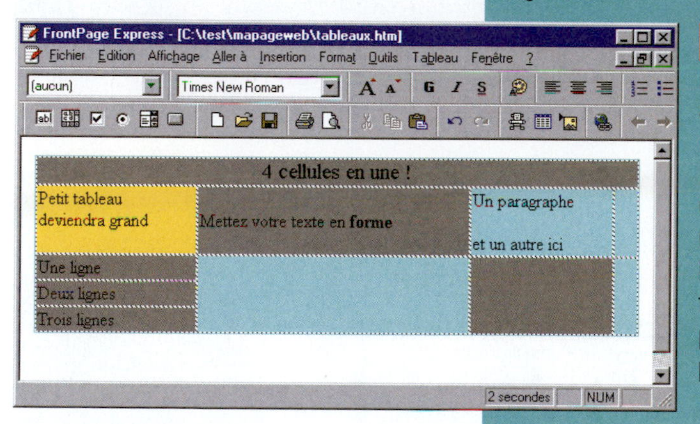

4 Indiquez ensuite le nombre de cellules adéquat dans *Nombre de lignes* ou dans *Nombre de colonnes.* Cliquez sur le bouton OK. La cellule est immédiatement fractionnée en plusieurs lignes ou en plusieurs colonnes.

Tableaux imbriqués

La fonction de fusion et de fractionnement de cellules vous permet déjà de construire des structures de tableaux très élaborées.

Cependant, des problèmes peuvent survenir dans la construction de tableaux imbriqués, dans la mesure où certains paramètres, tel que la marge interne des cellules, ne peuvent être définis que pour le tableau dans son ensemble, mais pas pour une cellule en particulier.

Que devez-vous faire si vous voulez que, dans une cellule particulière, la marge interne soit différente de celle du reste du tableau ? C'est très simple : insérez simplement cette cellule dans un nouveau tableau et spécifiez une autre marge interne. Jugez-en par vous-même.

1 Placez le curseur dans la cellule dans laquelle vous voulez insérer le nouveau tableau.

2 Sélectionnez ensuite la commande **Tableau/Insérer un tableau**.

3 La boîte de dialogue **Insérer un tableau** s'ouvre. Vous pouvez y définir les propriétés du tableau imbriqué dans une cellule. Sélectionnez-y également les propriétés que vous voulez associer au tableau.

INFO

Largeur maximale

Si vous voulez que le tableau imbriqué occupe toute la largeur de la cellule, cochez *Spécifiez la largeur* et fixez la largeur minimale à 100 %.

4 Cliquez sur le bouton OK pour insérer le nouveau tableau dans la cellule.

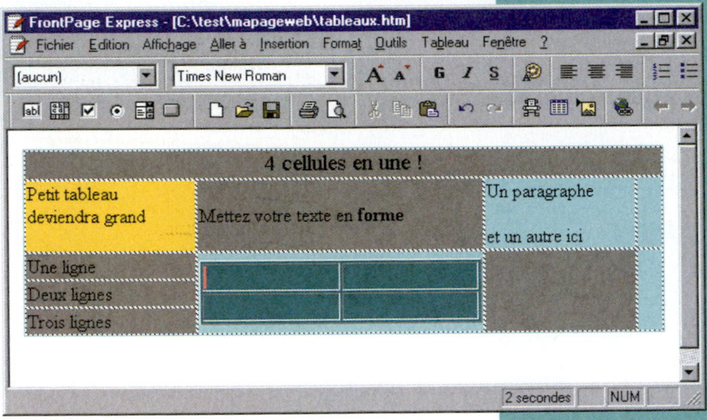

5 Le nouveau tableau apparaît à l'intérieur de la cellule. Cliquez à l'aide du bouton droit de la souris dans le tableau. Un menu déroulant s'affiche, qui vous donne accès aux propriétés du tableau. Vous pouvez dès lors modifier tous ses paramètres, telle que la couleur d'arrière-plan.

6 Bien entendu, vous pouvez également cliquer à l'aide du bouton droit dans chaque cellule du nouveau tableau afin de modifier ses propriétés individuelles.

Des images dans les tableaux

Que vous ayez affaire à un tableau imbriqué ou à un simple tableau, vous pouvez toujours insérer une image dans une cellule. Ajoutez-la au texte existant ou mettez-la dans une cellule vide.

1 Pour ce faire, placez le curseur dans la cellule où vous voulez insérer une image. Si celle-ci contient déjà du texte, placez le curseur à l'endroit du texte où vous souhaitez insérer l'image.

2 Cliquez ensuite sur le bouton d'insertion d'image. Dans la boîte de dialogue **Image** qui s'ouvre, cliquez sur le bouton **Parcourir**.

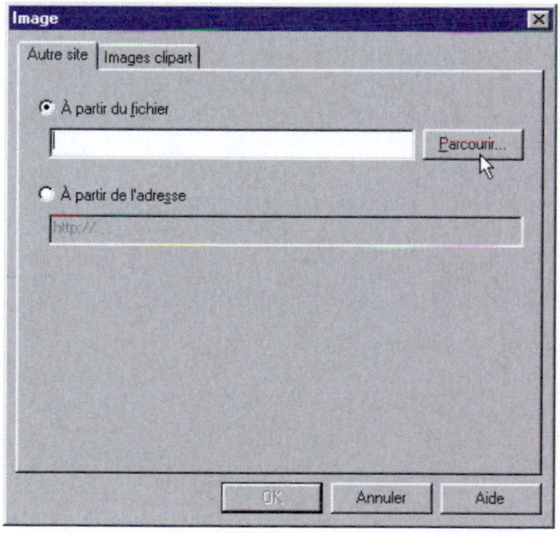

3 Dans la boîte de dialogue **Image** qui s'ouvre, cliquez sur le bouton **Parcourir**.

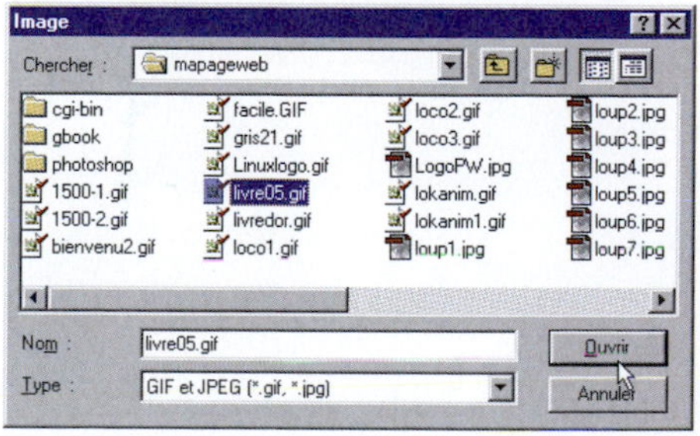

4 Une boîte de dialogue de sélection s'ouvre. Choisissez-y le dossier dans lequel se trouve le fichier graphique recherché. Sélectionnez ensuite le fichier à l'aide de la souris et cliquez sur le bouton **Ouvrir**.

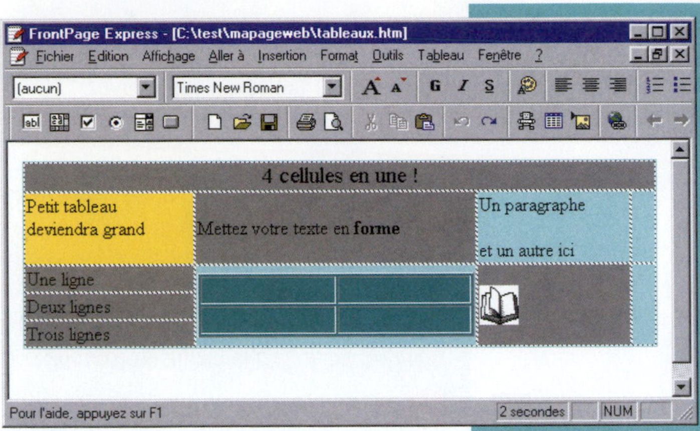

5 Voilà qui est fait. L'image est insérée et s'affiche dans la cellule du tableau. L'emplacement de l'image à l'intérieur de la cellule ne peut être modifié que de deux façons.

INFO

Placement des images

- **Il faut préciser que les paramètres définis dans les propriétés de la cellule s'appliquent bien entendu également aux images. Si, par exemple, vous définissez une cellule avec l'alignement horizontal *Centré* ou l'alignement vertical *Milieu*, cela vaut autant pour l'image que pour un texte.**
- **Mais vous pouvez également cliquez sur l'image avec le bouton droit de la souris. Dans boîte de dialogue *Propriétés de l'image*, définissez par exemple l'alignement à gauche ou à droite. Ces paramètres sont particulièrement recommandés lorsque la cellule contient du texte en plus de l'image.**

Liens hypertextes : une ouverture sur le monde

Pour faire un bon site Web, plusieurs ingrédients sont indispensables : un contenu pertinent et des images de qualité, mais aussi des liens hypertextes, qui offrent au visiteur de votre site la possibilité de naviguer, de clic de souris en clic de souris, à la découverte d'autres pages intéressantes. À cet égard, les liens peuvent renvoyer vers les différentes pages Web de votre propre site. Ils peuvent encore servir de tremplin vers le vaste monde. C'est certainement cette ouverture sur un univers sans fin qui rend le Web excitant. Commençons donc par cela.

Un simple lien hypertexte

Vous pouvez rendre cliquables textes ou graphiques, et en faire ainsi des liens hypertextes. Il vous faut évidemment connaître l'adresse Web de destination d'un lien. Mais là aussi, une astuce vous permet de placer très facilement un lien hypertexte vers une page Web que vous avez enregistrée comme signet (sous Netscape) ou comme favori (sous Internet Explorer). Mais examinons d'abord comment tout cela fonctionne pour les textes.

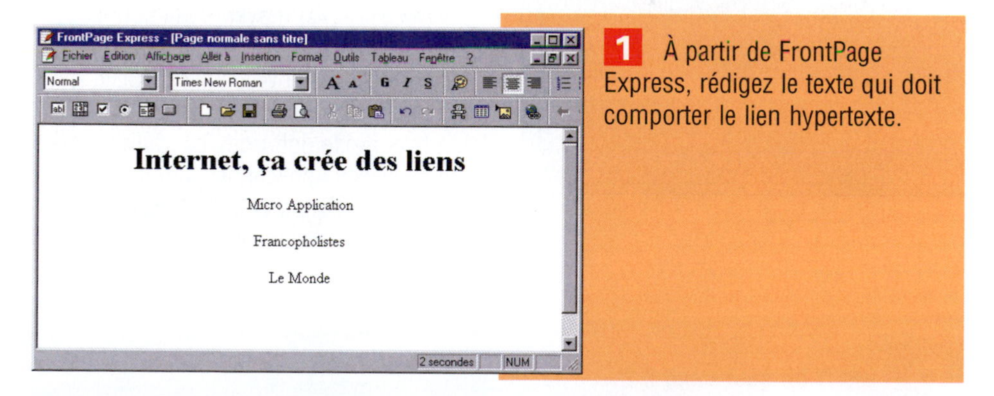

1 À partir de FrontPage Express, rédigez le texte qui doit comporter le lien hypertexte.

INFO

Choisissez votre mise en forme

Le texte qui doit comporter le lien hypertexte peut être mis en forme sans restriction. Il peut par ailleurs se trouver à l'intérieur d'un tableau. Notez cependant qu'un texte transformé en lien apparaît, indépendamment de sa mise en forme, avec la couleur des liens hypertextes (généralement en bleu ou en violet) et en souligné.

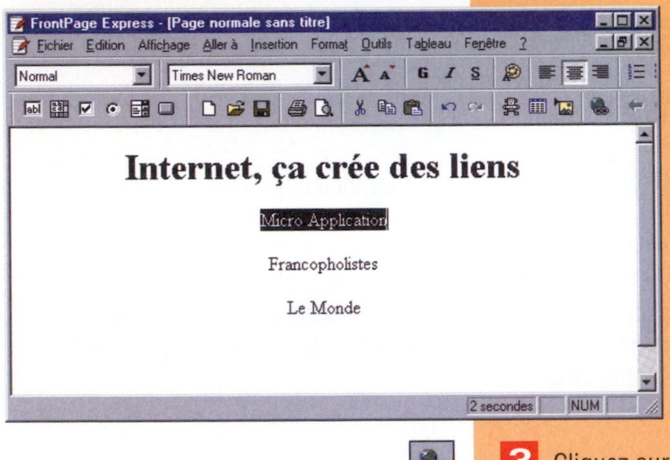

2 Sélectionnez maintenant à l'aide de la souris le texte qui doit être transformé en lien hypertexte. Cela peut être un ou plusieurs mots, ou même une phrase entière.

Créer un lien
Ouverture des pages | World Wide Web | Nouvelle page
Type de lien : http:
URL : http://
Cadre de destination :
OK | Annuler | Effacer | Étendus... | Aide

3 Cliquez sur le bouton **lien**.

4 Vous obtenez la boîte de dialogue **Créer un lien**. Cliquez sur l'onglet **World Wide Web** s'il n'est pas déjà ouvert.

5 La zone de texte *URL* commence par `http://`. Au moyen de la souris, placez le curseur à droite de ce texte. Indiquez l'adresse Web vers laquelle le lien hypertexte pointe. Notre premier lien hypertexte doit nous conduire sur le site de Micro Application. Il nous faudra donc inscrire sous *URL* l'adresse `http://www.microapp.com`.

INFO

URL ? De quoi s'agit-il ?

URL est l'acronyme de «Uniform Resource Locator», ce qui correspond à l'adresse Web vers laquelle le lien hypertexte doit pointer.

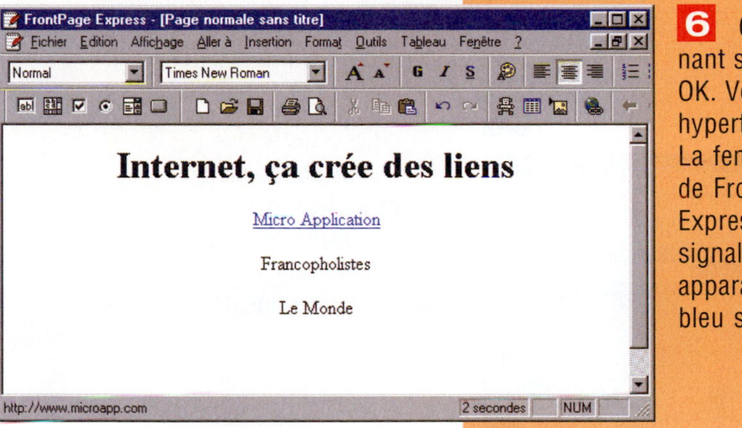

6 Cliquez maintenant sur le bouton OK. Votre lien hypertexte est créé. La fenêtre principale de FrontPage Express vous le signale en faisant apparaître le texte en bleu souligné.

Naviguez connecté, c'est plus simple

Il est tout à fait possible de créer des adresses Web en les inscrivant à la main dans la boîte de dialogue **Créer un lien**, mais le risque de commettre des erreurs à la saisie est élevé. D'autant que certaines adresses sont parfois interminables. Il importe donc de savoir comment réaliser cette opération de façon conviviale et sans risque d'erreur.

1 Connectez-vous tout d'abord et lancez votre navigateur.

2 Chargez ensuite la page Web vers laquelle vous voulez créer un lien hypertexte. Lorsqu'elle s'affiche dans votre navigateur, passez à FrontPage Express.

INFO

Si vous êtes pressé

Vous n'êtes pas obligé d'attendre le chargement complet de la page dans votre navigateur. Il suffit que la ligne d'adresse du navigateur se remplisse. L'adresse en question s'affiche dès le début du chargement de la page.

3 Sélectionnez le texte qui doit comporter le lien hypertexte.

4 Cliquez ensuite sur le bouton **lien**.

5 Vous obtenez la boîte de dialogue **Créer un lien**, dans laquelle l'adresse Web souhaitée est déjà inscrite. Il ne vous reste plus qu'à cliquer sur OK pour que le lien hypertexte soit défini.

Faites d'une image un lien

À la place d'un texte, vous pouvez utiliser une image comme lien hypertexte. Il est naturellement recommandé que celle-ci puisse renseigner le visiteur sur l'adresse vers laquelle il va être dirigé. Mais en principe, n'importe quelle image, qu'elle soit au format GIF ou au format JPG, peut faire office de lien.

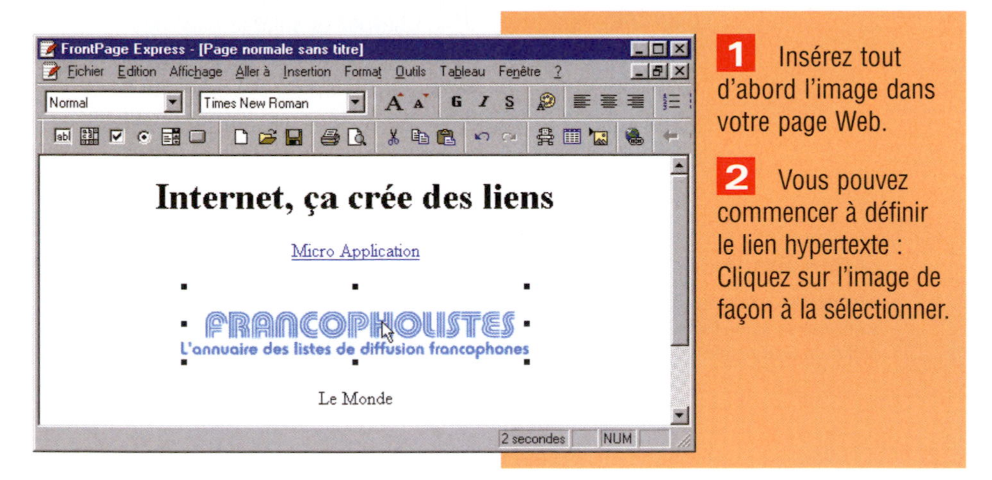

1 Insérez tout d'abord l'image dans votre page Web.

2 Vous pouvez commencer à définir le lien hypertexte : Cliquez sur l'image de façon à la sélectionner.

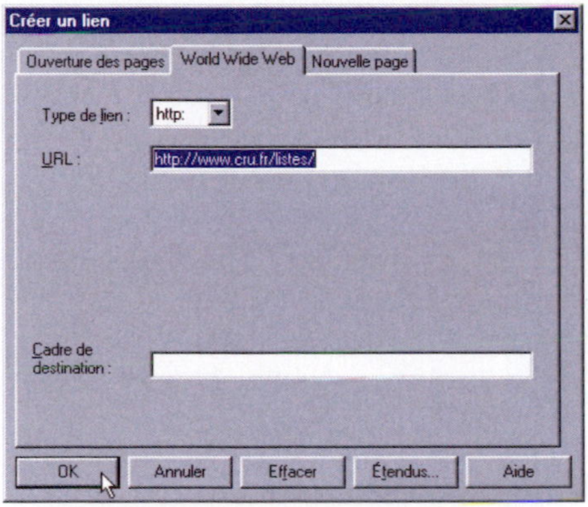

3 Ici aussi, le lien hypertexte de l'image sélectionnée est inséré d'un clic sur le bouton **lien**.

4 Vous pouvez maintenant insérer l'adresse Web à la main, à partir de la boîte de dialogue **Créer un lien**. Mais ici aussi, la procédure est plus simple, dans la mesure où vous êtes connecté et que la page recherchée est affichée dans le navigateur. Le lien hypertexte se trouve déjà inscrit dans la boîte de dialogue **Créer un lien**. Il ne vous reste plus qu'à cliquer sur OK et le lien est affecté à l'image.

Liens hypertextes vers une adresse électronique

Si votre page Web est intéressante, sa publication va susciter un afflux de visiteurs. Vous aurez alors certainement besoin de savoir ce qu'ils pensent de votre site. Vous souhaiterez alors qu'ils puissent vous communiquer leurs impressions. Peut-être même engendrerez-vous des débats très animés. C'est pourquoi il est d'usage d'offrir aux visiteurs de pages Web la possibilité d'envoyer un message électronique. C'est également d'une simplicité affligeante :

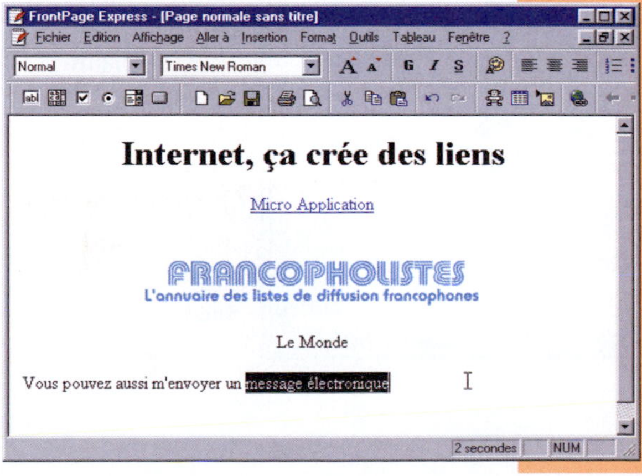

1 Insérez dans votre page Web un texte indiquant que l'on peut vous adresser un message électronique à partir d'un lien hypertexte placé dans votre page.

2 Sélectionnez le texte ou le mot de message pour définir un lien hypertexte vers votre adresse électronique.

3 Continuez en cliquant sur le bouton **lien**.

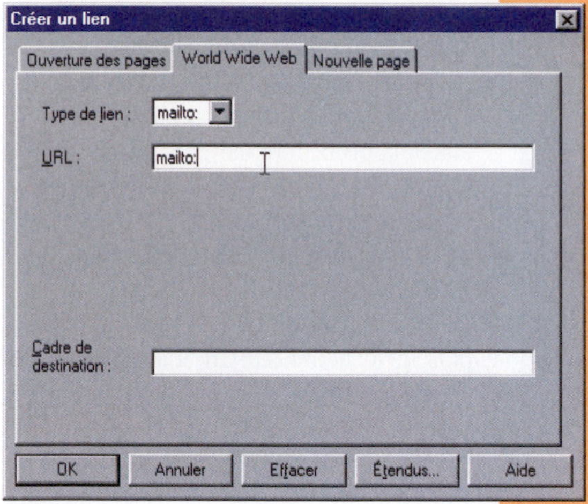

4 Dans la boîte de dialogue **Créer un lien**, cliquez maintenant sur le bouton fléché à côté de la liste déroulante *Type de lien* et sélectionnez l'entrée *mailto* à l'aide de la souris.

5 La zone de saisie *URL* commence maintenant par `mailto:`. Au moyen de la souris, placez le curseur à droite de ce texte.

6 Inscrivez ensuite votre propre adresse électronique.

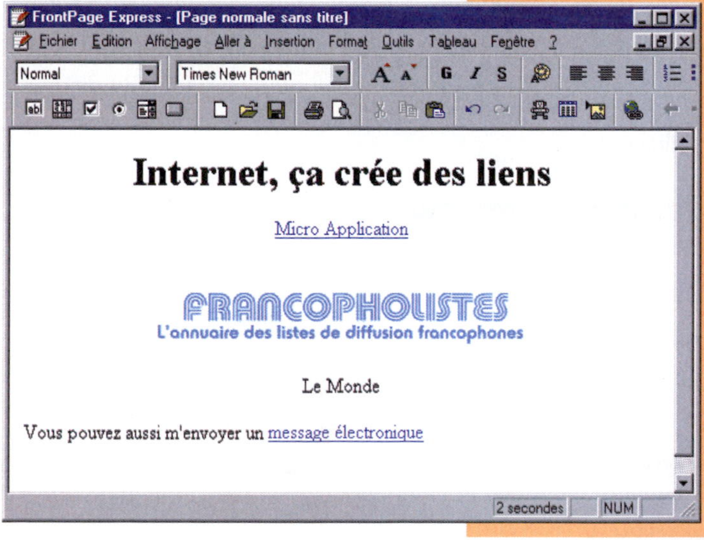

7 Pour terminer, cliquez sur le bouton OK. Votre page comporte dorénavant un lien hypertexte par l'intermédiaire duquel tout visiteur de votre page Web a la possibilité de vous adresser un message électronique.

Liens hypertextes locaux

Les liens hypertextes externes qui permettent de se rendre aux quatre coins du monde Internet sont incontestablement la partie la plus excitante des liens hypertextes. Mais si votre site comporte plusieurs pages Web, il est naturel que vous souhaitiez définir un lien hypertexte de votre page d'accueil vers les suivantes. Là aussi, c'est très simple. Il suffit de veiller au point ci-après :

INFO

Attention, danger !

Avec une telle mise en garde, vous serez prévenu ! Les liens hypertextes locaux vers d'autres pages Web situées sur le disque de votre ordinateur ne fonctionnent, lorsque ces pages sont publiées, qu'à condition qu'elles ne comportent pas d'indication de lecteur de disque. Par conséquent, vous devez créer et enregistrer toutes vos pages dans un dossier unique et y inclure également l'ensemble des fichiers (tels que les graphiques, etc.) qui constituent votre site. Alors seulement, tout marchera à la perfection.
À côté de cela, vous pouvez également structurer votre projet Web en créant des sous-dossiers à partir de ce dossier. Mais prenez garde ! Certains fournisseurs d'accès ne vous autorisent pas à créer de sous-dossiers sur leur serveur. Il vous appartient de vous informer au préalable auprès du vôtre. En cas de doute, enregistrez toutes vos pages Web au même niveau, dans le dossier qui vous est alloué.

1 Spécifiez le texte qui doit être défini comme lien hypertexte local.

INFO

Résultat garanti

Nous allons maintenant voir comment placer avec succès un lien hypertexte dirigé vers une autre page de votre site. Si vous vous contentez de taper le nom dans la boîte de dialogue *Créer un lien*, vous n'êtes pas à l'abri d'éventuelles erreurs de frappe ou d'autres problèmes.

2 Choisissez maintenant la commande **Fichier/Ouvrir**.

3 Cliquez ensuite sur le bouton **Parcourir**.

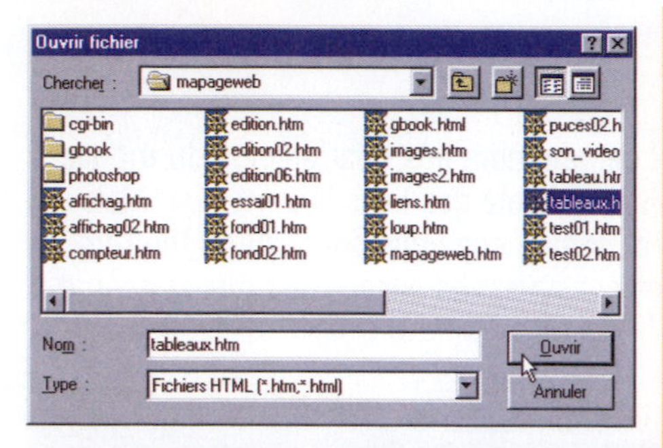

4 Dans la boîte de dialogue qui s'ouvre alors, recherchez le dossier dans lequel vos pages Web sont enregistrées. Sélectionnez le fichier qui constitue la cible du lien hypertexte. Cliquez ensuite sur le bouton **Ouvrir**.

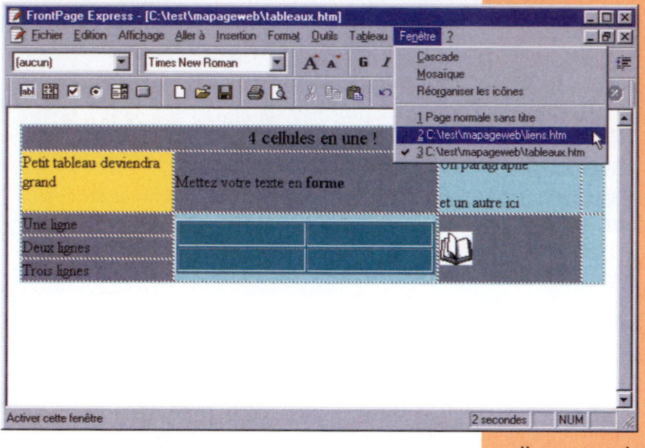

5 Ce faisant, la page Web en question s'affiche sous FrontPage Express. Mais la page qui reçoit le lien hypertexte y est aussi affichée. Pour revenir à la page sur laquelle la source du lien hypertexte doit être placée, cliquez dans la barre des menus sur l'option **Fenêtre**. C'est là que vous aurez à cliquez sur le nom de la page en question.

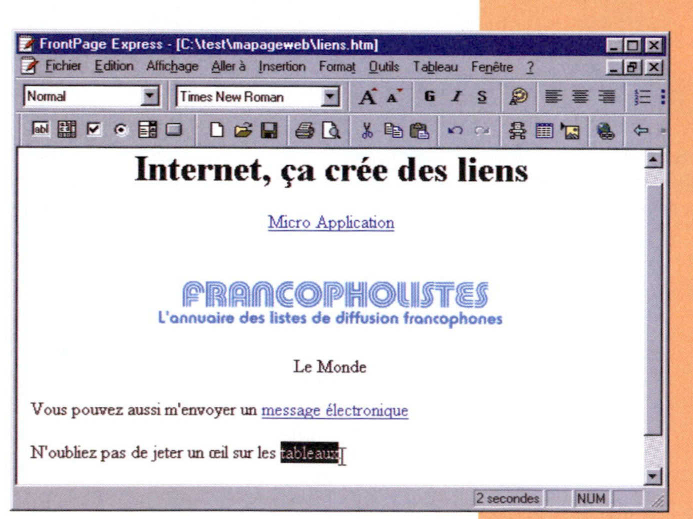

6 Sélectionnez maintenant le texte qui doit faire office de lien hypertexte vers la page que vous venez d'ouvrir.

D'une page à l'autre

Si vous voulez basculer de façon plus conviviale entre les deux pages ouvertes sous FrontPage Express, utilisez le bouton *Précédent* ou *Suivant*, qui vous donne accès à la page correspondante.

7 Démarrez la création d'un lien hypertexte local à l'aide du bouton **lien**.

Créer un lien

Ouverture des pages | World Wide Web | Nouvelle page

Ouvrir les pages :

liens
Tableaux

Signet : (aucun)

Cadre de destination :

Créer un lien vers : liens.htm

OK | Annuler | Effacer | Étendus... | Aide

8 Dans la boîte de dialogue **Créer un lien**, sélectionnez l'onglet **Ouverture des pages**. À la rubrique *Ouvrir les pages*, cliquez sur la page qui constitue la cible du lien hypertexte.

Les titres peuvent toujours servir

La rubrique *Ouvrir les pages* dresse la liste de toutes les pages qui sont actuellement ouvertes sous FrontPage Express. Cependant, ce n'est pas le nom du fichier qui est indiqué, mais le titre de la page. Voici, entre autres raisons, pourquoi il est utile d'attribuer dès leur création un nom explicite à vos pages Web. Cette opération est réalisée en utilisant la commande *Fichier/ Propriétés de la page*.

9 Cliquez ensuite à nouveau sur le bouton OK pour placer le lien hypertexte local.

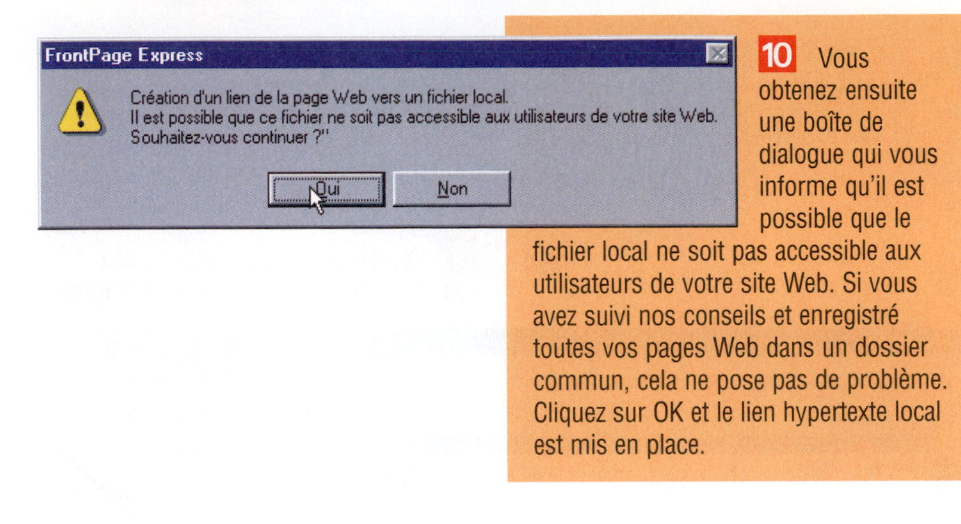

10 Vous obtenez ensuite une boîte de dialogue qui vous informe qu'il est possible que le fichier local ne soit pas accessible aux utilisateurs de votre site Web. Si vous avez suivi nos conseils et enregistré toutes vos pages Web dans un dossier commun, cela ne pose pas de problème. Cliquez sur OK et le lien hypertexte local est mis en place.

Liens vers des signets

Vous connaissez maintenant pratiquement toutes les possibilités concernant le placement de liens hypertextes. Il existe une possibilité que vous ignorez peut-être encore : il est possible d'insérer dans une page Web un signet auquel vous accéderez par l'intermédiaire d'un lien hypertexte. Nous examinons ici le cas le plus fréquent, à savoir la possibilité de placer un lien hypertexte à la fin d'une page, afin de revenir au début de cette même page. Bien entendu, vous pouvez parfaitement placer un lien hypertexte vers un signet à n'importe quel endroit de la page.

Placer un signet

Pour commencer, vous devez placer un signet à l'endroit de la page Web où le lien doit aboutir. Dans notre exemple, il s'agit du début de la page, mais il est possible de placer un signet n'importe où dans une page Web.

1 Sélectionnez à cet effet un ou plusieurs mots dans la ligne qui doit comporter le signet.

INFO

Que faire lorsque la ligne est vide ?

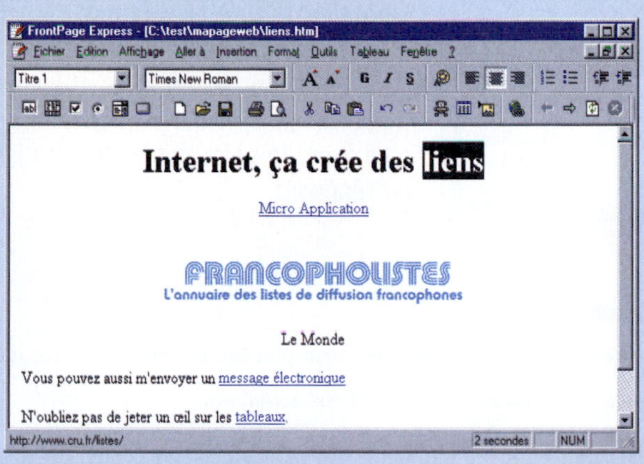

Peut-être voulez-vous également placer un signet sur une ligne que vous avez voulu laisser vide. Cela ne pose pas de problème. Placez simplement le curseur sur la ligne en question et procédez exactement comme indiqué ci-après. Mais attention, il y a un cas où cette procédure peut échouer : si la ligne vide est la dernière d'une page Web, il n'est pas possible de faire fonctionner un saut en direction d'un signet placé à cet endroit. Dans ce cas de figure, il y a cependant une astuce utile à connaître : insérez tout d'abord à la fin de la page Web deux lignes vides. Utilisez pour cela la touche *Entrée*. Ensuite, placez le curseur sur la ligne supérieure, et la procédure fonctionne alors comme décrit précédemment.

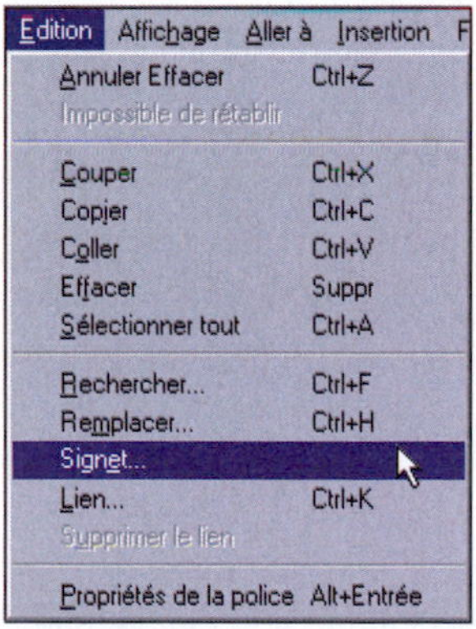

2 Choisissez maintenant la commande **Edition/Signet**. La commande **Insertion/Signet** n'existe pas, mais **Edition/Signet** fonctionne sans problème.

3 La boîte de dialogue **Signet** s'affiche.

INFO

Autres signets

Si votre page Web comporte déjà des signets, ceux-ci apparaissent dans la liste *Autres signets dans cette page*. Vous avez ainsi un aperçu des signets que vous pouvez consulter à tout moment. Bien entendu, chacun des noms de signet ne peut figurer qu'une seule fois dans une page Web.

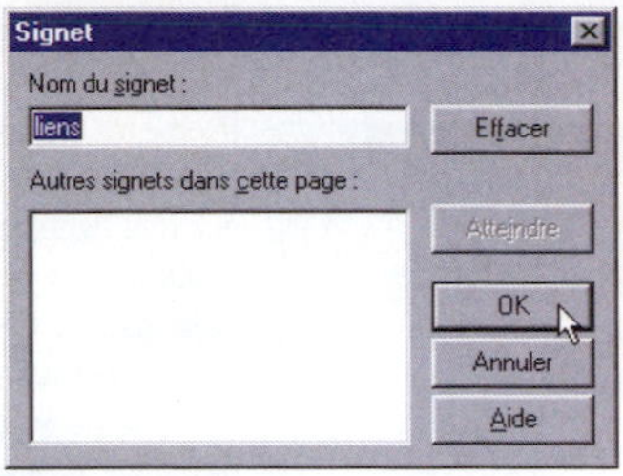

Signet
Nom du signet :
liens
Effacer
Autres signets dans cette page :
Atteindre
OK
Annuler
Aide

4 La rubrique *Nom du signet* contient le mot sélectionné, qui constitue une proposition de nom pour le signet. Il y a des chances que vous vouliez en spécifier un nouveau : pour ce faire, remplacez simplement le précédent.

INFO

Noms de signets autorisés

Les signets peuvent porter n'importe quel nom. Mais respectez tout de même les règles suivantes :

- **Renoncez aux caractères spéciaux et aux caractères accentués.**
- **Utilisez des noms en un seul mot (sans dépasser 255 caractères).**
- **N'employez le même nom qu'une seule fois dans une page Web .**

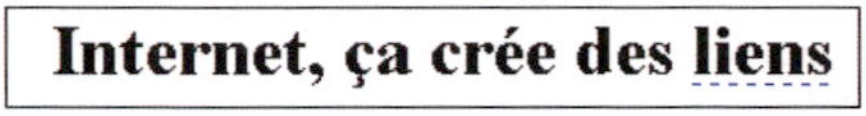

Internet, ça crée des liens

¶

5 Lorsque vous avez spécifié le nom du signet, fermez la boîte de dialogue avec le bouton OK.

6 FrontPage Express fait apparaître avec des pointillés le mot qui contient le signet. À défaut, cliquez sur le bouton.

Placement du lien hypertexte

Lorsque le signet est installé, vous pouvez placer quand vous le souhaitez un lien hypertexte qui vous y renvoie. Mais auparavant, soyez attentif au point suivant : si la page est de longueur insuffisante pour qu'il y ait une barre de défilement (permettant de visualiser la totalité de la page), il est inutile de prévoir un saut vers un signet : l'écran du navigateur ne réagirait de toute façon pas. Assurez-vous donc que la longueur de la page comportant le signet est suffisamment longue pour justifier le recours au signet. Si nécessaire, insérez simplement à titre de test quelques lignes vides dans votre page.

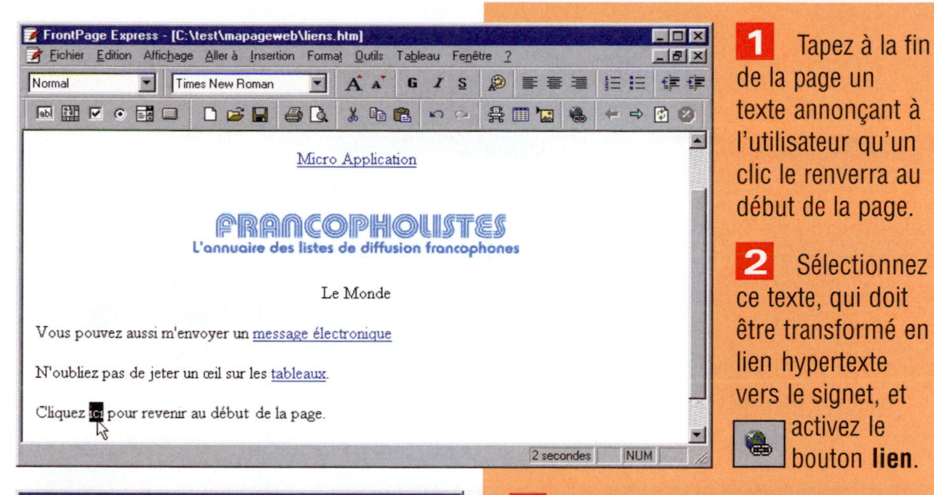

1 Tapez à la fin de la page un texte annonçant à l'utilisateur qu'un clic le renverra au début de la page.

2 Sélectionnez ce texte, qui doit être transformé en lien hypertexte vers le signet, et activez le bouton **lien**.

Créer un lien
Ouverture des pages | World Wide Web | Nouvelle page
Ouvrir les pages :
liens
Tableaux
Signet : (aucun)
(aucun)
debut
Cadre de destination :
Créer un lien vers :
OK | Annuler | Effacer | Étendus... | Aide

3 La boîte de dialogue **Créer un lien** s'ouvre. Sélectionnez-y l'onglet **Ouverture des pages**.

4 La liste *Ouvrir les pages* fait apparaître sélectionnée la page dans laquelle vous venez de commencer à placer des liens hypertextes.

INFO

Encore plus fort ?

Vous pouvez également placer un lien hypertexte dans une page Web et, de là, directement vers un signet d'une autre page. Pour ce faire, sélectionnez le nom de la page à partir de la liste *Ouvrir les pages* et sélectionnez ensuite sous *Signet* le nom du signet !

5 Cliquez sur le bouton fléché à côté de l'option *Signet*. Vous obtenez alors la liste de tous les signets de la page. Sélectionnez à l'aide de la souris celui que vous demandez.

6 Fermez la boîte de dialogue avec le bouton OK.

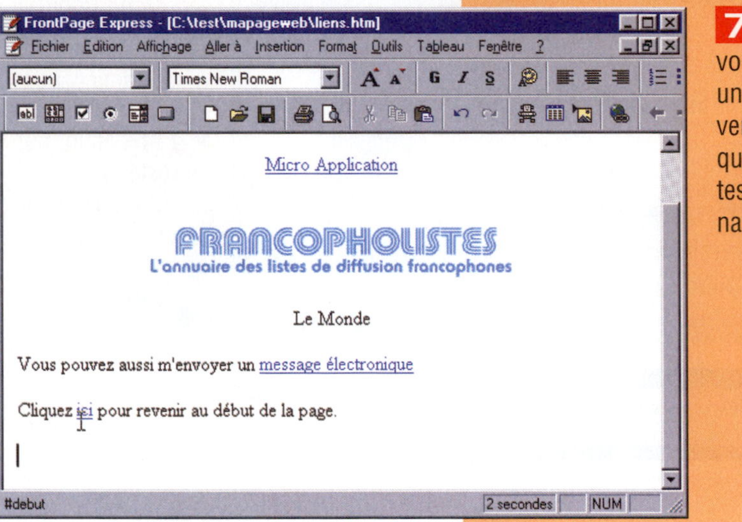

7 Ce faisant, vous avez placé un lien hypertexte vers un signet, que vous pouvez tester à partir du navigateur.

INFO

Vous préférez passer aux tests sous FrontPage ?

Cliquez ici pour revenir au début de la page.

#debut

En fait, les liens hypertextes peuvent être testés directement sous FrontPage Express. Il suffit pour cela de maintenir la touche *Ctrl* appuyée, pendant que vous cliquez avec la souris sur le lien demandé. Mais faites attention ! Il arrive parfois que FrontPage se trompe avec les liens externes, au point qu'il peut même se bloquer. Suivez donc ce conseil : ne testez que des liens hypertextes locaux (y compris les signets) sous FrontPage Express et contrôlez les liens externes à l'aide de votre navigateur !

Tester les liens hypertextes

Si vous avez placé des liens hypertextes externes en appliquant la méthode évoquée précédemment, vous ne devriez rencontrer aucun problème : les adresses Web de votre page n'ayant pas été saisies au clavier, c'est FrontPage Express qui s'est chargé du travail. Mais à chaque fois que vous saisissez manuellement des adresses Web ou des liens hypertextes locaux sous FrontPage Express, le risque d'erreur de saisie est réel. Voilà pourquoi il vous faut tester systématiquement les liens hypertextes de vos pages Web, avant leur publication. Les internautes sont particulièrement agacés de tomber sur des liens hypertextes qui ne leurs renvoient que des messages d'erreur.

1 Pour ce faire, connectez-vous et lancez votre navigateur.

2 Chargez ensuite la page dans votre navigateur et cliquez sur un des liens hypertextes. Si la page Web correspondant au lien hypertexte s'affiche, c'est que vous avez réussi votre coup.

3 Cliquez ensuite sur le bouton **Précédent** du navigateur pour revenir à votre page Web. Cliquez ensuite successivement sur les autres liens hypertextes pour les tester.

4 Si l'un des liens ne fonctionne pas, observez attentivement l'adresse Web inscrite dans le navigateur : vérifiez si vous avez commis une faute de saisie. Dans ce cas, corrigez l'adresse sous FrontPage Express.

Si rien ne marche

Vous trouverez des indications sur les autres problèmes relatifs aux liens hypertextes dans la *Trousse de dépannage*, proposée au dernier chapitre de ce guide.

Frames : la fenêtre dans la fenêtre

Il est question de frames lorsque l'écran du navigateur est subdivisé en plusieurs portions indépendantes d'écran (appelées frames). Chaque frame correspond à une page Web spécifique. Cette fonctionnalité est très pratique. Elle permet par exemple d'insérer dans un frame des liens hypertextes qui entraînent l'affichage dans le frame voisin des pages Web associées.

Seul petit bémol : les éditeurs freewares courants ne prennent pas totalement en charge la création de frames. Il vous faudra donc ponctuellement saisir du codage HTML : nous verrons dans un instant que cela n'a rien d'insurmontable.

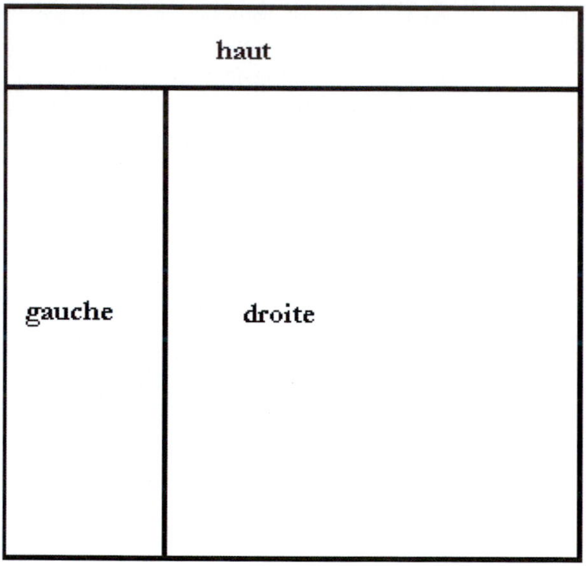

haut

gauche

droite

Pour commencer, observez la structure des frames sur cette illustration : cette structure en trois frames est très fréquente sur Internet. Chaque frame est identifié par son nom (*haut*, *gauche* et *droite*). Celui du haut peut comporter un titre pour votre menu ou une image pas trop haute. Le frame de gauche reçoit une liste de liens hypertextes. Le frame de droite est réservé quant à lui à l'affichage des différentes pages Web.

Comment créer des frames

Pour créer une structure de frames telle que celle qui est représentée précédemment, vous devez commencer par créer une page Web qui décrive cette structure de frames. Malheureusement, FrontPage Express en est incapable. Il vous faudra donc un éditeur de textes, mais il n'y aura que quelques lignes à saisir à la main.

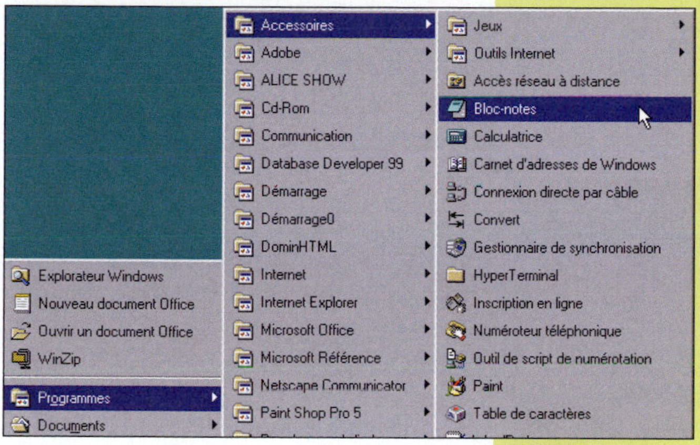

1 Lancez le bloc-notes de Windows, en exécutant la commande **Démarrer/ Programmes/ Accessoires/ Bloc-notes**.

2 Tapez les lignes suivantes dans le Bloc-notes :

```
<html>
<head>
<title>Frameset</title>
</head>
<frameset framespacing="0"
border="false" frameborder="0"
rows="80,*">
  <frame name="haut"
src="haut.htm" scrolling="no"
marginwidth="0"
  marginheight="0">
  <frameset cols="200,*">
    <frame name="gauche"
src="gauche.htm"
scrolling="auto"
    marginwidth="5"
marginheight="5">
    <frame name="droite"
src="droite.htm"
scrolling="auto">
  </frameset>
</frameset>
</html>
```

3 Vérifiez à nouveau qu'aucune erreur de saisie ne s'est glissée dans votre texte.

4 Choisissez ensuite la commande **Fichier/Enregistrer**.

5 La boîte de dialogue s'affiche. Choisissez votre dossier de destination.

6 Attribuez le nom `frameset.htm` au fichier et enregistrez-le en cliquant sur le bouton **Enregistrer**.

7 Fermez le bloc-notes. La structure de frame est enregistrée dans le fichier *frameset.htm*.

Un premier frame

Il vous faut créer maintenant les trois pages qui doivent apparaître dans les frames. Le frame du haut doit tout d'abord comporter un texte ou bien une image pas trop haute.

1 Lancez FrontPage Express et insérez une ou deux lignes de texte (ou encore une image).

INFO

Pas trop haut !

Même si FrontPage Express vous montre une page en pleine taille, la page Web que vous êtes en train de créer doit être affichée dans le frame supérieur qui n'est pas très haut. Limitez-vous donc à un texte d'une ou de deux lignes, ou à une image de 80 pixels de hauteur maximum.

Bien entendu, vous pouvez également mettre en forme le texte que vous venez de saisir. Centrez-le ou mettez-le en gras, par exemple. Il est même possible de définir une couleur ou une image pour l'arrière-plan !

2 Choisissez ensuite la commande **Fichier/Enregistrer sous**. Dans la boîte de dialogue **Enregistrer sous** qui apparaît, cliquez sur le bouton **Comme fichier**.

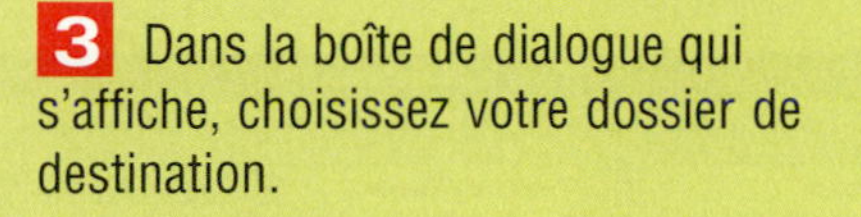

3 Dans la boîte de dialogue qui s'affiche, choisissez votre dossier de destination.

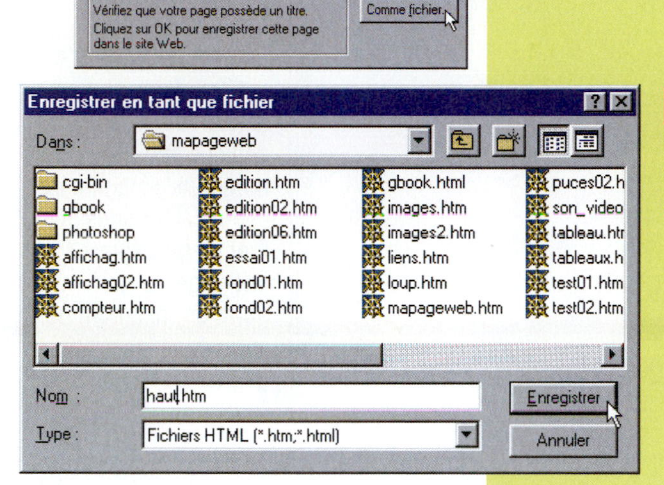

4 Tapez le nom `haut.htm` dans la zone correspondante et cliquez sur le bouton **Enregistrer**.

La page suivante

Passons maintenant au frame situé à gauche. L'endroit est idéal pour que l'on y place des liens hypertextes. Ils suscitent, lorsque l'on clique dessus, l'affichage des fichiers correspondants dans le frame de droite.

1 Sous FrontPage Express, choisissez la commande **Fichier/Nouveau**.

2 Dans la boîte de dialogue suivante, cliquez sur OK.

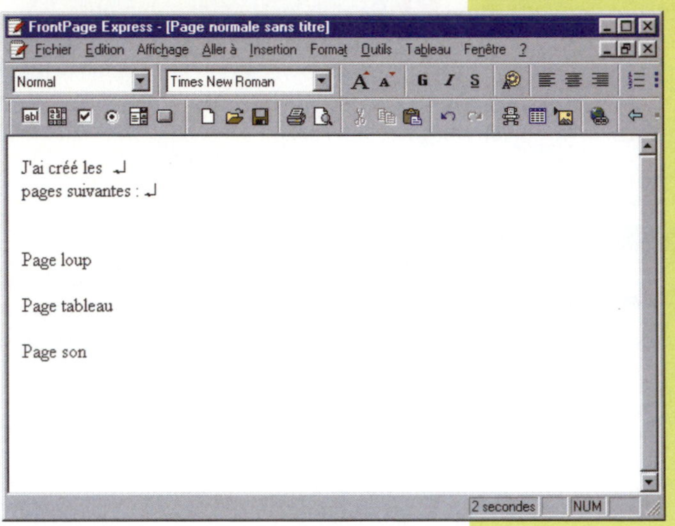

3 Dans la page vierge qui s'affiche alors, tapez le texte qui doit apparaître dans le frame de gauche. Comme ce frame n'est pas très large, il vous faudra user des sauts de ligne et insérer de nouveaux paragraphes afin de créer sous FrontPage Express une page qui comporte un minimum de mots dans la partie gauche de l'écran.

INFO

Placement des liens hypertextes

Le frame de gauche est destiné à comporter une série de liens hypertextes renvoyant à des fichiers dont le contenu va s'afficher ensuite dans le frame de droite, plus large. Tapez donc quelques lignes indiquant, à l'intention du visiteur, que ces liens donnent accès aux pages que vous avez créées.

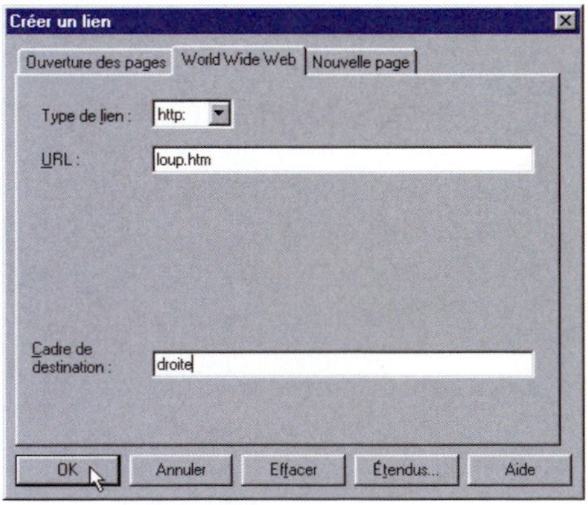

4 Vous pouvez placer maintenant les liens hypertextes dans la page destinée au frame de gauche. Prenez soin de noter au préalable le nom de ces pages. Sélectionnez le texte qui doit être défini comme lien hypertexte et cliquez sur le bouton **lien**.

5 Dans la boîte de dialogue **Créer un lien** qui s'affiche alors, sélectionnez l'onglet **World Wide Web**.

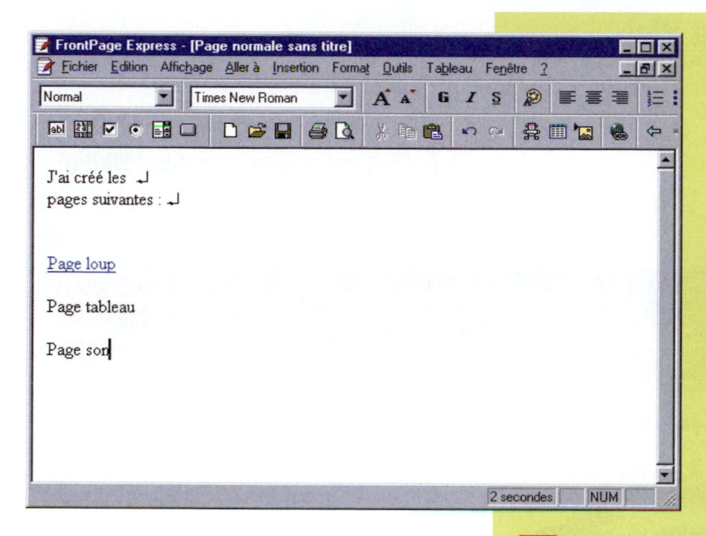

6 Dans la zone de saisie *URL*, tapez ensuite le nom de la page Web qui doit s'afficher dans le frame de droite, consécutivement à un clic sur le lien hypertexte.

7 Inscrivez le mot `droite` dans la zone de saisie *Cadre de destination*, correspondant au nom du frame de droite.

8 Fermez la boîte de dialogue en cliquant sur OK. Vous venez de créer un lien hypertexte destiné à afficher dans le frame de droite le fichier sélectionné.

INFO

Autres liens hypertextes

Vous avez certainement déjà créé plusieurs pages Web. Il vous est alors possible d'appliquer la procédure qui vient d'être présentée pour placer dans la page qui est ouverte des liens hypertextes qui pointent sur ces autres pages. Veillez à toujours spécifier `droite` **dans la zone** ***Cadre de destination.***

9 Utilisez la commande **Fichier/Enregistrer** pour enregistrer le fichier dans le dossier où se trouvent également vos autres pages Web. Attribuez à ce fichier le nom `gauche.htm`.

La troisième page Web

Passons maintenant au frame le plus volumineux, le frame de droite.

1 Choisissez la commande **Fichier/ Nouveau** et cliquez sur OK dans la boîte de dialogue qui s'ouvre.

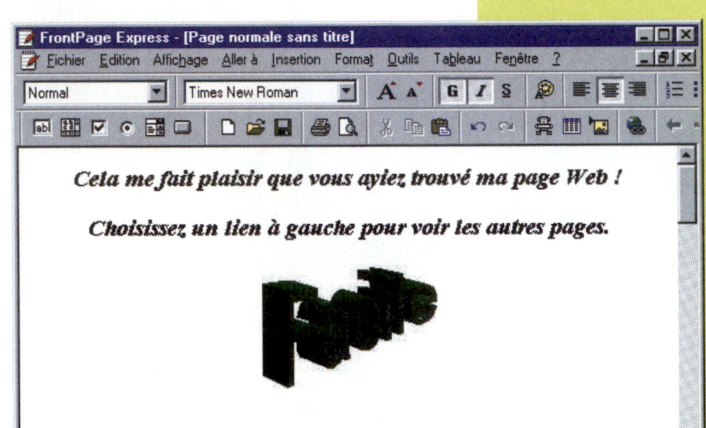

2 Tapez un texte de bienvenue (mais cela peut être également une image).

3 Enregistrez ce fichier sous le nom de `droite.htm` et enregistrez-le dans le même dossier que les autres pages Web.

4 Voilà ! la structure des frames est créée dans sa totalité. Vous pouvez quitter FrontPage Express.

INFO

Modifications en cours de route

Naturellement, rien ne vous empêche de recharger sous FrontPage Express les trois pages Web que vous venez de créer afin d'y apporter après coup des modifications. Les pages Web qui contiennent un frame autorisent toutes les options de mise en forme que vous avez découvertes jusqu'à présent.

La structure des frames : test fonctionnel ?

Pour vérifier si la structure de vos frames fonctionne normalement, utilisez votre navigateur. Pour ce faire, il vous faut charger le fichier *frameset.htm* dans le navigateur. Les autres pages sont chargées automatiquement.

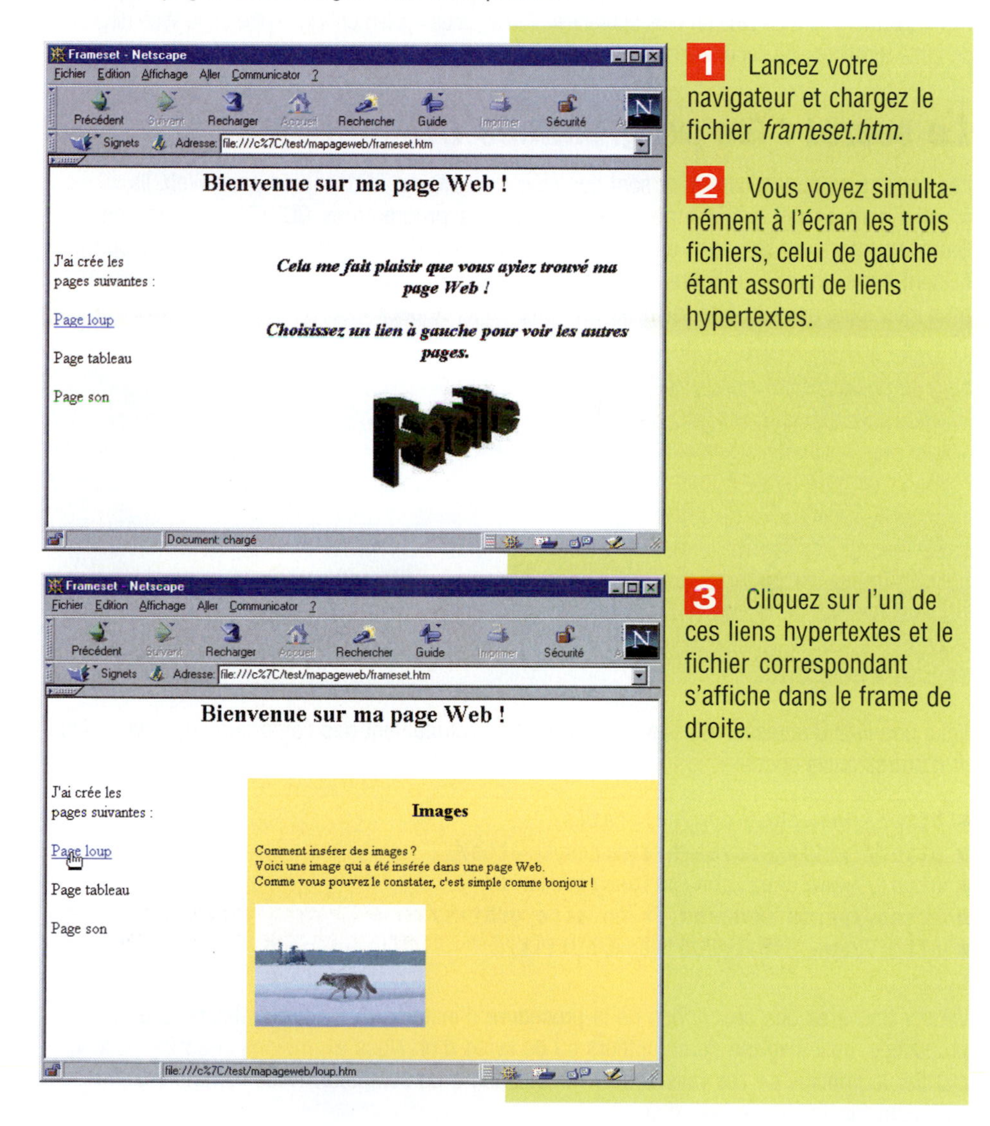

1 Lancez votre navigateur et chargez le fichier *frameset.htm*.

2 Vous voyez simultanément à l'écran les trois fichiers, celui de gauche étant assorti de liens hypertextes.

3 Cliquez sur l'un de ces liens hypertextes et le fichier correspondant s'affiche dans le frame de droite.

Compteurs et autres ressources

Pour pouvoir évaluer la popularité de leurs pages Web, nombre d'internautes les dotent de compteurs d'accèsLe compteur indique au visiteur qu'il est le énième à avoir consulté la page. Mais les livres d'or également sont de plus en plus appréciés. Voulez-vous également que votre page Web dispose de cette fonctionnalité supplémentaire ? C'est très simple et en plus, c'est gratuit.

Le secret : les programmes CGI

Les compteurs ou les livres d'or sont des éléments interactifs dans une page Web. Ils fonctionnent en fait grâce à ce qu'on appelle des programmes CGI (CGI = Common Gateway Interface) qui sont exécutés sur le serveur d'un fournisseur Internet et comptabilisent par exemple le nombre de visiteurs sur votre page Web. Ces éléments de programmes interactifs peuvent être installés sur votre page de deux façons :

1 Si vous faites héberger vos pages Web chez un fournisseur commercial, ces éléments interactifs et les programmes CGI qui y sont rattachés font actuellement partie de l'offre classique. La documentation de votre fournisseur vous donne en général des indications détaillées sur la manière d'installer un compteur ou un livre d'or.

2 Mais vous voudrez peut-être publier vos pages Web chez un fournisseur gratuit ou auprès d'un des services en ligne (Wanadoo, AOL, CompuServe). En règle générale, ces fournisseurs ne proposent pas de programmes CGI, mais ce n'est pas une raison pour y renoncer ! Car un grand nombre de sociétés vous offrent la possibilité d'utiliser gratuitement les leurs.

Voici une liste d'adresses de sites qui proposent gratuitement des compteurs, des livres d'or et d'autres outils encore :

- `http://www.chez.com/netgratis/` ;
- `http://village.cyberbrain.com/gratos/` ;
- `http://www.chez.com/guides/gratuit/` ;
- `http://perso.wanadoo.fr/gp.site/gratis/` ;
- `http://www.espace2001.com/outils/`.

Vous y trouverez une description de la procédure d'installation de différentes ressources proposées, qu'il s'agisse de compteurs ou de livres d'or. Nous examinons ci-après, pour clarifier le principe de ces ressources, l'installation d'un compteur. Nous verrons ensuite comment fonctionne un livre d'or.

INFO

Connaissez-vous déjà votre adresse ?

Lors de l'inscription de ces éléments interactifs, la plupart des fournisseurs de compteurs et de livres d'or souhaiteront que vous leur communiquiez l'adresse Web où vous comptez installer le compteur ou le livre d'or.

Vous trouverez au chapitre *Choisir son fournisseur Internet* l'ensemble des informations pour choisir un fournisseur gratuit et obtenir par ce biais une adresse Internet.

Mais rien ne s'oppose à ce que vous commenciez par créer vos pages Web sans compteur ou tout autre élément interactif. Vous pouvez aisément l'ajouter ultérieurement.

Les compteurs : vous êtes le énième visiteur

À titre d'exemple, voici un compteur qui fonctionne déjà et qui peut être testé, si vous ignorez quelle est votre adresse Internet. Alors allons-y !

1 Connectez-vous et lancez votre navigateur.

2 Tapez l'adresse Web http://perso.wanadoo.fr/gp.site/gratis/.

3 Vous arrivez à la page de démarrage de Tout gr@tis. Sélectionnez la rubrique *Pages Web*, en cliquant sur l'option *Pages Web* du menu (vous pouvez également cliquer sur le personnage au centre de la page).

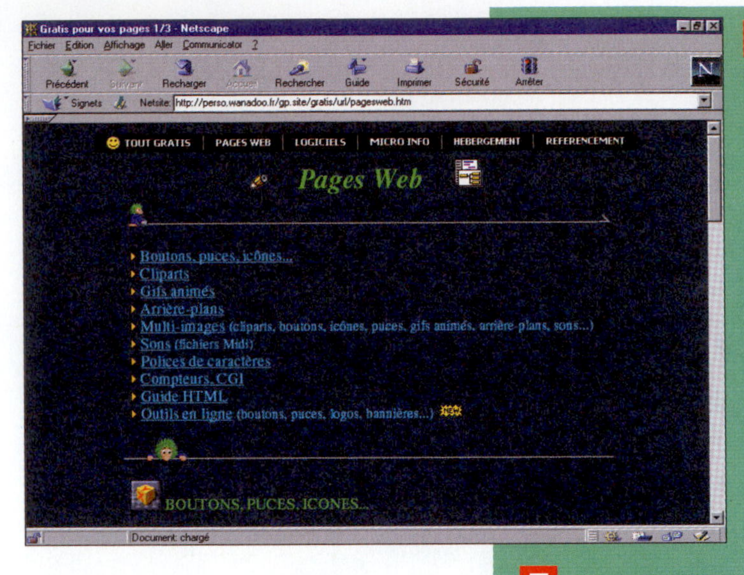

4 Lorsque la page suivante s'est chargée complètement, sélectionnez à l'aide de la souris la rubrique *Compteurs, CGI.*

5 La page suivante vous propose une liste de fournisseurs de compteurs Web. Cliquez sur le lien *Developer's paradise.*

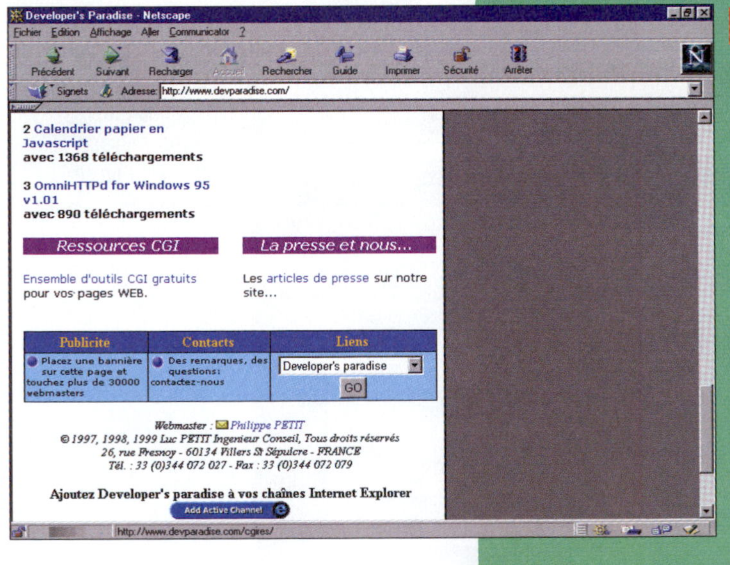

6 Arrivé sur le site de Developer's paradise, parcourez la page. Une fois sur la rubrique *Ressources CGI*, sélectionnez-la à l'aide de la souris.

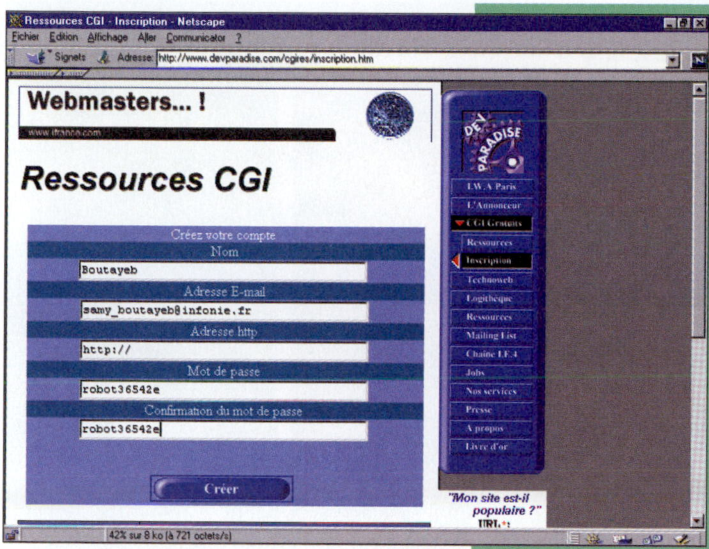

7 La page **Ressources CGI** s'ouvre alors avec un formulaire d'inscription à remplir. Indiquez-y votre nom et votre adresse électronique et choisissez un mot de passe, qu'il vous faudra ensuite confirmer. Pour terminer, cliquez sur le bouton **Créer**.

Votre inscription est en cours de traitement. L'opération peut durer quelques minutes. Profitez-en pour lancer votre logiciel de messagerie.

1 À partir de votre messagerie, vérifiez votre courrier. Vous venez de recevoir un message de confirmation de votre inscription.

2 Ouvrez ce message électronique et lisez-le.

INFO

Données relatives à votre compteur

Le service Ressources CGI de Developer's paradise vient de vous attribuer un identifiant (ID) et vous rappelle dans ce message les données relatives à votre compteur.
Mais vous avez encore besoin d'informations supplémentaires, tel que le mode d'emploi du compteur et le code source à intégrer dans votre page Web.

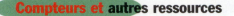

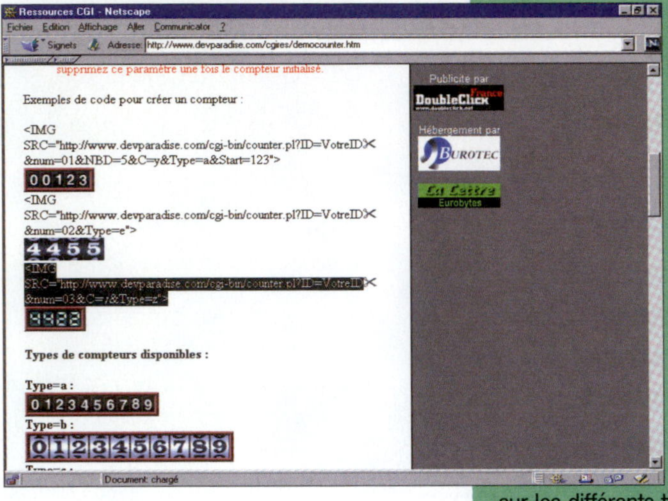

3 Pour accéder à ces informations, ouvrez votre navigateur et chargez la page `http://www.devparadise.com/cgires/democounter.htm`. Vous y trouverez des exemples de code pour votre compteur ainsi que la signification des paramètres à définir. Cette page vous donne également un aperçu sur les différents types de compteurs, afin que vous puissiez choisir le vôtre.

4 Sélectionnez la portion de code correspondant au type de compteur que vous avez choisi.

5 Maintenez la touche **Ctrl** appuyée et appuyez simultanément sur la touche **C**, afin de copier la sélection dans le Presse-papiers.

INFO

Puisez à volonté dans le Presse-papiers

Pour décliner vos essais avec les différentes variantes de ce compteur, vous avez toujours la possibilité de recharger cette page (ou la copie que vous en aurez faite sur votre disque dur) et de sélectionner à nouveau la portion de code correspondante : utilisez pour cela la combinaison de touches *Ctrl+C* après avoir sélectionné le code.

6 Lancez FrontPage Express et chargez la page dans laquelle le compteur doit être installé.

7 Placez le curseur à un endroit quelconque de votre page Web et insérez-y une nouvelle ligne. Tapez ensuite le mot Compteur.

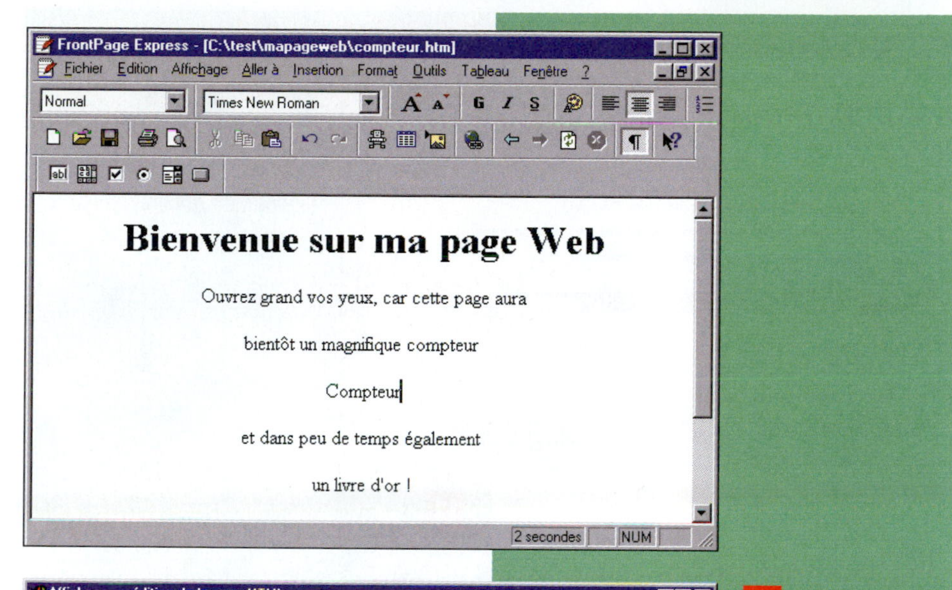

Affichage ou édition de la page HTML

```
<html>

<head>
<meta http-equiv="Content-Type"
content="text/html; charset=iso-8859-1">
<meta name="GENERATOR" content="Microsoft FrontPage Express 2.0">
<title>Compteur</title>
</head>

<body bgcolor="#FFFFFF">

<h1 align="center">Bienvenue sur ma page Web</h1>

<p align="center">Ouvrez grand vos yeux, car cette page aura</p>

<p align="center">bientôt un magnifique compteur </p>

<p align="center">Compteur</p>

<p align="center">et dans peu de temps également </p>

<p align="center">un livre d'or !</p>

<p align="center"> </p>

<p align="center"> </p>
</body>
</html>
```

Initiale · En cours · Afficher le codage en couleurs · OK · Annuler · Aide

Affiche ou édite le code HTML en cours

8 Choisissez la commande **Affichage/HTML**. La boîte de dialogue qui s'ouvre affiche le code HTML de votre page Web. Vous n'avez pas à maîtriser le langage HTML, c'est beaucoup plus simple que vous ne le pensez.

9 Recherchez dans l'affichage HTML le mot `Compteur` et sélectionnez-le.

10 Maintenez la touche **Ctrl** appuyée et appuyez sur la touche **V**, ce qui insère dans votre page Web le code associé au

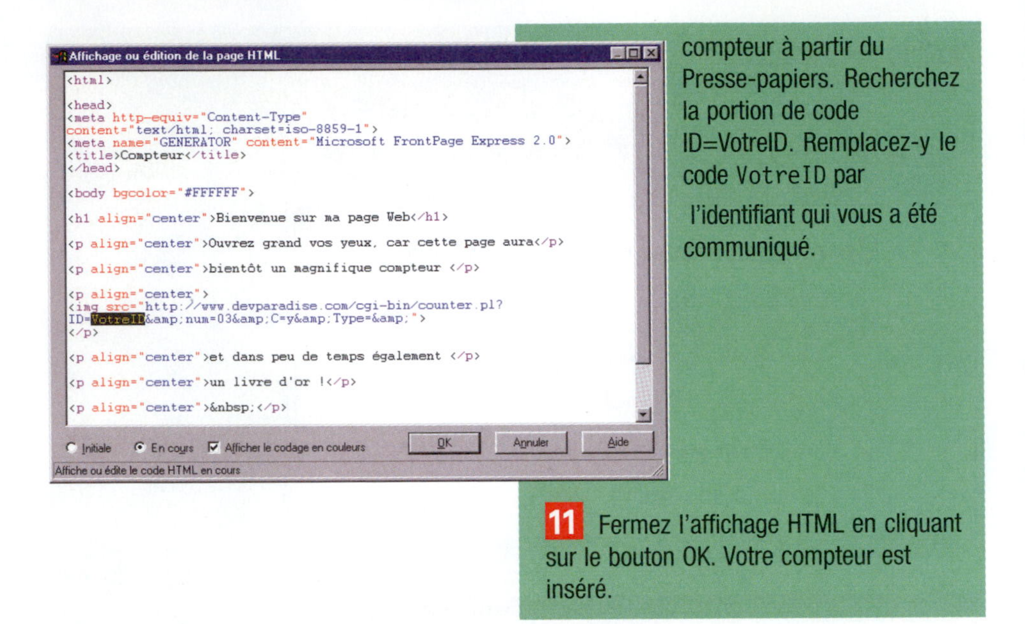

compteur à partir du Presse-papiers. Recherchez la portion de code ID=VotreID. Remplacez-y le code `VotreID` par l'identifiant qui vous a été communiqué.

11 Fermez l'affichage HTML en cliquant sur le bouton OK. Votre compteur est inséré.

Vous voyez maintenant sous FrontPage Express un carré avec une bordure : c'est à cet endroit que vous verrez bientôt votre compteur. Vous pouvez essayer sans plus tarder si tout fonctionne correctement.

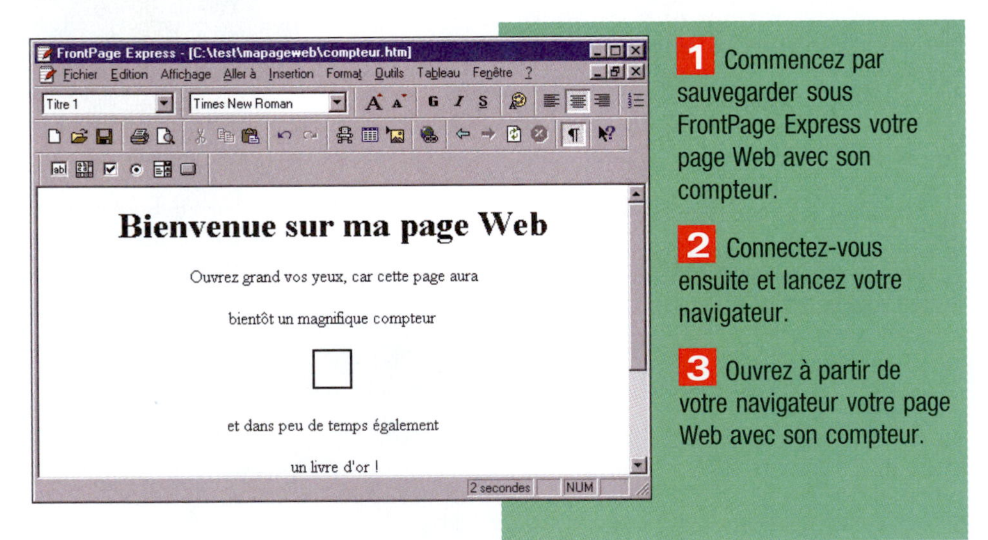

1 Commencez par sauvegarder sous FrontPage Express votre page Web avec son compteur.

2 Connectez-vous ensuite et lancez votre navigateur.

3 Ouvrez à partir de votre navigateur votre page Web avec son compteur.

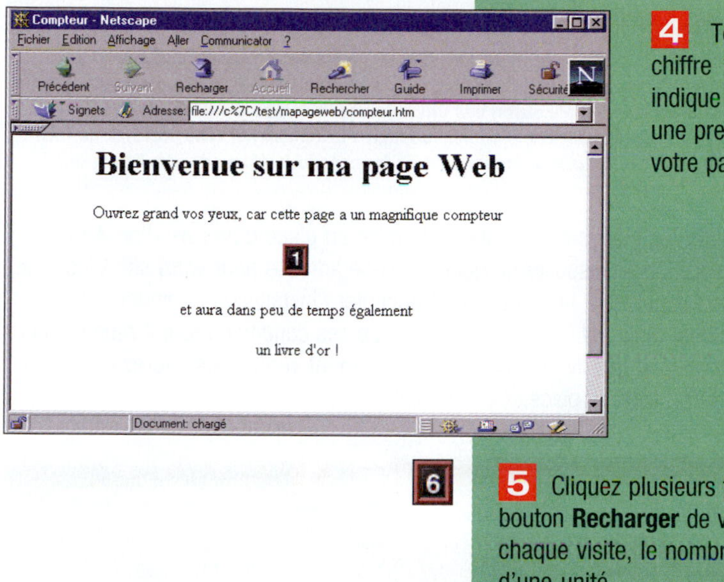

4 Tout de même : Le chiffre *1* du compteur indique que vous avez reçu une première visite sur votre page Web.

5 Cliquez plusieurs fois de suite sur le bouton **Recharger** de votre navigateur : à chaque visite, le nombre est augmenté d'une unité.

6 Et lorsque votre page aura comptabilisé plus de 99 visites, le compteur sera représenté automatiquement avec 3 unités.

INFO

Que se passera-t-il lorsque je publierai ma page ?

Lorsque vous publierez vos pages Web auprès d'un fournisseur, le compteur continuera de fonctionner de façon identique. Mais vous ne serez alors plus le seul à être comptabilisé. Chaque visite accroîtra automatiquement le compteur d'une unité.

Le ne plus ultra : certains compteurs vous envoient automatiquement un message électronique pour vous informer sur le nombre de visites qu'a enregistrées votre site. Ainsi, vous n'êtes plus obligé d'aller vérifier sur votre site si quelqu'un est venu consulter vos pages en votre absence.

Les livres d'or : sympas, mais techniques

Les livres d'or offrent aux visiteurs de votre site Web la possibilité d'exprimer leur avis. Cela peut être extrêmement intéressant, car vous apprenez par ce biais l'appréciation que les visiteurs ont de vos pages Web. Cela vous permettra peut-être de recevoir un certain nombre d'indications en vue d'améliorer votre contenu. Bien entendu, vous n'éviterez pas les habituels messages de dénigrement. Mais il n'y pas de quoi en faire un drame, et c'est le lot du Web que de permettre à chacun de s'exprimer. Cependant, en matière de livres d'or, vous devez être attentif à ceci :

> **INFO**
>
> **Vous êtes responsable du contenu**
>
> **Vous êtes responsable du contenu de vos pages Web. Ce principe vaut également pour le livre d'or que vous proposez sur votre site ! Consultez donc régulièrement les messages de votre livre d'or, afin de vous assurer qu'un plaisantin mal intentionné n'a rien publié d'illégal ou de choquant, et effacez immédiatement d'éventuels contenus délictueux. Si vous prévoyez de vous absenter pendant plusieurs semaines, prenez soin de fermer provisoirement votre livre d'or.**

Nous allons donc explorer les étapes nécessaires à la mise en place d'un livre d'or. À cela plusieurs conditions : vous devez disposer en général d'une adresse pour votre site Web et le fournisseur chez qui vos pages sont hébergées doit accepter l'installation de scripts CGI associés à vos pages Web. Mais nul besoin d'attendre que ces conditions soient réunies pour comprendre le fonctionnement des livres d'or. Ainsi, le moment venu, vous saurez comment procéder pour en mettre un livre en place.

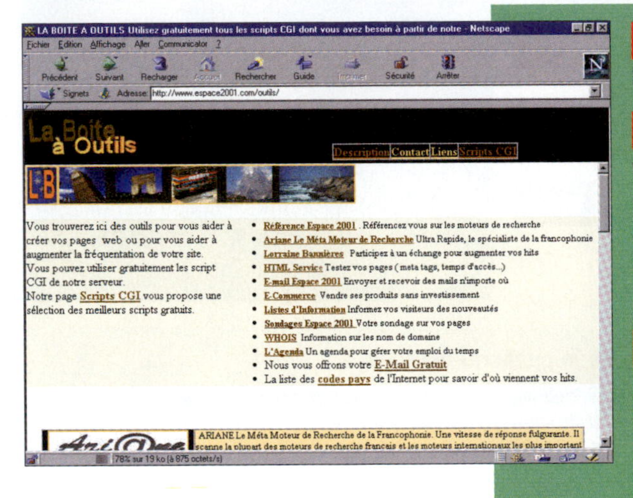

1 Connectez-vous et lancez votre navigateur.

2 Tapez l'adresse `http://www.espace2001.com/outils/`. Nous sommes sur la page principale du site La boîte à outils. Cherchez-y la rubrique *Scripts CGI*.

3 Arrivé à la page Scripts CGI, cliquez sur le lien hypertexte *BNBBOOK Guest Book Script*, à partir duquel vous pourrez sélectionner un script.

4 Vous vous trouvez maintenant à l'adresse http://bignosebird.com/carchive/bnbbook.shtml du programme Bnbbook.cgi. Cliquez sur le lien *Download as a ZIP file*, pour télécharger l'archive comportant les fichiers nécessaires à la mise en place du livre d'or.

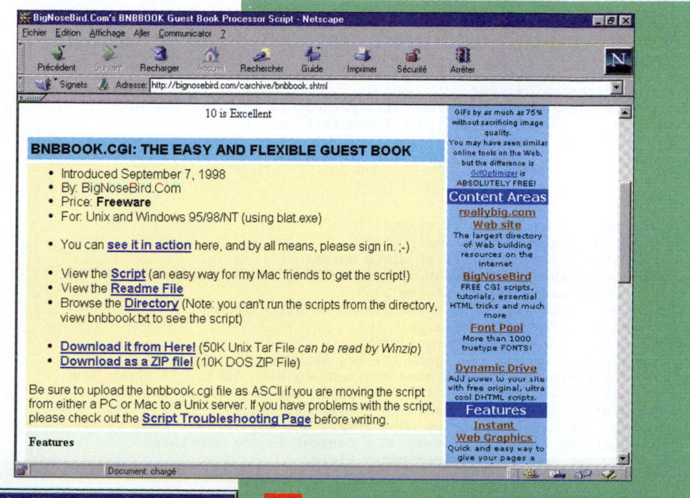

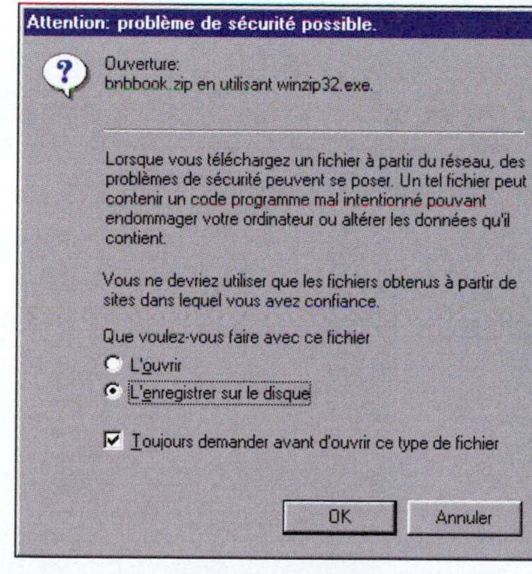

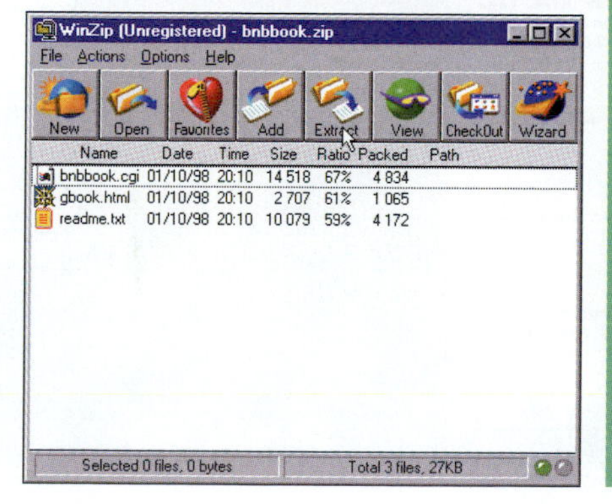

5 Dans la boîte de dialogue qui s'ouvre alors, sélectionnez l'option **L'enregistrer sur le disque** et cliquez sur le bouton OK.

6 Vous obtenez ensuite une boîte de dialogue. Choisissez-y le dossier de destination. Lancez le téléchargement en cliquant sur le bouton **Enregistrer**.

7 Lorsque le téléchargement est achevé, lancez l'Explorateur Windows à la recherche du dossier dans lequel vous venez d'enregistrer le fichier Bnbbook.zip. Cliquez sur ce fichier pour lancer le programme WinZip.

8 Une autre boîte de dialogue s'ouvre. Cliquez sur le bouton **Extract** pour décompresser l'archive. Dans la boîte de dialogue suivante, sélectionnez le dossier de destination des fichiers décompressés et cliquez sur le bouton **Extract**.

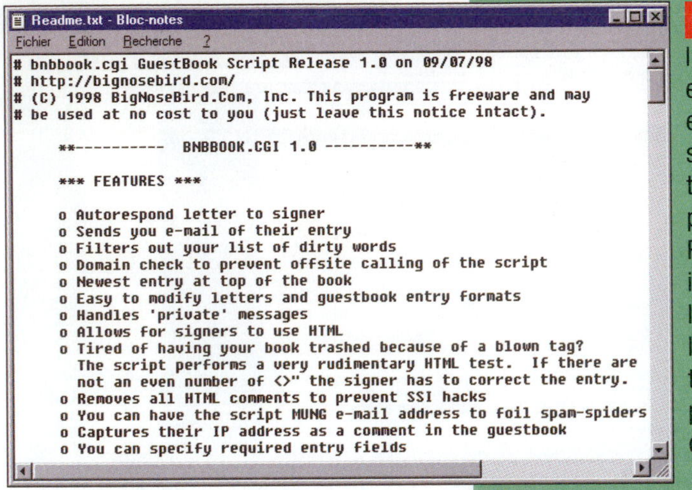

Readme.txt - Bloc-notes

Fichier Edition Recherche ?

```
# bnbbook.cgi GuestBook Script Release 1.0 on 09/07/98
# http://bignosebird.com/
# (C) 1998 BigNoseBird.Com, Inc. This program is freeware and may
# be used at no cost to you (just leave this notice intact).

    **---------- BNBBOOK.CGI 1.0 ----------**

    *** FEATURES ***

    o Autorespond letter to signer
    o Sends you e-mail of their entry
    o Filters out your list of dirty words
    o Domain check to prevent offsite calling of the script
    o Newest entry at top of the book
    o Easy to modify letters and guestbook entry formats
    o Handles 'private' messages
    o Allows for signers to use HTML
    o Tired of having your book trashed because of a blown tag?
      The script performs a very rudimentary HTML test.  If there are
      not an even number of <>" the signer has to correct the entry.
    o Removes all HTML comments to prevent SSI hacks
    o You can have the script MUNG e-mail address to foil spam-spiders
    o Captures their IP address as a comment in the guestbook
    o You can specify required entry fields
```

9 Passez à l'Explorateur Windows et retrouvez les fichiers extraits de l'archive. Ils sont au nombre de trois. Il s'agit en premier lieu de Readme.txt. Ce fichier indique les fonctionnalités du livre d'or, décrit la procédure d'installation et commente les paramètres à définir dans le script CGI.

10 Le second fichier est le script Bnbbook.cgi. Il comporte le code nécessaire au bon fonctionnement de votre livre d'or. C'est ce fichier que vous devrez placer sur votre serveur après l'avoir convenablement personnalisé. Mais rassurez-vous, ça n'est pas aussi compliqué que ça en a l'air.

bnbbook.cgi - Bloc-notes

Fichier Edition Recherche ?

```
#  private:       Value is YES if it is a private message not to
#                 be shown in the book. You will get e-mail.
#  required:      A comma delimited list of "must-fill" fields.
#                 If the user does not complete any field you
#                 specify, they will get a message to go back.
#  url:           The person's homepage URL. This will be presented
#                 in the guest book as an HTML link.
#
##################################################################

# set $HTML="NO" if you do not want users to be able to enter HTML tags
# the form name "private" when set to YES by a reader, if you offer
# the choice, will send you e-mail, but will not write to the guestbook

  $HTML="YES";

# $GUESTBOOK is the file name for your guestbook file. You must give th
# filename including it's full path.

  $GUESTBOOK="/home/www/gbook.html";

# $GUESTBOOK_URL is the URL of the guestbook. This way after they
# sign the book they are redirected back to it

  $GUESTBOOK_URL="http://domain.com/gbook.html";

# $TEMPDIR is a directory on your server where you have permission to
# write files that will be deleted when the script finishes running.

  $TEMPDIR="/tmp";
```

11 Le début du script commente les paramètres définissables par l'utilisateur et prévoit la possibilité de modifier le code. Ainsi, vous devez par exemple personnaliser le code $GUESTBOOK="/home/www/gbook.htm et lui substituer l'adresse de votre livre d'or, lorsque vous la connaîtrez.

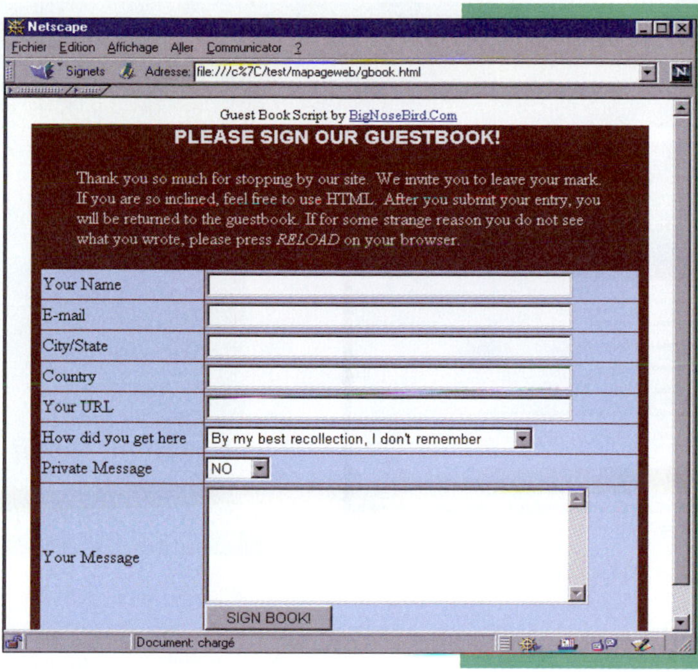

12 Le troisième et dernier fichier s'appelle Gbook.html. Il comporte le formulaire utilisé pour remplir le livre d'or. Ce formulaire comporte des zones de saisie dans lesquelles le visiteur de votre site pourra inscrire son message.

Personnalisez votre livre d'or

Le livre d'or se présente sous la forme d'un formulaire rédigé en anglais. Mais qu'à cela ne tienne, vous pouvez en modifier le contenu et ainsi l'adapter à vos besoins, sans risquer de le rendre inopérant.

INFO

Tout ce qui est là est modifiable

Tant que le contenu du formulaire ne correspond pas à vos attentes, vous pouvez le modifier à tout instant. Vous avez même droit à l'erreur, puisque vous pouvez revenir ultérieurement sur toutes vos modifications. De la même façon, si vous ignorez encore l'adresse où vos pages Web seront hébergées, vous pourrez modifier une nouvelle fois les paramètres correspondants dans le script CGI.

Comme vous le voyez, les programmes CGI et les formulaires ont l'air un peu compliqué au départ, mais ils offrent des possibilité de personnalisation et de paramétrage somme toute très confortables.

1 Pour personnaliser le texte de votre livre d'or, lancez FrontPage Express avec la commande **Fichier/Ouvrir**.

2 Modifiez le formulaire. Lorsque vous avez terminé, enregistrez la page à l'aide de la commande **Fichier/ Enregistrer**.

Associez le livre d'or et votre page HTML

Il ne vous reste maintenant plus qu'à placer dans votre page Web le lien hypertexte vers le livre d'or. Ce qui sera fait avec FrontPage Express :

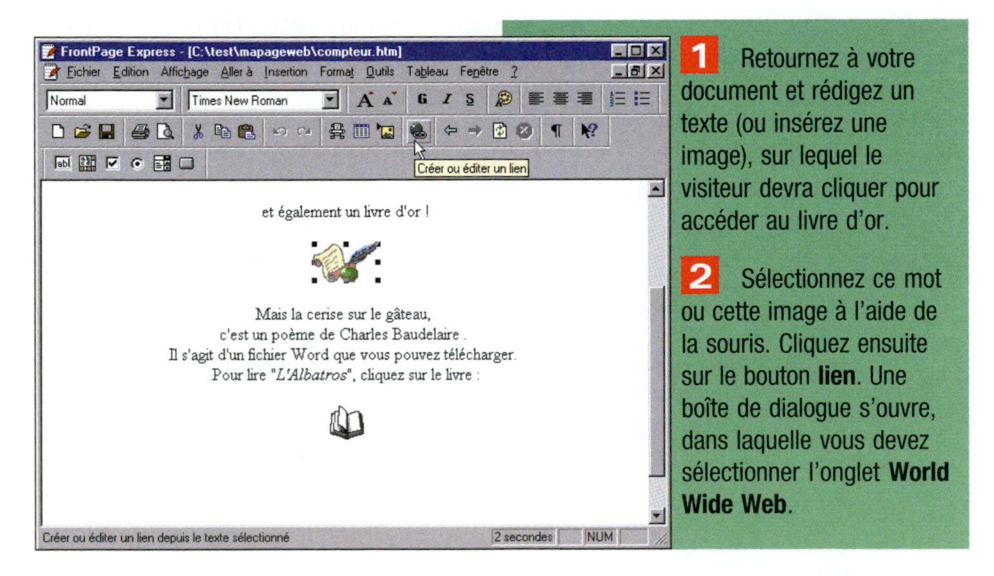

1 Retournez à votre document et rédigez un texte (ou insérez une image), sur lequel le visiteur devra cliquer pour accéder au livre d'or.

2 Sélectionnez ce mot ou cette image à l'aide de la souris. Cliquez ensuite sur le bouton **lien**. Une boîte de dialogue s'ouvre, dans laquelle vous devez sélectionner l'onglet **World Wide Web**.

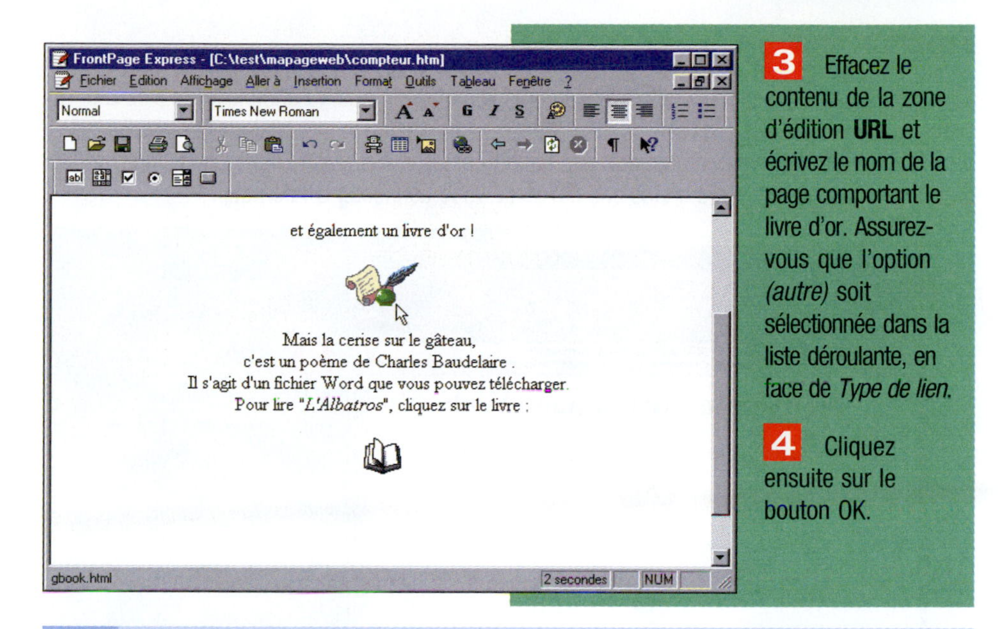
FrontPage Express - [C:\test\mapageweb\compteur.htm]
Fichier Edition Affichage Aller à Insertion Format Outils Tableau Fenêtre ?
Normal
Times New Roman
et également un livre d'or !
Mais la cerise sur le gâteau,
c'est un poème de Charles Baudelaire .
Il s'agit d'un fichier Word que vous pouvez télécharger.
Pour lire "L'Albatros", cliquez sur le livre :
gbook.html
2 secondes
NUM

3 Effacez le contenu de la zone d'édition **URL** et écrivez le nom de la page comportant le livre d'or. Assurez-vous que l'option *(autre)* soit sélectionnée dans la liste déroulante, en face de *Type de lien*.

4 Cliquez ensuite sur le bouton OK.

INFO

Mise en forme du texte

Si vous avez placé le lien hypertexte sur du texte, vous pouvez mettre celui-ci en forme à votre guise : ainsi, vous pouvez sélectionner une autre police ou en modifier la taille.

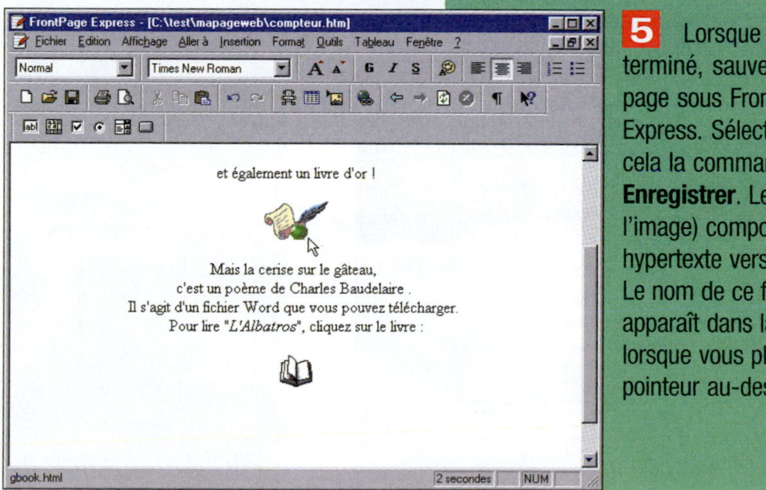
FrontPage Express - [C:\test\mapageweb\compteur.htm]
Fichier Edition Affichage Aller à Insertion Format Outils Tableau Fenêtre ?
Normal
Times New Roman
et également un livre d'or !
Mais la cerise sur le gâteau,
c'est un poème de Charles Baudelaire .
Il s'agit d'un fichier Word que vous pouvez télécharger.
Pour lire "L'Albatros", cliquez sur le livre :
gbook.html
2 secondes
NUM

5 Lorsque vous avez terminé, sauvegardez votre page sous FrontPage Express. Sélectionnez pour cela la commande **Fichier/Enregistrer**. Le texte (ou l'image) comporte un lien hypertexte vers le livre d'or. Le nom de ce fichier apparaît dans la barre d'état lorsque vous placez le pointeur au-dessus du lien.

Premier test

Vous pouvez tester le fonctionnement de la navigation entre la page annonçant le livre d'or et celle qui contient le formulaire lui-même. Mais comme vos pages Web n'ont pas encore été publiées sur Internet, vous ne pourrez pas encore tester le fonctionnement effectif du livre d'or. Pour ce petit test, vous n'êtes pas obligé de vous connecter à Internet.

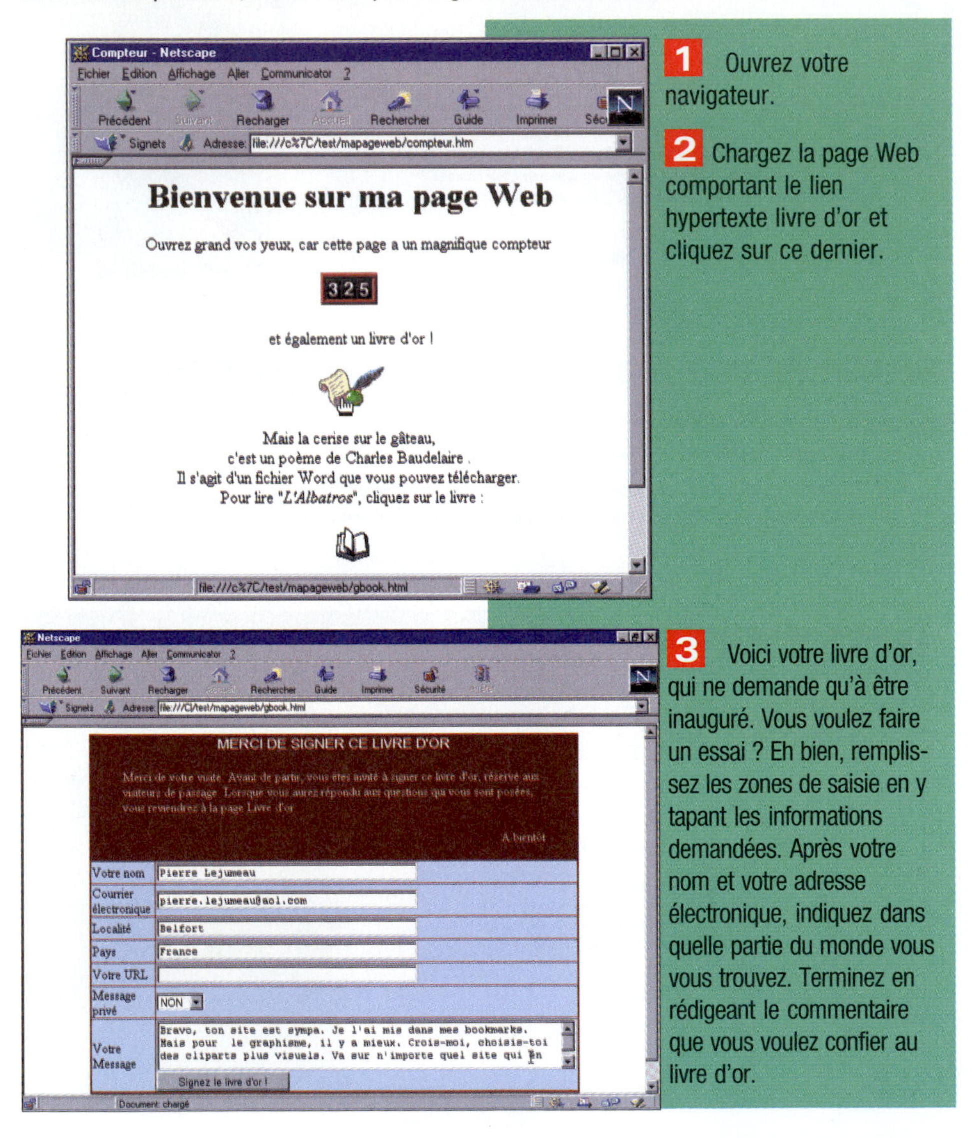

1 Ouvrez votre navigateur.

2 Chargez la page Web comportant le lien hypertexte livre d'or et cliquez sur ce dernier.

3 Voici votre livre d'or, qui ne demande qu'à être inauguré. Vous voulez faire un essai ? Eh bien, remplissez les zones de saisie en y tapant les informations demandées. Après votre nom et votre adresse électronique, indiquez dans quelle partie du monde vous vous trouvez. Terminez en rédigeant le commentaire que vous voulez confier au livre d'or.

Signez le livre d'or !

4 C'est tout simple, comme vous pouvez le constater. Lorsque vos pages Web seront réellement hébergées sur un serveur, la contribution de votre visiteur imaginaire sera réellement enregistrée dans le livre d'or chaque fois qu'il aura cliqué sur le bouton **Signez le livre d'or !**

Télécharger un fichier : Oui, mais...

Peut-être vous est-il arrivé d'écrire un petit programme informatique que vous aimeriez également mettre à la disposition des personnes que cela intéresserait. Ou peut-être préféreriez-vous mettre votre histoire préférée sur Internet, sous forme de fichier Word, afin que tout un chacun puisse télécharger ce fichier. Tout cela est également possible sur votre site. Les sociétés commerciales utilisent pour le téléchargement de fichiers des systèmes connus sous le nom de serveurs FTP, qui autorisent des téléchargements à des débits particulièrement élevés. Mais si vous ne voulez proposer que quelques fichiers, nul besoin de serveur FTP. Les fichiers peu volumineux (tels que des fichiers Word) peuvent être également récupérés à partir de votre site.

Prenons un fichier Word (par exemple le fichier Albatros.doc, ou tout autre fichier de votre choix) et voyons comment le rendre accessible sur votre site.

1 Vous devez commencer par copier ce fichier dans le dossier où sont enregistrées les autres pages de votre site.

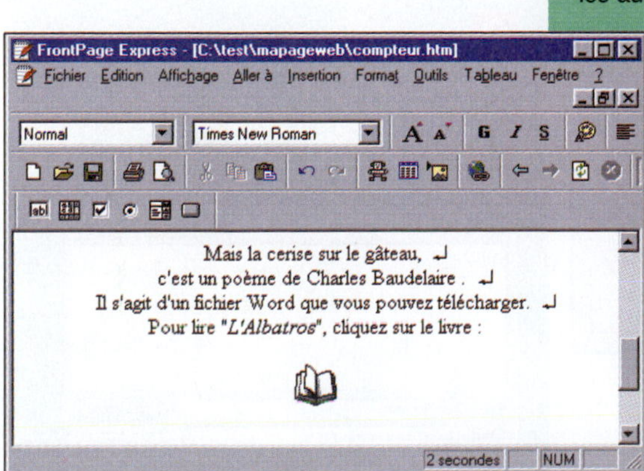
FrontPage Express - [C:\test\mapageweb\compteur.htm]
Fichier Edition Affichage Aller à Insertion Format Outils Tableau Fenêtre ?
Normal
Times New Roman
Mais la cerise sur le gâteau,
c'est un poème de Charles Baudelaire .
Il s'agit d'un fichier Word que vous pouvez télécharger.
Pour lire "L'Albatros", cliquez sur le livre :
2 secondes
NUM

2 Lancez ensuite FrontPage Express. Ouvrez ou créez la page Web à partir de laquelle le fichier sera proposé en téléchargement. Rédigez un texte (ou insérez une image) sur lequel le visiteur devra cliquer pour lancer le téléchargement.

3 Sélectionnez le texte en question et cliquez sur le bouton **lien**.

4 Dans la boîte de dialogue **Créer un lien** qui s'ouvre, sélectionnez l'onglet **World Wide Web** et effacez le contenu de la zone d'édition *URL*. Cela fait, tapez le nom du fichier qui est proposé au téléchargement et, pour terminer, cliquez sur OK.

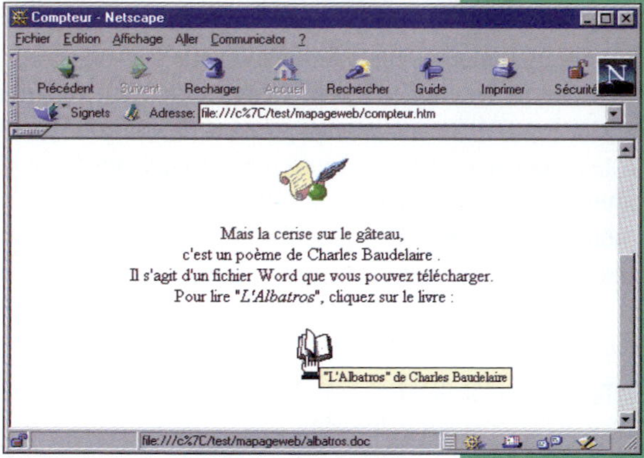

5 Enregistrez la page Web sous FrontPage Express.

6 Lancez ensuite votre navigateur et chargez la page Web. Cliquez sur le lien affecté au téléchargement du fichier.

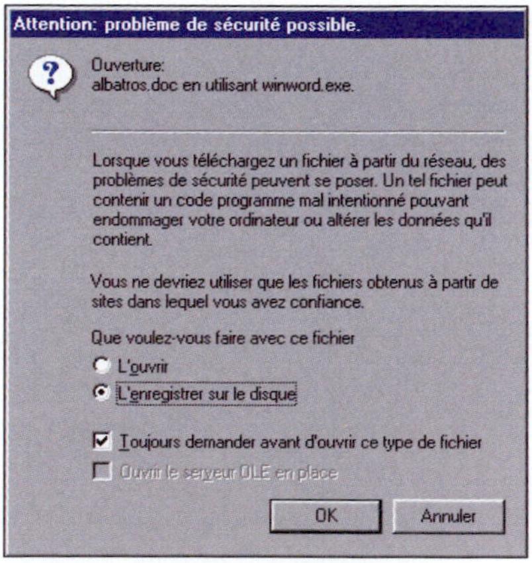

7 Dans la boîte de dialogue qui s'ouvre alors, sélectionnez l'option **L'enregistrer sur le disque** et cliquez sur le bouton OK.

8 Vous obtenez ensuite une boîte de dialogue. Choisissez le dossier de destination. Lancez le téléchargement en cliquant sur le bouton **Enregistrer**.

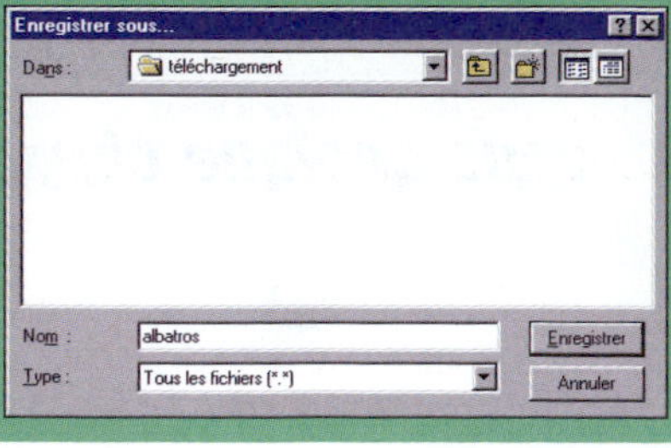

Que se passe-t-il lorsque le téléchargement s'effectue à partir d'Internet ?

Les opérations de téléchargement et d'enregistrement du fichier, telles que vous venez de les réaliser, se déroulent à l'identique sur Internet, lorsque vos pages sont publiées et qu'un visiteur clique sur le lien affecté au téléchargement du fichier.

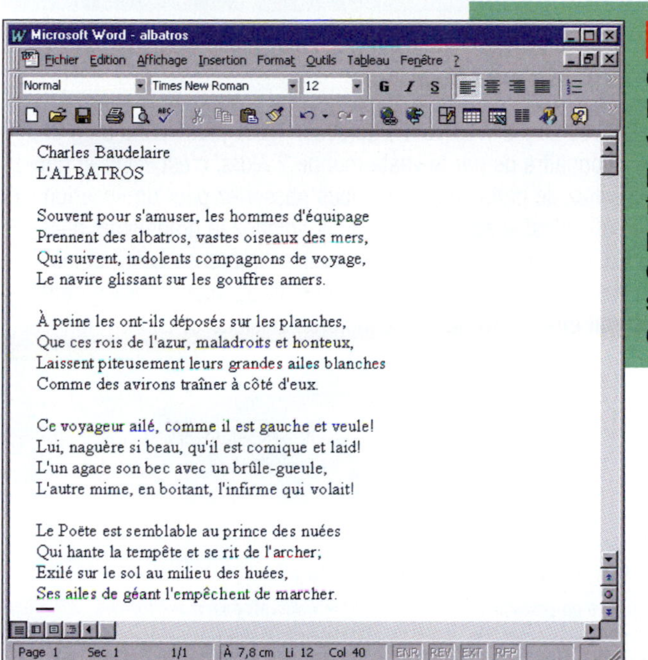

9 Lorsque le fichier est enregistré, vous pouvez l'ouvrir et le visualiser à votre guise. Si vous voulez par exemple visualiser un fichier Word, lancez le programme Word et ouvrez le fichier à partir de son emplacement sur votre disque.

Qu'est-ce qu'une bonne page Web ?

Vous connaissez maintenant les astuces et les ficelles de l'apprenti concepteur de pages Web. Mais il y a des pages qui rencontrent un vif succès, tandis que pour d'autres, le visiteur ne vient qu'une fois et ne revient plus jamais. Qu'est-ce donc qu'une bonne page Web, le visiteur revient volontiers ? Voici quelques astuces et ficelles sur la question :

Avez-vous quelque chose à déclarer ?

Que vous décidiez de réaliser quelques modestes pages Web ou que vous soyez chargé de mettre sur pied un site beaucoup plus ambitieux, il n'est pas mauvais de réfléchir avant de vous lancer. Car il y a tellement de pages Web riches d'images multicolores et pourvues de manchettes imposantes et qui pourtant sont vides de contenu. Premier conseil, donc :

1 Réfléchissez avant toute chose aux contenus de vos pages Web, à l'articulation logique des différentes rubriques et au public que vous voulez cibler.

Le public (en marketing, la cible)

Il importe que vous sachiez à qui vos pages Web vont s'adresser. Vous jouez dans un groupe de rap et vous voulez vous faire connaître de par le vaste monde ? Alors, c'est «clair et net» : pour vous adresser à ce public évitez de parler «bourge», vous passeriez pour un «bouffon» et personne n'irait à votre «mégateuf», c'est «capté» ? De même, soignez le graphisme, style «tag» ou «graph». Si en revanche, vous projetez de faire connaître l'immense talent et les qualités d'interprétation tout à fait exceptionnelles des membres du quatuor à cordes dont vous réalisez le site, la tonalité doit être à l'avenant : de facture classique et tout en nuances.

2 Sélectionnez des textes et des images qui correspondent aux goûts et aux attentes du public auquel vous vous adressez.

INFO

Imprimer ou lire : entre les deux mon cœur balance !

Les pages Web sont destinées en premier lieu à l'écran. Si le contenu en est réellement intéressant, il y a de fortes chances que vos pages soient également imprimées. Il vous faut donc envisager les deux utilisations.

3 Les pages Web que l'on lit à l'écran sont une source d'irritation si l'on est constamment contraint de faire défiler horizontalement la page pour en prendre connaissance dans son intégralité. Faire glisser le texte, une fois à droite puis ensuite à gauche, et ce tous les dix mots, ligne après ligne, est une gymnastique pénible pour le lecteur. Soyez donc attentif à ce que les images ou les tableaux ne dépassent qu'exceptionnellement la largeur de l'écran. Et n'oubliez pas que tout le monde ne dispose pas d'une résolution d'affichage de 1280 x 1024 pixels !

4 Ces considérations s'appliquent également à l'impression, car la plupart des navigateurs n'impriment pas dans toute leur largeur les pages pour lesquelles on doit faire défiler l'écran horizontalement : ce qui dépasse la largeur de la page est simplement tronqué.

5 La longueur d'une page Web est très variable, car vous avez le choix entre présenter un texte long (et les images associées) sur une seule page et le découper en plusieurs pages. Il est plus agréable, pour qui se connecte à Internet pour venir consulter vos pages, que la durée de chargement soit réduite. Il faut donc répartir votre texte sur plusieurs pages, tout en veillant à ce que la navigation entre les pages se passe sans accrocs (voir plus loin).

6 Si à l'inverse vous partez du principe que vos pages Web seront imprimées par de nombreux visiteurs, il est recommandé de ne pas multiplier le nombre de pages, car l'utilisateur devra lancer l'impression de chacune d'entre elles séparément.

En navigation : ne perdez pas le nord !

Si vous ne créez qu'une seule page Web, la question de la navigation ne se pose pas : impossible de s'égarer sur une seule page ! Mais si votre page rencontre le succès escompté, vous serez vite tenté de lui en adjoindre d'autres. Vous risquez alors rapidement de vous y perdre. Mais à quoi bon des liens hypertextes ? Parmi leurs fonctions, il y a justement la possibilité d'organiser votre site et de permettre au visiteur de s'y retrouver facilement.

Ainsi donc, chaque page Web devrait comporter un lien hypertexte, permettant de revenir à la page de démarrage, et d'autres liens (suffisamment clairs) qui mènent à la découverte du site en progressant pas à pas.

Vous voulez que le visiteur de votre site soit mis à l'aise dès le premier contact ? C'est très simple : imaginez, pour l'organisation et le développement de vos pages, un schéma qui soit familier pour chacun d'entre nous. Voici quelques exemples :

Une organisation linéaire : comme dans un livre

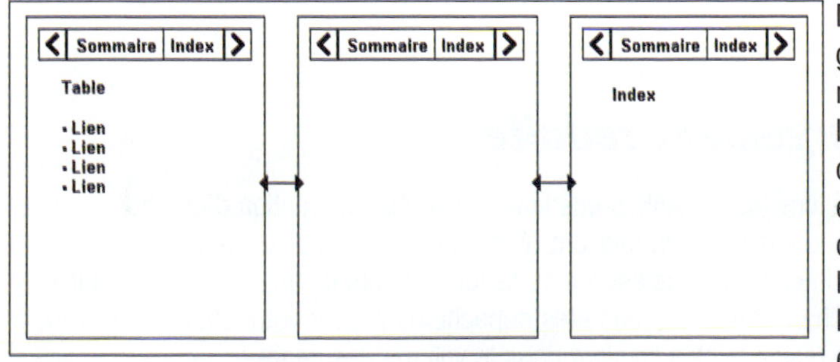

Depuis le temps que les gens lisent (livres, magazines ou BD), tout le monde connaît, à commencer par les enfants, le mode d'emploi d'un livre. Il se lit en commençant par la première page, puis en passant à la seconde, et ainsi de suite jusqu'à la dernière. La table des matières permet de trouver un chapitre particulier. Si l'ouvrage le permet, l'index est un répertoire qui se trouve à la fin où sont consignés les mots importants du document, avec les numéros des pages où ils sont présents.

◁ Home © rws - rainer werle software 1998 Index ▷

Eh bien, c'est la même chose pour les pages Web. Vous pouvez simplement offrir à votre visiteur la possibilité de feuilleter en avant et de revenir en arrière. N'oubliez pas le lien vers la page de démarrage et sa table des matières et ajoutez-en un autre pour l'index. Avec un tel menu, il est impossible de s'égarer : votre visiteur trouvera rapidement ce qu'il recherche et reviendra aussi volontiers.

Une organisation pyramidale

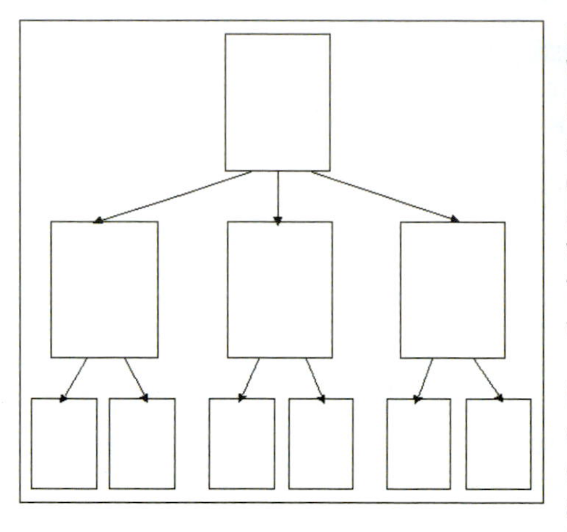

L'autre possibilité est d'organiser vos pages Web à la manière d'un centre commercial. C'est une expérience que nous avons tous eue : pour acheter des cassettes vidéo dans un centre commercial, vous commencez par regarder à quel étage se trouve le secteur images et son. Vous recherchez ensuite le rayon Radio et Télévision où vous finissez par trouver ce que vous cherchez.

Réfléchissez donc pour déterminer si le menu de votre site peut se subdiviser en thèmes et en sous-thèmes. Cette hiérarchie est par la suite présentée au visiteur à travers les liens hypertextes. Il devrait naturellement être toujours possible de revenir à la page de démarrage, de feuilleter les pages, de remonter d'un niveau, etc.

Durée de chargement réduite

Même si vous avez suivi tous les conseils précédents en vue de la création d'une bonne page Web, il se peut encore que vos pages paraissent rébarbatives aux yeux de vos visiteurs. Vous-même l'avez expérimenté : il vous est arrivé de tomber, lors de vos connexions, sur une page qui refusait de se charger et vous vous êtes dépêché de passer votre chemin. Le point faible de ces pages Web réside le plus souvent dans le volume des images :

Optimiser les images

La première règle de base est qu'une page Web ne devrait pas dépasser 30 ko (avec un maximum absolu de 50 ko (les images y compris). Regardez donc sous Windows Explorer le volume des fichiers : s'il y en a parmi eux qui appartiennent à la catégorie poids lourds, il est grand temps de leur faire suivre une cure amaigrissante. Vous disposez pour cela de plusieurs possibilités :

1 Vérifiez pour chaque image si elle occupe un volume plus réduit au format GIF ou au format JPEG. Tenez compte du fait que les différentes palettes des images GIF et les différents taux de compression des images JPG peuvent donner lieu à des baisses substantielles de taille de fichiers.

2 Les images que l'on trouve dans les pages Web n'ont pas nécessairement à occuper la totalité de la page Web. Souvent, une image de dimensions réduites que l'on peut embrasser d'un seul regard rend mieux qu'une image surdimensionnée. En cas de doute, réduisez les dimensions de vos images à l'aide d'un logiciel tel que Paint Shop Pro : une hauteur et une largeur diminuées de moitié réduisent déjà le volume au quart de ce qu'il était !

Travaillez avec des miniatures

Il pourra cependant vous arriver d'avoir des images que vous tiendrez à proposer en taille normale. Mais vous devriez malgré cela laisser la liberté à vos visiteurs de décider s'il veulent les récupérer. Sur ce point, le travail avec les miniatures (thumbnails en anglais) a fait ses preuves. La procédure est très simple.

1 Proposez tout d'abord une prévisualisation de l'image en réduction (une miniature précisément). Celle-ci est chargée rapidement et le visiteur peut décider sur la base de la prévisualisation s'il veut voir l'image grand format.

2 Associez à l'aperçu un lien hypertexte destiné à donner accès à l'image grand format. Le visiteur peut alors charger cette dernière d'un clic. Un plus apprécié consiste à indiquer à côté de l'aperçu de l'image le volume de l'image grand format, de telle façon que le visiteur puisse estimer la durée de chargement à prévoir.

Trouver un fournisseur Internet

Vous avez conçu vos pages Web à souhait, mais il manque encore une étape décisive : elles n'existent actuellement que sur votre PC. À ce stade, vous ne pouvez donc en faire profiter personne, de par le vaste monde. Nous allons y remédier dans un instant : publier des pages Web pour les rendre accessibles depuis n'importe où dans le monde est plus simple que vous ne le croyez.

Pour cela, abonnez-vous auprès d'un fournisseur qui hébergera vos pages Web sur son serveur. Il en existe des centaines actuellement. Vous préférez très certainement publier vos pages sans bourse délier. Cela réduit évidemment votre choix à une poignée de fournisseurs.

Avant d'entrer dans le vif du sujet, une précision s'impose. Les fournisseurs sont de deux types : les fournisseurs d'accès et les fournisseurs de contenu. Si vous pouvez vous connecter à Internet et naviguer sur le Web, c'est donc que vous avez déjà un fournisseur d'accès. Cette première catégorie ne vous permet que de surfer sur Internet. Les fournisseurs de contenu permettent quant à eux de diffuser vos pages Web en direction des cinq continents. C'est l'un de ceux-là que vous devez solliciter, afin qu'il héberge votre site sur son serveur.

Votre fournisseur d'accès vous donne sans doute la possibilité, comme beaucoup d'autres par ailleurs, de publier de pages Web sur votre serveur, à titre gratuit ou contre une participation modique. Le choix est vaste et vous trouverez sans peine des comparatifs sur les avantages et les inconvénients respectifs. Assurez-vous avant de vous engager auprès d'un fournisseur d'accès qu'il propose également ce service d'hébergement.

Wanadoo / Infonie / AOL / CompuServe, etc.

Plus d'une dizaine de fournisseurs d'accès à Internet proposent leurs services aux internautes français : AOL, Club-Internet, CompuServe, Easynet, Imaginet, Infonie, Planète-Net, Wanadoo ou bien World-Net, etc. Ces fournisseurs mettent tous à la disposition de leurs abonnés un espace de 5 à 20 Mo. Il ne tient qu'à vous de mettre cette offre à profit.

Nous verrons, à partir de l'exemple d'Infonie, comment tout cela fonctionne. Bien entendu, les autres fournisseurs d'accès à Internet vous indiquent également, à partir de leurs pages de démarrage, comment faire pour publier vos pages.

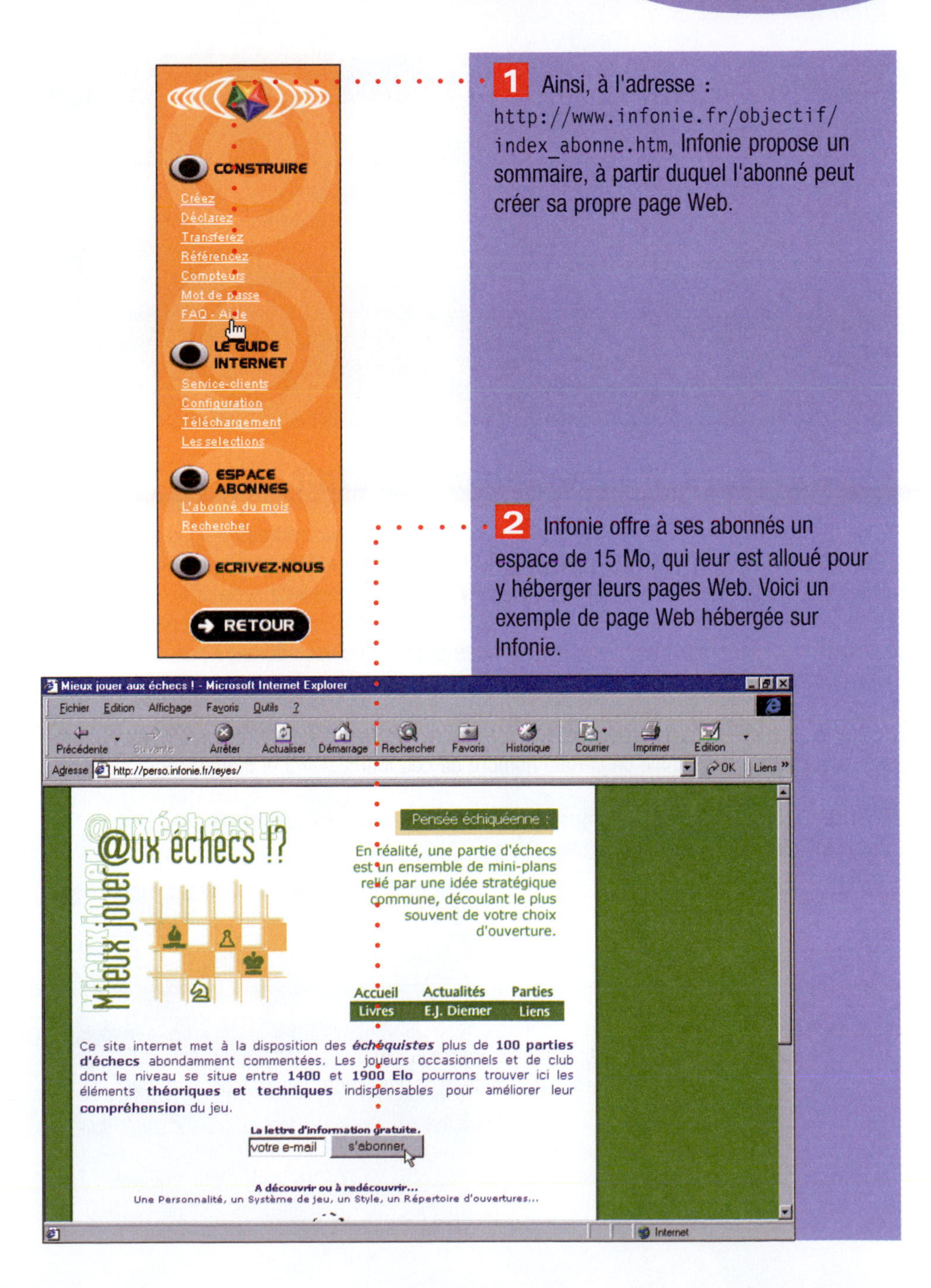

1 Ainsi, à l'adresse : `http://www.infonie.fr/objectif/index_abonne.htm`, Infonie propose un sommaire, à partir duquel l'abonné peut créer sa propre page Web.

2 Infonie offre à ses abonnés un espace de 15 Mo, qui leur est alloué pour y héberger leurs pages Web. Voici un exemple de page Web hébergée sur Infonie.

3 L'adresse Web des internautes abonnés chez Infonie, à partir de laquelle leurs pages sont accessibles, est formée sur le modèle VotreNom@infonie.fr. L'intitulé VotreNom est le pseudo de l'abonné, utilisé notamment dans son adresse électronique. Ainsi, si votre pseudo est toto, votre site Web sera accessible à l'adresse : `http://perso.infonie.fr/toto`. En général, cette adresse est différente de celle à partir de laquelle vous effectuerez le transfert de vos pages Web sur votre site.

4 La plupart des fournisseurs vous demandent également, avant de vous autoriser à publier vos pages, de fournir l'identifiant et le mot de passe qui vous ont été attribués lors de la création de votre site, ou bien lorsque vous avez souscrit votre abonnement. C'est une précaution indispensable contre les pirates.

Fournisseurs d'hébergement gratuit

Si les tarifs pratiqués par votre fournisseur vous semblent élevés, adressez-vous aux nombreux concurrents. Certains vous proposent 10 Mo, et parfois même plus, pour domicilier gratuitement votre site sur leur serveur. Mais il y a une contrepartie à cette offre : vous devez en général accepter que votre fournisseur insère dans vos pages un logo ou un encart publicitaire sous forme de bannière. Mais si cette publicité ne vous dérange pas, c'est certainement le moyen le plus avantageux pour obtenir votre propre site.

Un certain nombre de sites proposent une liste des fournisseurs d'hébergement gratuit. *Tout gr@tis*, par exemple, signale un certain nombre de ces fournisseurs et indique leurs adresses.

Reportez-vous au chapitre "Compteurs et autres ressources" pour obtenir d'autres adresses Web pour votre recherche.

1 Connectez-vous et chargez la page `http://perso.wanadoo.fr/gp.site/gratis/`.

2 Vous arrivez à la page de démarrage de Tout gr@tis. Sélectionnez la rubrique *Hébergement*, en cliquant sur l'option correspondante du menu (voir illustration suivante).

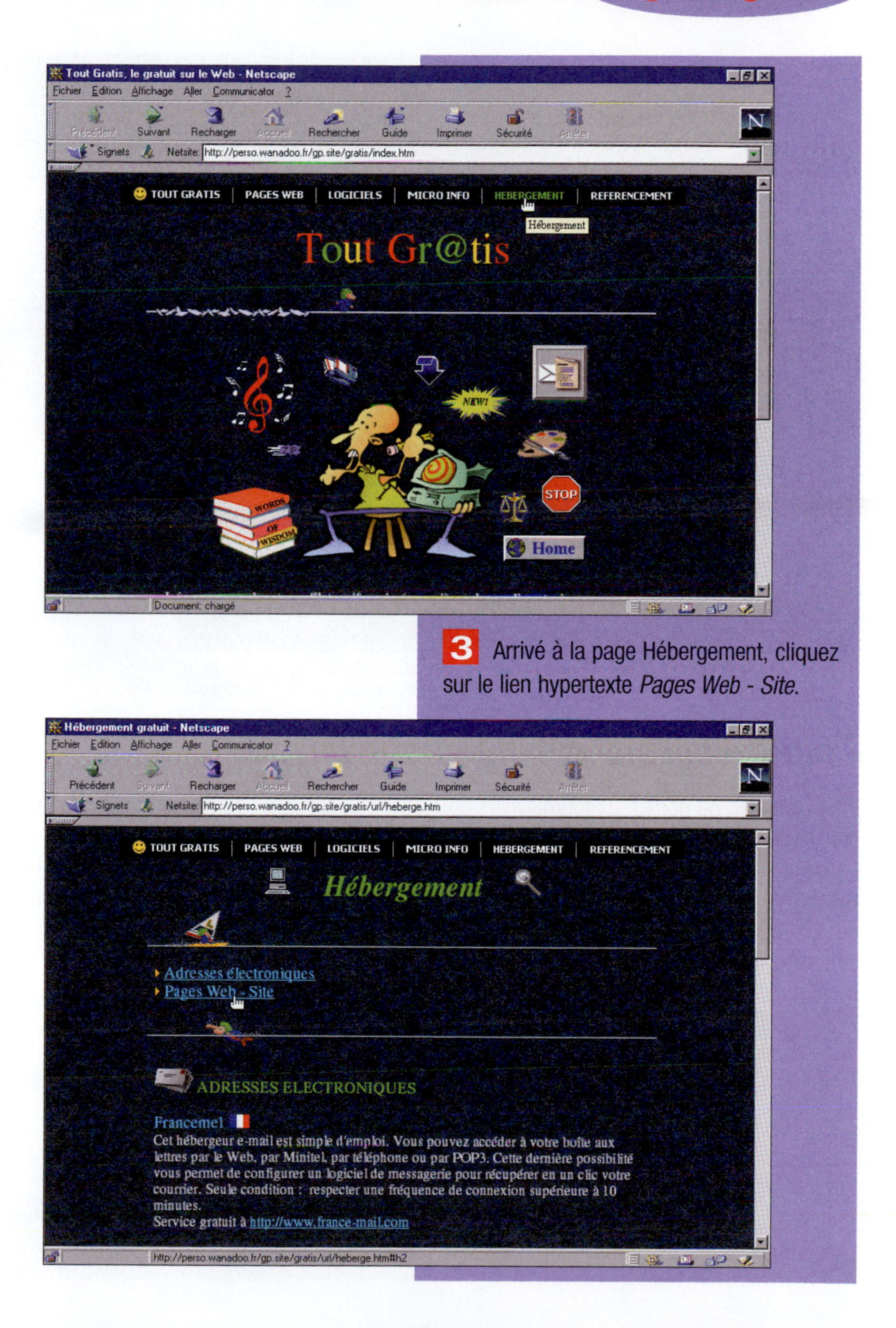

3 Arrivé à la page Hébergement, cliquez sur le lien hypertexte *Pages Web - Site*.

4 La rubrique *Pages Web - Site* recense quelques fournisseurs d'hébergement gratuit. Cliquez sur un lien correspondant à l'un d'entre eux pour accéder à son site. Vous y trouverez de plus amples informations sur son offre.

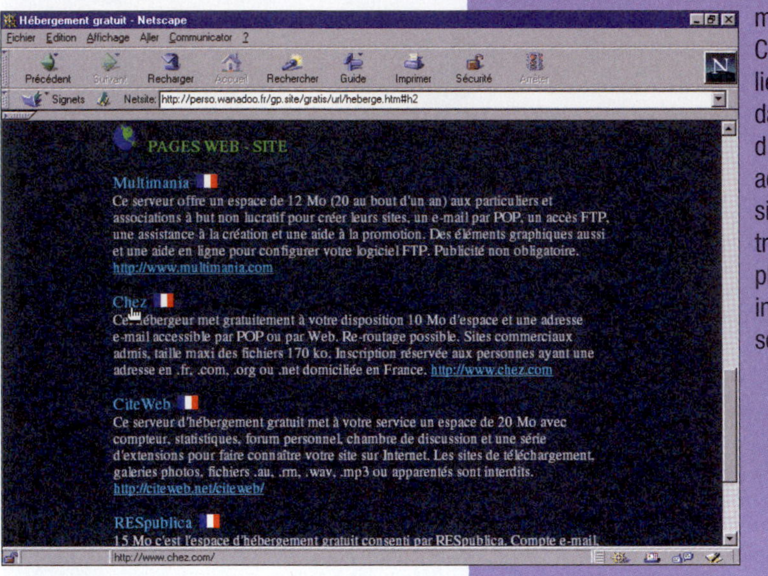

Fournisseurs d'hébergement payant

Pour terminer, de nombreux fournisseurs commerciaux allouent de l'espace pour héberger vos pages Web. Là non plus, les prix ne sont pas excessifs. Vous pouvez bénéficier de l'espace nécessaire pour votre site moyennant un abonnement mensuel, de moins de 100 francs en général. C'est le prix de la tranquillité, puisque vos pages ne sont plus encombrées de publicité. Il vous suffit de parcourir n'importe quelle revue informatique pour y trouver des annonces de fournisseurs d'hébergement payant.

Votre fournisseur est-il rapide ?

Avant de vous décider pour un fournisseur commercial, vous devriez commencer par tester si l'accès aux pages Web est réellement rapide à partir de son serveur.

1 Connectez-vous à partir de votre navigateur. Tapez l'adresse du fournisseur commercial.

34% sur 5 ko (à 104 octets/s)

2 Observez maintenant si la page Web du fournisseur se charge réellement vite. Si la construction de la page vous paraît trop lent, vous pouvez supposer que vos pages Web seront chargées elles aussi avec un taux de transfert médiocre.

INFO

Variations horaires

Il est très judicieux de réaliser ce test une fois le matin et une autre fois le soir, afin de voir si le fournisseur d'hébergement offre un accès rapide à toute heure du jour et de la nuit.

INFO

Votre propre domaine

Les fournisseurs commerciaux vous proposent également d'utiliser votre nom comme adresse Web. Votre site est alors accessible sous un nom de domaine formé sur le modèle `http://www.MonNom.fr`**. Cette option vous reviendra un peu plus cher que si vous vous contentiez de quelques Mo auprès d'un fournisseur, mais cela est devenu plus accessible : comptez de 100 à 400 francs par mois.**

Soyez pourtant attentif, car si vous faites enregistrer votre domaine par l'intermédiaire d'un fournisseur, vous devez obtenir l'assurance écrite que ce domaine a été enregistré à votre nom et adresse. Car si vous ne deviez plus être satisfait de votre fournisseur, vous pourriez vouloir changer, tout en conservant votre domaine. S'il est enregistré à votre nom, il vous appartient définitivement.

Mon domaine est-il libre ?

Un nom tel que `www.MonNom.fr` doit être unique à l'échelle mondiale, car c'est l'adresse qui permet d'identifier de manière unique un ordinateur. Celui-ci doit pouvoir être trouvé sur Internet à tout instant. Il est donc possible que des noms très courants, tels que `www.dupond.fr` ou `www.dupont.fr`, soient déjà attribués. Il vous faudra alors réfléchir à donner à votre domaine un nom inédit (par exemple `www.dupond_clone2.fr`). Il est possible de vérifier à tout moment si un nom est déjà attribué.

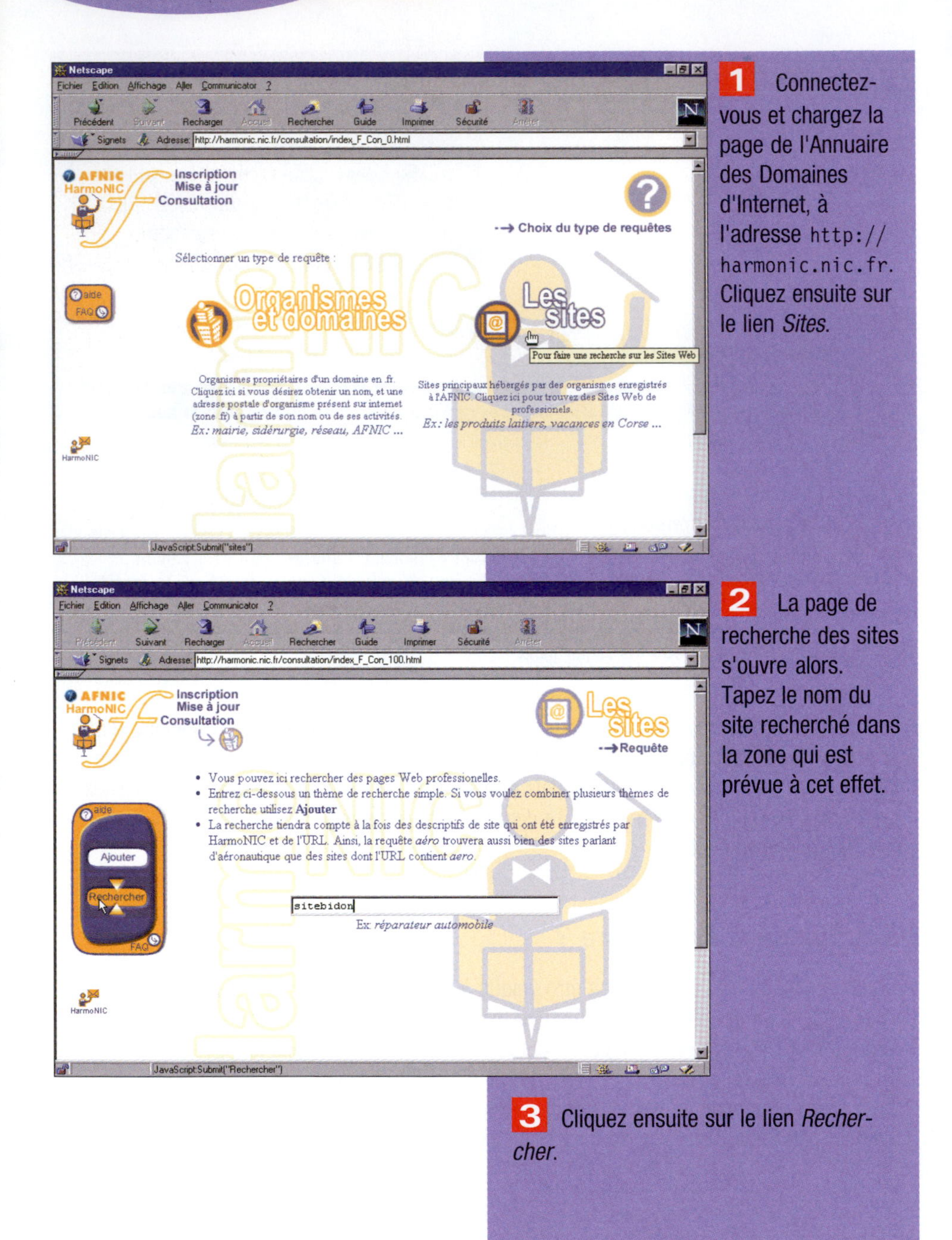

1 Connectez-vous et chargez la page de l'Annuaire des Domaines d'Internet, à l'adresse `http://harmonic.nic.fr`. Cliquez ensuite sur le lien *Sites*.

2 La page de recherche des sites s'ouvre alors. Tapez le nom du site recherché dans la zone qui est prévue à cet effet.

3 Cliquez ensuite sur le lien *Rechercher*.

4 Vous obtenez ensuite une réponse, qui vous indique si le nom de domaine dont vous rêvez est libre ou pas.

Publier vos pages Web

Vous avez trouvé un fournisseur pour héberger vos pages Web ? Vous n'êtes donc qu'à deux doigts de pouvoir les publier. Vous devez au préalable obtenir de votre fournisseur d'hébergement les informations suivantes :

- L'adresse Internet à laquelle vous vous devez envoyer vos pages Web ;
- Un identifiant ;
- Et un mot de passe.

Ensemble, elle constituent vos informations d'accès à cette adresse Internet.

Si vous disposez de ces trois informations, il vous reste à acquérir un logiciel capable d'envoyer vos pages Web à cette adresse Internet. De tels logiciels sont disponibles gratuitement sur le Web.

FTP : de quel logiciel avez-vous besoin ?

Le logiciel dont vous avez besoin est ce qu'on appelle un logiciel FTP (FTP = File Transfer Protocol, ou protocole de transfert de fichiers).

Le mieux est encore de visiter l'un des sites miroirs de TUCOWS, dont vous trouverez les adresses au chapitre "Logiciels disponibles", dans la partie consacrée au site TUCOWS.

INFO

Fournisseurs d'accès

Certains fournisseurs d'accès proposent des logiciels maison pour ces opérations de transfert de fichiers. Si vous devez faire héberger vos pages Web auprès de l'un de ces fournisseurs, c'est la solution la plus judicieuse. Le logiciel sera déjà configuré, ce qui vous économise les opérations de paramétrage indispensables. Mais si votre fournisseur d'hébergement ne prévoit rien de tel, vous aurez à transférer vos fichiers sur son serveur au moyen d'un logiciel FTP. La procédure suivante est alors particulièrement conçue pour vous.

Il existe quantité de bons, voire de très bons, logiciels FTP. FTP Explorer est l'un de ceux-là. Le site de téléchargement de logiciels Tucows vous permet de le télécharger sur votre disque dur.

1 Lancez votre navigateur et tapez l'adresse de téléchargement de TUCOWS `http://tucows.chez.delsys.fr/`. Cliquez sur le lien *Win 95/98*.

2 Recherchez la rubrique *Network Tools* et cliquez sur le lien *FTP and Archie*.

3 Choisissez ensuite votre logiciel FTP. Lorsque vous êtes parvenu à FTP Explorer, cliquez sur son nom ou sur l'icône *Try Now*.

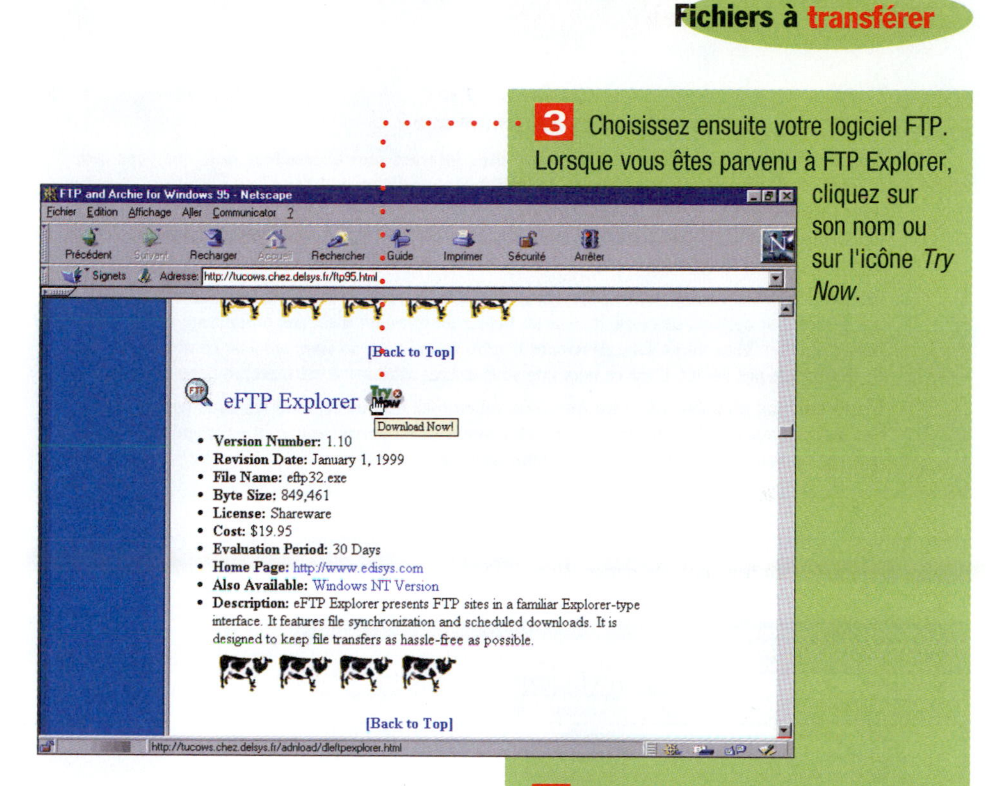

4 Après avoir choisi un dossier de destination, lancez le téléchargement du logiciel sur votre disque.

5 Installez FTP Explorer sur votre ordinateur.

INFO

Déroulement des opérations

Le fonctionnement du téléchargement et la procédure d'installation des logiciels sont expliqués en détail dans la partie correspondante du chapitre *Logiciels disponibles*.

Fichiers à transférer

Vous avez achevé de tester vos pages Web sur votre PC, vous avez vérifié si tous les liens hypertextes fonctionnent ? Vous êtes alors fin prêt pour publier vos pages Web. Il reste pourtant une dernière vérification à effectuer, avant de communiquer vos pages sur Internet.

INFO

Quel est le nom de votre page de démarrage ?

Avez-vous déjà remarqué que de nombreux sites Internet sont accessibles sans que vous ayez à spécifier de nom de fichier ? Ainsi, il suffit de taper l'adresse `http://www.microapp.com` pour accéder au site de Micro Application. Il devrait en être de même pour votre page de démarrage. L'astuce réside dans le nom de fichier de cette page : en effet, la plupart des serveurs ouvrent automatiquement le fichier Index.html en l'absence d'autre mention.

Mais en renommant votre page de démarrage Index.html, vous ne serez pas pour autant au bout de vos peines. Sur certains serveurs, le nom du fichier en question n'est pas Index.html, mais homepage.htm. Vous devez donc demander à votre fournisseur de vous préciser ce nom de fichier de démarrage par défaut. C'est ce nom que vous devrez attribuer à votre propre page d'accueil.

Mais attention, n'oubliez pas : lorsque vous renommez un fichier, tous les liens hypertextes des autres pages vers ce fichier doivent être modifiés en conséquence. Il est donc préférable que vous posiez cette question avant même de créer vos pages.

Vous pouvez commencer. Le mieux est de regarder à l'aide de Windows Explorer le contenu du dossier dans lequel se trouvent vos pages Web.

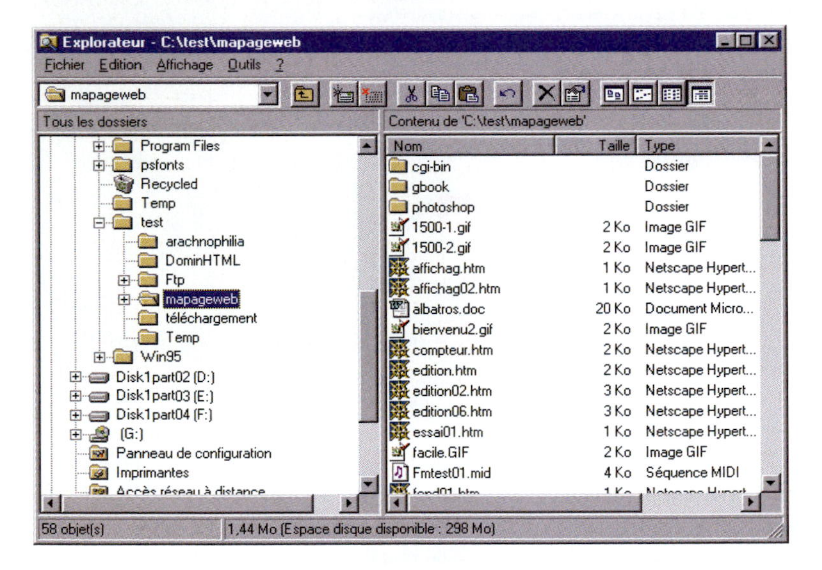

Tous les fichiers s'affichant dans le dossier sont ceux qui seront présents sur votre site Web : des pages Web avec l'extension *.htm*, des images avec les extensions *.gif* ou *.jpg*, des fichiers son (par exemple avec les extensions *.wav* et *.mid*). On pourra également y trouver des fichiers vidéo (avec l'extension *.avi*) ou tout autre type de fichier (un document Word, avec l'extension *.doc*) dans le cas où vous proposeriez en téléchargement un fichier de ce type. Tous ces fichiers doivent être transférés sur la machine de votre fournisseur d'hébergement.

INFO

Tous les fichiers n'ont pas à être transférés

Bien entendu, il se peut que votre dossier comporte, en plus des fichiers destinés à être publiés sur votre site, d'autres fichiers prévus à d'autres desseins. Ces fichiers ne doivent pas être transférés sur le serveur.

Comment transférer vos fichiers

Le moment est solennel, vous savez maintenant ce qui doit être transféré. Il ne vous reste plus qu'à lancer le compte à rebours :

1 Connectez-vous à Internet.

2 Lancez le logiciel FTP Explorer.

3 La boîte de dialogue **Connect** s'affiche au lancement du logiciel. Définissez alors les paramètres de votre connexion.

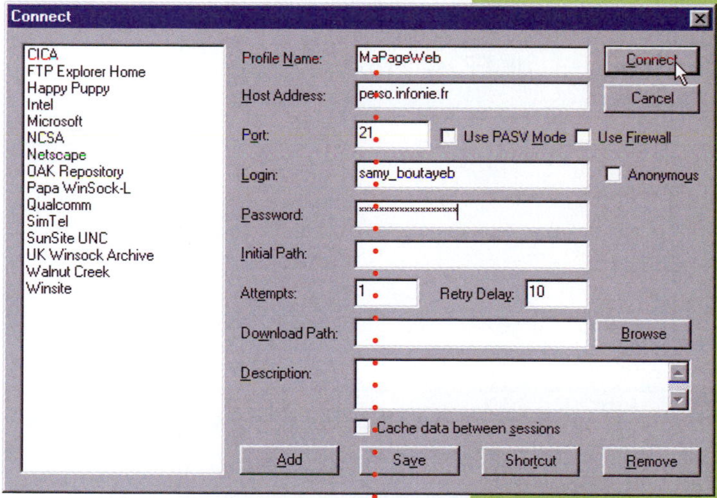

4 Dans la zone de saisie *Profile Name*, spécifiez un nom pour votre connexion. Ce nom viendra s'ajouter à la liste des noms de profil qui apparaît dans la partie gauche de la fenêtre.

5 La zone de saisie *Host Address* contient l'adresse du serveur FTP auquel vous vous connectez et à laquelle vos pages seront envoyées. Tapez l'adresse que votre fournisseur d'hébergement vous a fournie.

6 Saisissez dans les zones *USER ID* et *Password* l'identifiant et le mot de passe qui vous ont été attribués par votre fournisseur.

7 Cliquez sur le bouton **Save** pour enregistrer ces paramètres de configuration.

8 Enfin, cliquez sur le bouton **Connect** pour établir la connexion au serveur FTP de votre fournisseur d'hébergement.

Transfert des fichiers

Vous êtes maintenant dans la fenêtre principale de FTP Explorer. La partie de gauche montre l'arborescence des dossiers côté serveur, tandis que celle de droite affiche le contenu du dossier courant, avec les fichiers qui se trouvent déjà sur votre site. Votre site contient déjà le fichier Index.htm, qui est créé par défaut pour chaque compte nouvellement ouvert.

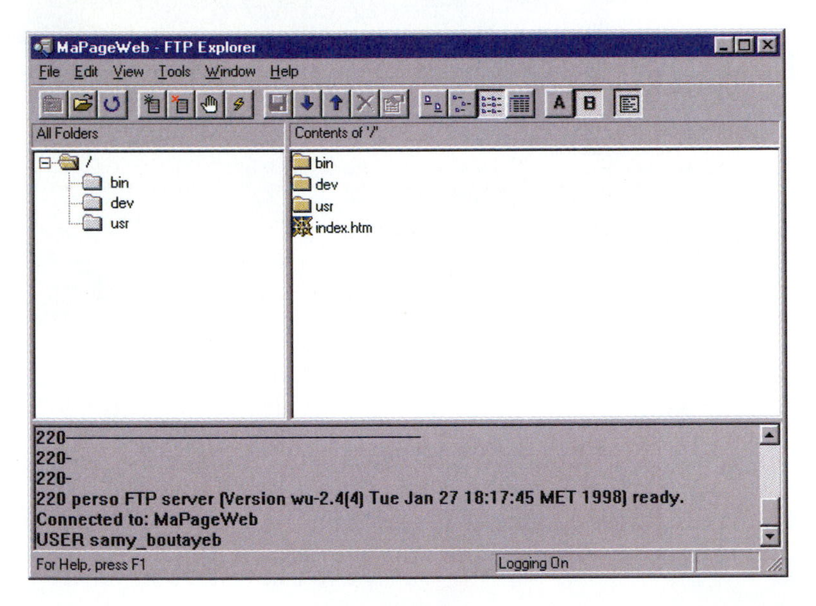

1 Pour lancer le transfert des fichiers, cliquez sur le bouton de téléchargement.

2 Dans la boîte de dialogue **Upload** qui s'ouvre, sélectionnez les fichiers que vous voulez transférer sur le serveur. Les fichiers sélectionnés sont marqués en surbrillance. Cliquez sur le bouton **Ouvrir** pour débuter le transfert.

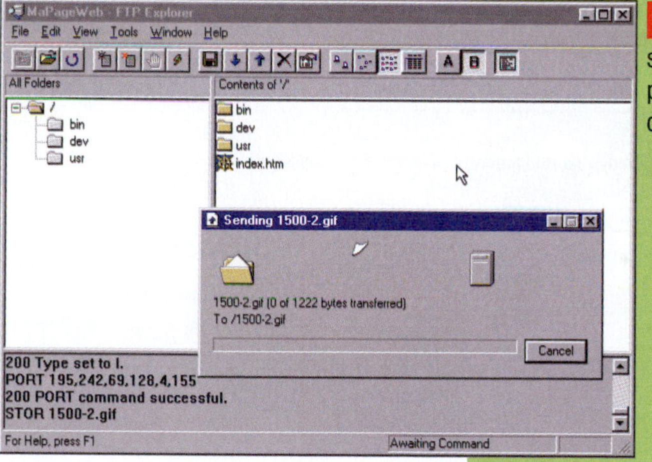

3 Une boîte de dialogue s'affiche pour indiquer la progression du transfert des fichiers sur le serveur.

INFO

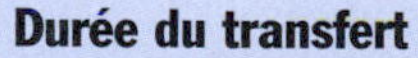

Durée du transfert

Selon le nombre et la taille des fichiers à copier, le transfert peut durer un certain temps. Il s'interrompt lorsque les fichiers désignés sont copiés sur le serveur.

4 Lorsque le transfert est achevé, la boîte de dialogue indiquant l'état d'avancement se ferme automatiquement. Quelques instants après, la fenêtre de droite réactualise la liste des fichiers côté serveur, en y ajoutant ceux qui viennent d'être transférés. Vos pages sont désormais sur le serveur. La fenêtre de log, située dans la partie inférieure de l'écran, vous le confirme avec le commentaire "Transfer complete".

5 Cliquez sur le bouton **Disconnect** pour vous déconnecter du serveur FTP. La liaison avec ce dernier est interrompue. Vous pouvez quitter FTP Explorer.

INFO

Pour mettre à jour votre site

Bien évidemment, si vous avez modifié une page Web ou si vous avez oublié de transférer un fichier, vous pouvez à tout moment relancer FTP Explorer et établir une nouvelle connexion.

La connexion avec le serveur de votre fournisseur d'hébergement s'est interrompue lorsque vous avez quitté FTP Explorer. Remarquez cependant que vous restez toujours connecté à Internet. À la bonne heure, car il vous reste une chose à vérifier.

Vos pages Web sont-elles accessibles depuis n'importe où dans le monde ?

1 Lancez votre navigateur.

2 Recherchez l'adresse Web à laquelle vous venez de transférer vos pages Web.

3 Nous y sommes : vos pages Web peuvent être chargées dans un navigateur. Et si vous pouvez les charger depuis le serveur, n'importe qui dans le monde le pourra également. Qu'il se connecte à Internet de l'Australie, de Californie ou d'ailleurs, il sera à même de visualiser vos pages Web.

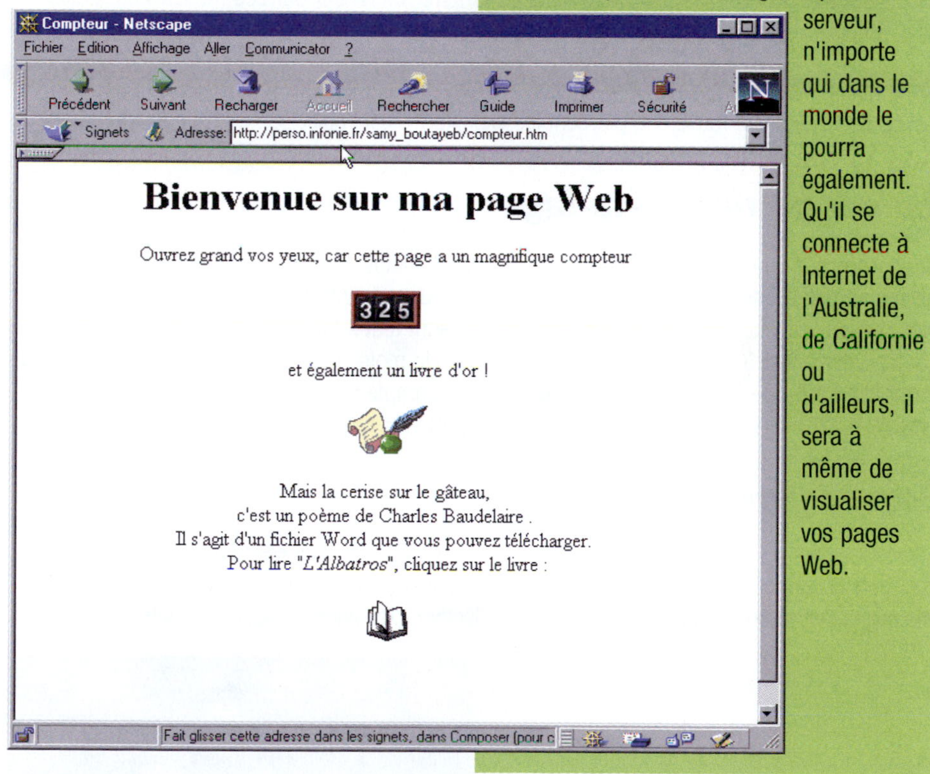

Comment retrouver vos pages

Le réseau des réseaux totalise plus de 300 millions de sites Web. Le Word Wide Web est un réseau ouvert à tous, de sorte que personne n'est en mesure de recenser avec précision le nombre de pages existantes. Vous imaginez donc sans peine que, lorsque vous aurez publié les vôtres, ceux qui voudront les consulter auront autant de difficulté à les retrouver que s'ils cherchaient une aiguille dans une botte de foin...

Mais trouver une aiguille perdue dans une botte de foin n'est pas difficile, à condition de posséder un aimant. Il en est de même sur Internet, où vos pages peuvent être retrouvées à l'aide d'outils spéciaux, appelés de moteurs de recherche. Si votre page est connue d'eux, elle sera aisément accessible. Il convient donc de la faire référencer par ces moteurs de recherche. Nous verrons à la fin de ce chapitre comme procéder.

Mais nous n'y sommes pas encore. Il vous reste encore à aménager vos pages, de sorte que les différents moteurs de recherche puissent les exploiter. C'est l'objet des explications qui suivent.

Le secret des méta-tags

Supposons que vous ayez créé une page Web sur les motos. Le visiteur est accueilli par une belle photo de bolide et par un titre graphique : "*La page des motards*". Cela s'annonce plutôt bien, mais le hic est que les moteurs de recherche sont tout à fait incapables d'interpréter le contenu d'images. Si le texte normal ne contient pas le mots "motards", le titre qui apparaît sous forme de graphique ne sera absolument pas pris en compte par eux. Aussi, plutôt que de vous employer à truffer votre texte de tous les mots importants, regardez plutôt comment procéder.

Soignez votre titre

Lorsqu'ils examinent une page Web, les moteurs de recherche s'intéressent tout d'abord à son titre. Les mots du titre sont utilisés en priorité pour caractériser la page. Il en découle que chacune de vos pages devrait comporter un titre concret qui décrive votre page en quelques mots.

1 Peut-être avez-vous déjà donné un titre à votre page Web. Qu'à cela ne tienne, il est utile de le vérifier à nouveau. Pour cela, sélectionnez la commande **Fichier/Propriétés de la page**, à partir de FrontPage Express (voir illustration ci-après).

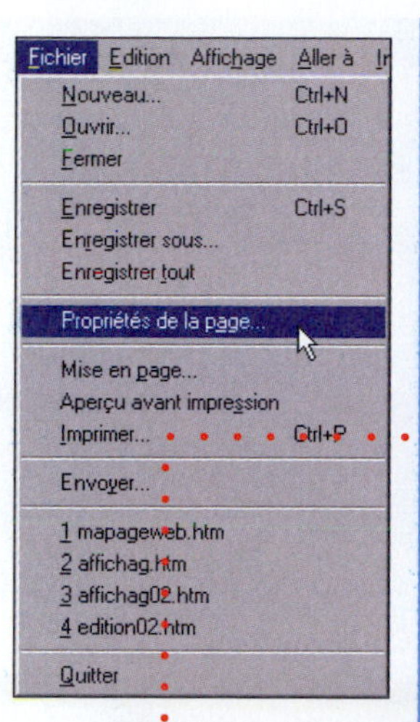

2 La boîte de dialogue qui s'ouvre indique le titre de votre page. Posez la question de savoir si un moteur de recherche qui consulterait cette page pourrait y trouver des mots clés qui en reflètent précisément le contenu. En cas de doute, corrigez le titre en conséquence.

3 Vous pouvez fermer la boîte de dialogue **Propriétés de la page** à l'aide du bouton OK. Mais comme il y reste encore d'autres paramètres à définir, autant passer immédiatement à l'étape suivante.

Décrivez brièvement votre page

Vous pouvez associer à chaque page Web une brève description de son contenu qui tienne en quelques phrases. Cette description est également exploitée par les moteurs de recherche qui la tiennent pour un élément définitoire central.

1 Sélectionnez la commande **Fichier/ Propriétés de la page**, puis cliquez sur l'onglet **Personnalisé**.

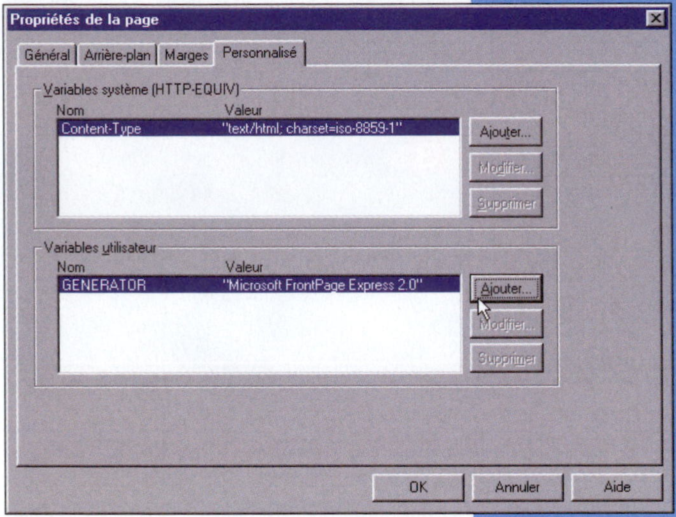

2 À la rubrique *Variable utilisateur*, cliquez sur le bouton **Ajouter**.

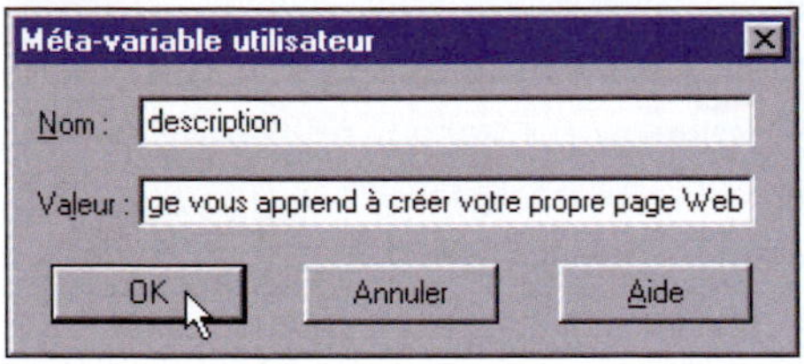

3 La boîte de dialogue **Méta-variable utilisateur** apparaît. Dans la zone de saisie *Nom*, tapez `description`.

4 Tapez ensuite dans la zone de saisie *Valeur* un texte descriptif de votre page.

INFO

Ne vous sentez pas limité par la longueur...

La longueur de la zone de saisie est limitée. Mais que cela ne vous empêche pas d'écrire un texte plus long. Rédigez donc tranquillement deux ou trois phrases, même si seule une partie du texte reste visible. Vous pouvez éventuellement utiliser les touches *Flèche Gauche* et *Flèche Droite* pour vous déplacer dans le texte précédemment saisi et pour le modifier.

5 Pour terminer, cliquez sur le bouton OK.

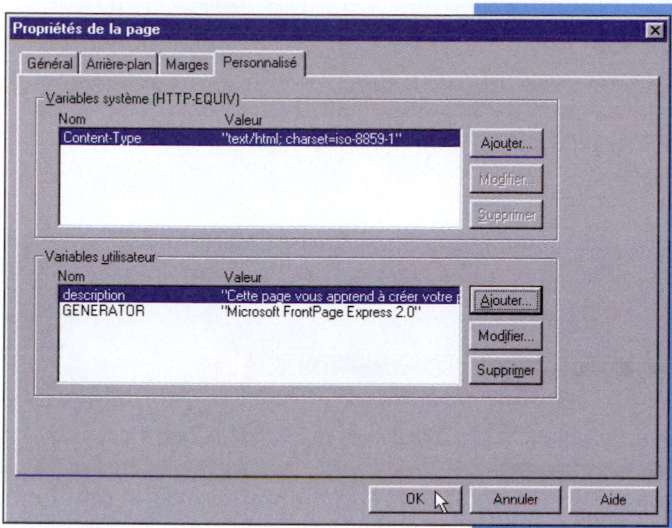

Propriétés de la page

Général | Arrière-plan | Marges | Personnalisé

Variables système (HTTP-EQUIV)

Nom	Valeur
Content-Type	"text/html; charset=iso-8859-1"

Ajouter... Modifier... Supprimer

Variables utilisateur

Nom	Valeur
description	"Cette page vous apprend à créer votre
GENERATOR	"Microsoft FrontPage Express 2.0"

Ajouter... Modifier... Supprimer

OK Annuler Aide

6 La rubrique *Variable utilisateur* comporte à présent le texte que vous venez de saisir.

Choisissez vos descripteurs

Vous pouvez finalement associer à chaque page Web une liste de descripteurs qui seront analysés par les moteurs de recherche. Ils seront pris en compte par ces derniers lors de recherches futures. Le mieux est que vous commenciez par inscrire sur une feuille les descripteurs les plus pertinents pour votre page. Notez-les lorsqu'ils vous viennent à l'esprit.

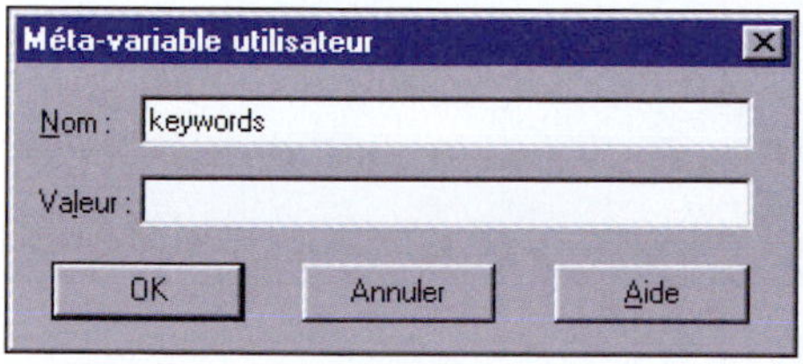

Méta-variable utilisateur

Nom : keywords

Valeur :

OK Annuler Aide

1 Pour cela, cliquez à nouveau sur le bouton **Ajouter**, à la rubrique *Variable utilisateur*.

2 Dans la zone *Nom*, tapez le mot `keywords`.

3 Dans la zone *Valeur*, spécifiez quelques descripteurs qui vous semblent essentiels pour décrire votre page Web. Utilisez une virgule suivie d'un espace pour séparer des différents descripteurs.

INFO

Combien de descripteurs ?

Ici aussi, vous pouvez spécifier plus de descripteurs que la zone de saisie ne semble pouvoir contenir. Si vous en trouvez 20 ou 30 pour décrire votre page, indiquez-les, car les moteurs de recherche les privilégient lorsqu'ils référencent vos pages.

4 Pour terminer, cliquez sur le bouton OK, pour accepter les descripteurs.

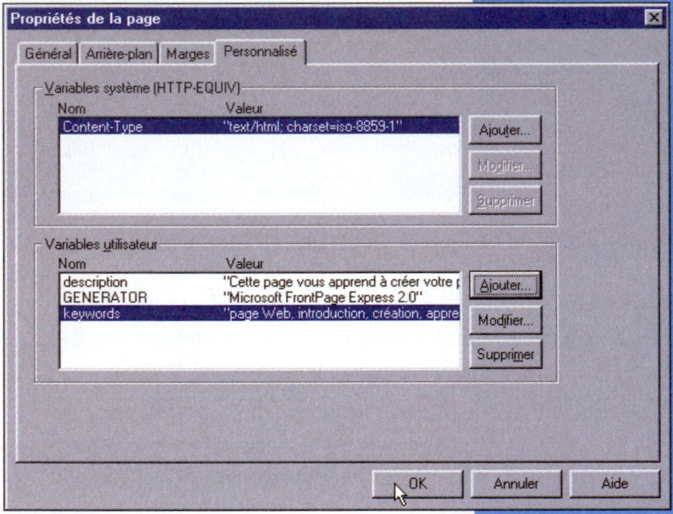

Propriétés de la page
Général | Arrière-plan | Marges | Personnalisé
Variables système (HTTP-EQUIV)
Nom | Valeur
Content-Type | "text/html; charset=iso-8859-1"
Ajouter... | Modifier... | Supprimer
Variables utilisateur
Nom | Valeur
description | "Cette page vous apprend à créer votre p
GENERATOR | "Microsoft FrontPage Express 2.0"
keywords | "page Web, introduction, création, appre
Ajouter... | Modifier... | Supprimer
OK | Annuler | Aide

5 Vous retrouvez la boîte de dialogue **Propriétés de la page**. Vous pouvez si nécessaire modifier la description ou les descripteurs de la page, à l'aide du bouton **Modifier**.

6 Pour terminer, cliquez sur le bouton OK pour quitter la boîte de dialogue **Propriétés de la page**. Votre page Web est ainsi prête à renseigner les différents moteurs de recherche.

INFO

Retroussez vos manches

Vous devez refaire les mêmes opérations de modification du titre et d'ajout de descripteurs sur toutes les pages Web que vous avez créées jusqu'à présent. En effet, les moteurs de recherche ne peuvent exploiter les pages Web que si ces dernières comportent ces mêmes informations.

Référencez vos pages auprès des moteurs de recherche

Lorsque vous avez fini de préparer vos pages Web en vue de leur référencement dans les moteurs de recherche, vous devez naturellement commencer par publier vos pages.

La procédure de publication des pages Web est indiquée au chapitre précédent.

Dès que vos pages sont publiées, passez au référencement lui-même. Nous allons suivre la procédure en prenant comme exemple le moteur de recherche *écila*. Mais avec les autres moteurs de recherche, les opérations sont analogues.

1 Connectez-vous à Internet et tapez l'adresse `http://www.ecila.fr/` pour accéder au moteur de recherche *écila*.

2 Lorsque la page de démarrage s'est chargée, cliquez sur l'icône *Ajouter*, pour référencer vos pages Web.

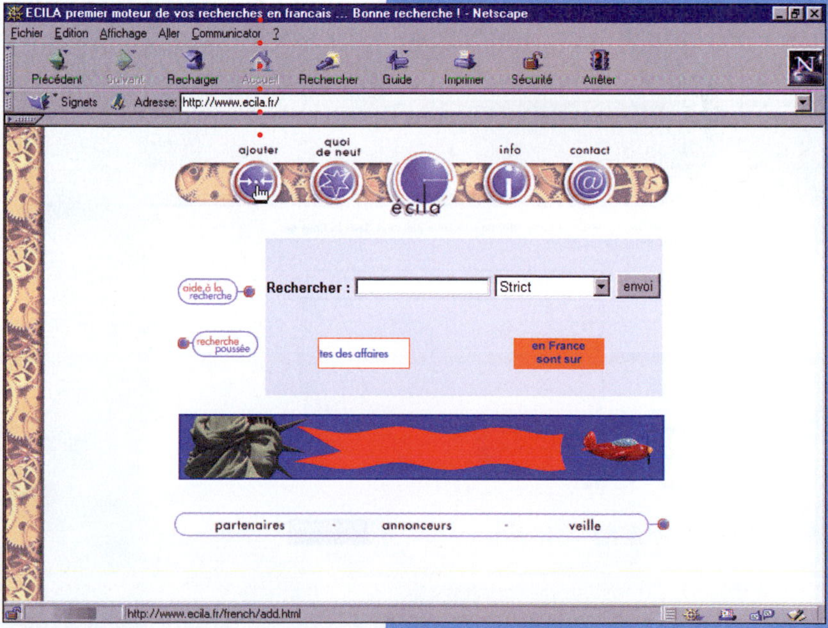

3 La fenêtre **Ajouter** s'affiche dans votre navigateur. Vous y trouvez tout d'abord des informations d'ordre général sur la marche à suivre.

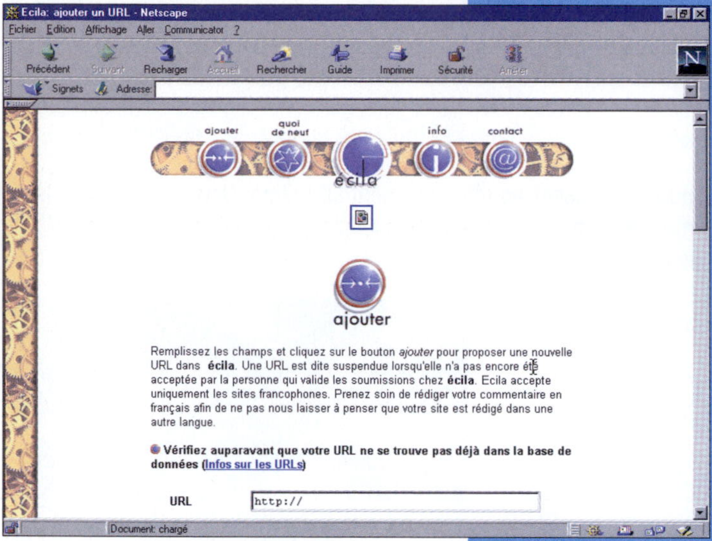

Ecila: ajouter un URL - Netscape

Fichier Edition Affichage Aller Communicator ?

Précédent Suivant Recharger Accueil Rechercher Guide Imprimer Sécurité Arrêter

Signets Adresse:

ajouter quoi de neuf info contact

écila

ajouter

Remplissez les champs et cliquez sur le bouton *ajouter* pour proposer une nouvelle URL dans **écila**. Une URL est dite suspendue lorsqu'elle n'a pas encore été acceptée par la personne qui valide les soumissions chez **écila**. Ecila accepte uniquement les sites francophones. Prenez soin de rédiger votre commentaire en français afin de ne pas nous laisser à penser que votre site est rédigé dans une autre langue.

Vérifiez auparavant que votre URL ne se trouve pas déjà dans la base de données (Infos sur les URLs)

URL http://

Document: chargé

4 Faites défiler la page vers le bas. Vous y trouvez un formulaire avec différentes zones d'édition.

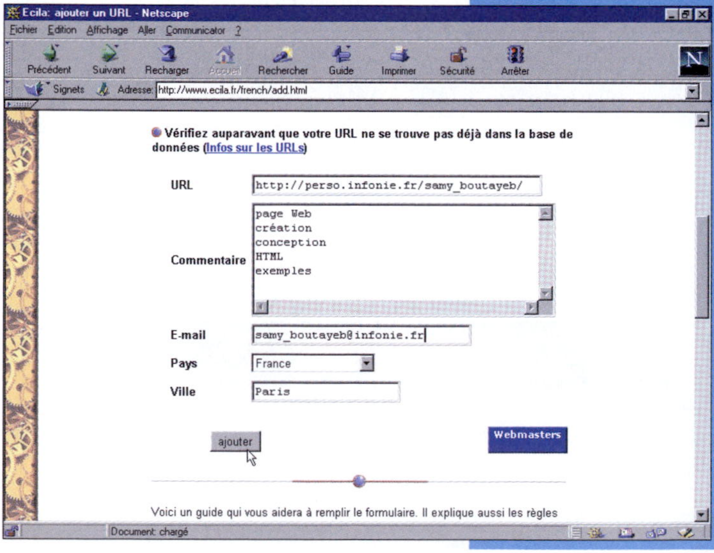

Ecila: ajouter un URL - Netscape

Fichier Edition Affichage Aller Communicator ?

Précédent Suivant Recharger Accueil Rechercher Guide Imprimer Sécurité Arrêter

Signets Adresse: http://www.ecila.fr/french/add.html

Vérifiez auparavant que votre URL ne se trouve pas déjà dans la base de données (Infos sur les URLs)

URL http://perso.infonie.fr/samy_boutayeb/

Commentaire page Web création conception HTML exemples

E-mail samy_boutayeb@infonie.fr

Pays France

Ville Paris

ajouter

Webmasters

Voici un guide qui vous aidera à remplir le formulaire. Il explique aussi les règles

Document: chargé

URL `http://perso.infonie.fr/samy_boutayeb/`

5 La zone *URL* commence par `http:/`. Complétez-la en y indiquant l'adresse de votre page Web.

6 Complétez le formulaire en renseignant les zones *Commentaire*, *E-mail* et *Ville*. Sélectionnant un pays dans la liste déroulante *Pays*. Enfin, cliquez sur le bouton **ajouter** pour ajouter votre page.

INFO

Il suffit d'indiquer la page de démarrage

Les moteurs de recherche tel qu'écila visitent automatiquement la page Web que vous avez indiquée et suivent tous les liens hypertextes qu'elle contient. Vous n'êtes donc pas obligé de référencer chacune de vos pages. Il suffit que vous indiquiez l'adresse de la page de démarrage et les autres seront visitées automatiquement.

7 Voici donc vos pages référencées par écila. Quelques jours plus tard, écila aura visité et indexé vos pages Web. Vous devez donc patienter jusque-là. Vous pourrez ensuite vérifier que votre page a bien été prise en compte, en interrogeant le moteur de recherche d'écila sur la base des informations que vous avez fournies.

Voici les principaux moteurs de recherche auprès desquels vous devriez référencer vos pages Web :

Principaux moteurs de recherche internationaux	
Moteur de recherche	**Adresse Internet**
AltaVista	http://www.av.com/
Excite	http://www.excite.com/
HotBot	http://www.hotbot.com/

Principaux moteurs de recherche internationaux	
Moteur de recherche	**Adresse Internet**
Infoseek	http://www.infoseek.com/
Lycos	http://www-english.lycos.com/
Northern Light	http://www.northernlight.com/
Pinstripe	http://pinstripe.opentext.com/search/index.html
Web Crawler	http://webcrawler.com/

Moteurs de recherche francophones	
Moteurs de recherche	**Adresse Internet**
Ecila	http://www.ecila.fr/
Excite France	http://fr.excite.com/
InfoSeek France	http://www.infoseek.com/Home?pg=Home.html&sv=FR
Lokace	http://www.lokace.com/
Lycos France	http://www.lycos.fr
Perso-search	http://www.perso-search.com/
Voilà	http://www.voila.fr/

Référencement dans les annuaires

À côté des moteurs de recherche, il existe des annuaires de référencement tels que SubmitNow ou Yahoo!, auprès desquels vous pouvez référencer vos pages Web. Prenons l'exemple de Yahoo!, un annuaire de référencement dont la procédure est quelque peu complexe. Mais si vous parvenez à référencer votre site avec un tel outil, nul doute que vous y arriviez également dans les autres.

1 Connectez-vous à Internet et tapez l'adresse http://www.yahoo.fr/ pour accéder au site de Yahoo! France.

2 L'arborescence des thèmes apparaît dès la page de démarrage de Yahoo! Choisissez la catégorie qui correspond le mieux à votre page Web et cliquez sur une sous-catégorie pertinente, jusqu'à ce vous parveniez au niveau où votre page doit être classée.

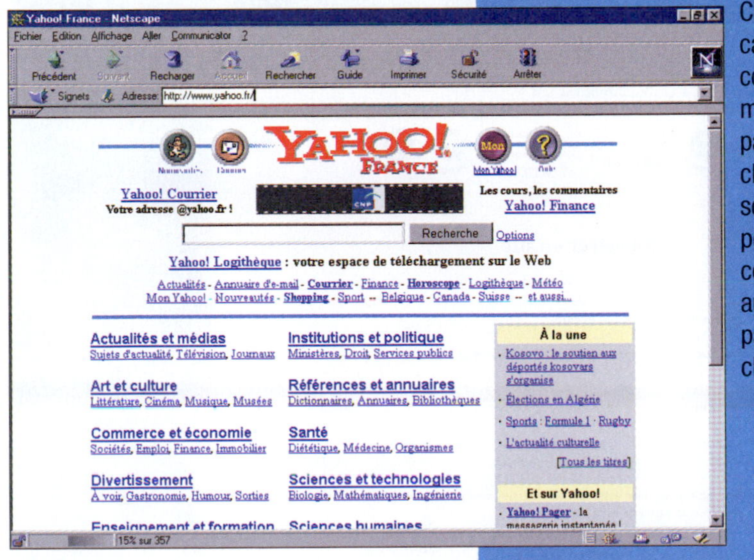

3 En haut à droite de la page correspondant à cette sous-catégorie, se trouve le lien *Proposer un site*. Cliquez dessus.

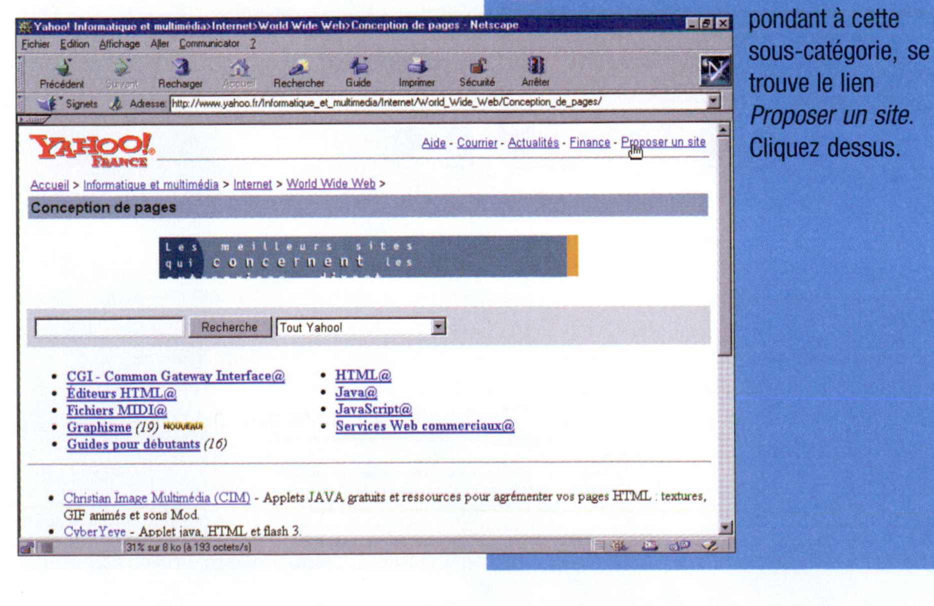

4 Vous voici sur la page *Suggérer un site*. Yahoo! vous demande d'effectuer un certain nombre de vérifications. Cliquez ensuite sur le bouton **Passez à la première étape**.

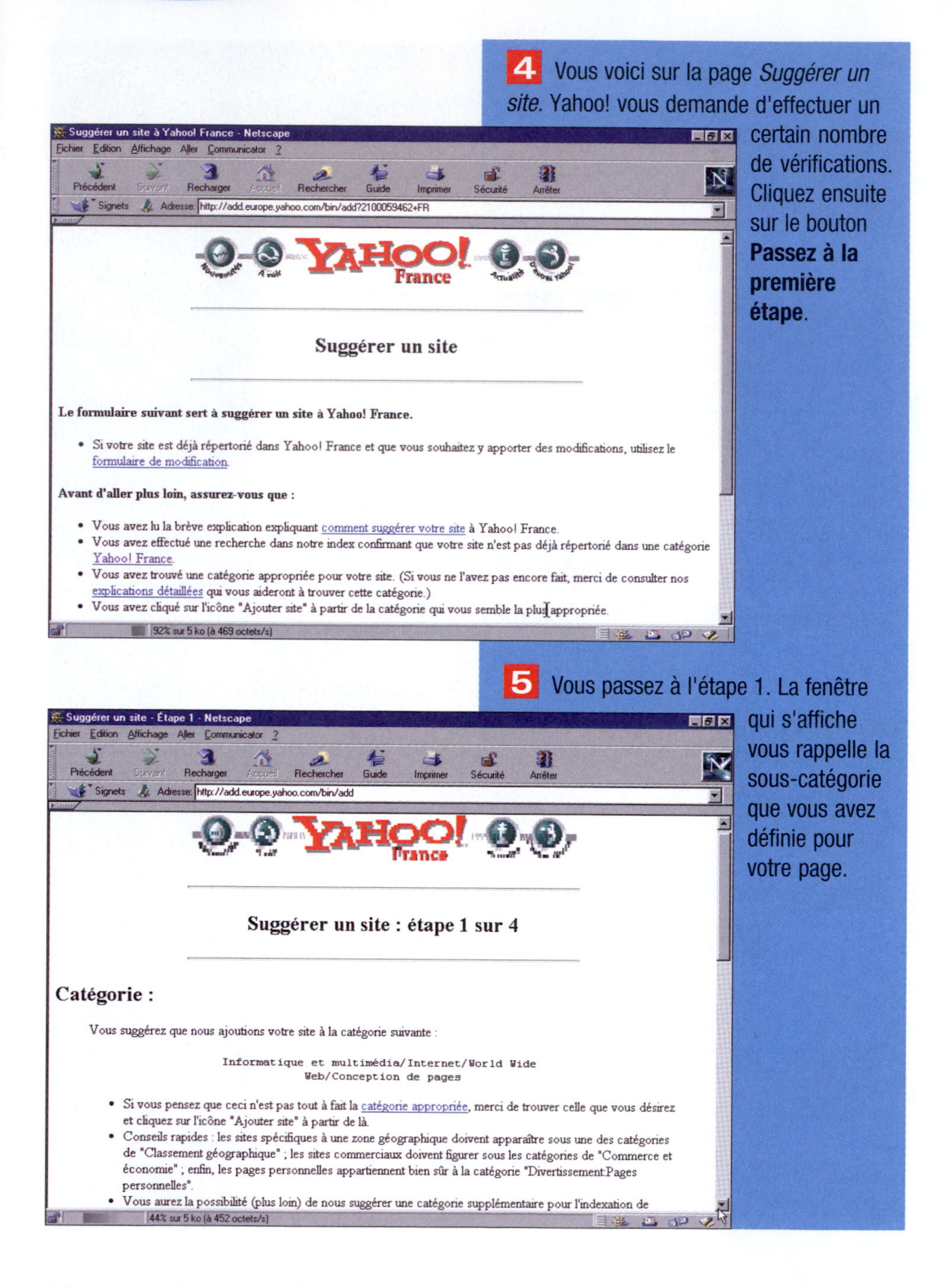

5 Vous passez à l'étape 1. La fenêtre qui s'affiche vous rappelle la sous-catégorie que vous avez définie pour votre page.

6 Faites défiler la page vers le bas et renseignez les rubriques *Titre*, *URL* et *Description*. Inscrivez le titre et une description de votre page Web et indiquez dans la rubrique *URL* l'adresse Web de votre page de démarrage.

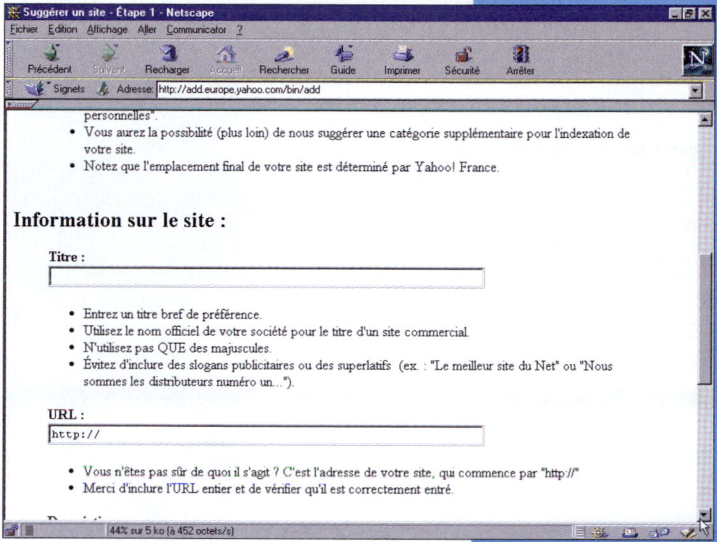

Suggérer un site - Étape 1 - Netscape

Fichier Edition Affichage Aller Communicator ?

Précédent Suivant Recharger Accueil Rechercher Guide Imprimer Sécurité Arrêter

Signets Adresse: http://add.europe.yahoo.com/bin/add

personnelles".

- Vous aurez la possibilité (plus loin) de nous suggérer une catégorie supplémentaire pour l'indexation de votre site.
- Notez que l'emplacement final de votre site est déterminé par Yahoo! France.

Information sur le site :

Titre :

- Entrez un titre bref de préférence.
- Utilisez le nom officiel de votre société pour le titre d'un site commercial.
- N'utilisez pas QUE des majuscules.
- Évitez d'inclure des slogans publicitaires ou des superlatifs (ex. : "Le meilleur site du Net" ou "Nous sommes les distributeurs numéro un...").

URL :

http://

- Vous n'êtes pas sûr de quoi il s'agit ? C'est l'adresse de votre site, qui commence par "http://"
- Merci d'inclure l'URL entier et de vérifier qu'il est correctement entré.

44% sur 5 ko (à 452 octets/s)

7 Envoyez cette page en cliquant sur le bouton **Passez à l'étape 2**.

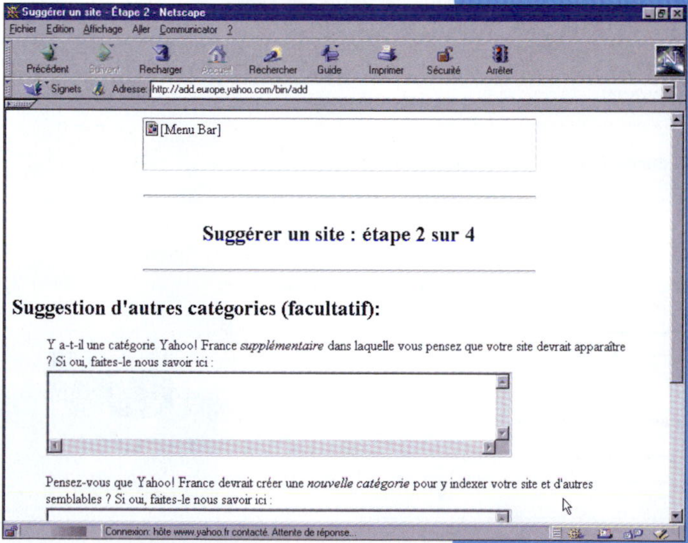

Suggérer un site - Étape 2 - Netscape

Fichier Edition Affichage Aller Communicator ?

Précédent Suivant Recharger Accueil Rechercher Guide Imprimer Sécurité Arrêter

Signets Adresse: http://add.europe.yahoo.com/bin/add

[Menu Bar]

Suggérer un site : étape 2 sur 4

Suggestion d'autres catégories (facultatif):

Y a-t-il une catégorie Yahoo! France *supplémentaire* dans laquelle vous pensez que votre site devrait apparaître ? Si oui, faites-le nous savoir ici :

Pensez-vous que Yahoo! France devrait créer une *nouvelle catégorie* pour y indexer votre site et d'autres semblables ? Si oui, faites-le nous savoir ici :

Connexion: hôte www.yahoo.fr contacté. Attente de réponse...

8 Vous pouvez indiquer d'autres sous-catégories, même si c'est en général superflu. Cliquez sur le bouton **Passez à l'étape 3** pour afficher la page suivante.

9 Dans cette page, vous êtes invité à donner des informations sur la personne à contacter, et à préciser son adresse électronique.

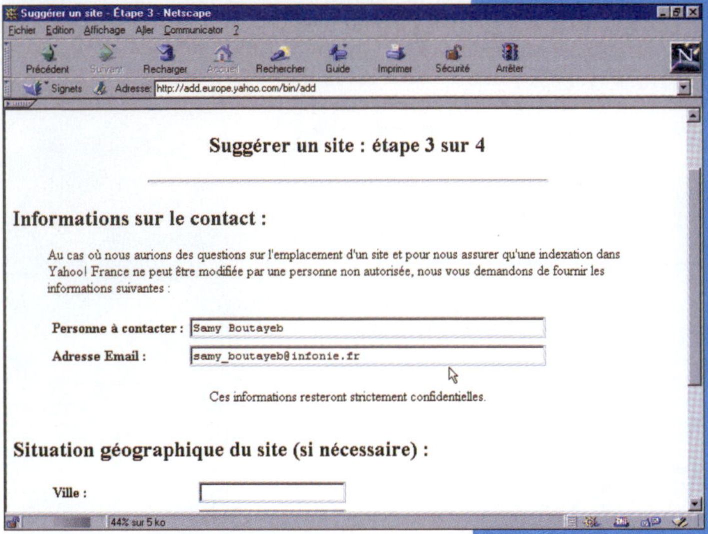

Suggérer un site - Étape 3 - Netscape

Fichier Edition Affichage Aller Communicator ?

Précédent Suivant Recharger Accueil Rechercher Guide Imprimer Sécurité Arrêter

Signets Adresse: http://add.europe.yahoo.com/bin/add

Suggérer un site : étape 3 sur 4

Informations sur le contact :

Au cas où nous aurions des questions sur l'emplacement d'un site et pour nous assurer qu'une indexation dans Yahoo! France ne peut être modifiée par une personne non autorisée, nous vous demandons de fournir les informations suivantes :

Personne à contacter : Samy Boutayeb

Adresse Email : samy_boutayeb@infonie.fr

Ces informations resteront strictement confidentielles.

Situation géographique du site (si nécessaire) :

Ville :

44% sur 5 ko

10 La page suivante doit vous permettre de donner des précisions sur la durée de vie du site. Comme votre page Web est appelée à durer plus de quelques semaines, vous pouvez ignorer cette question.

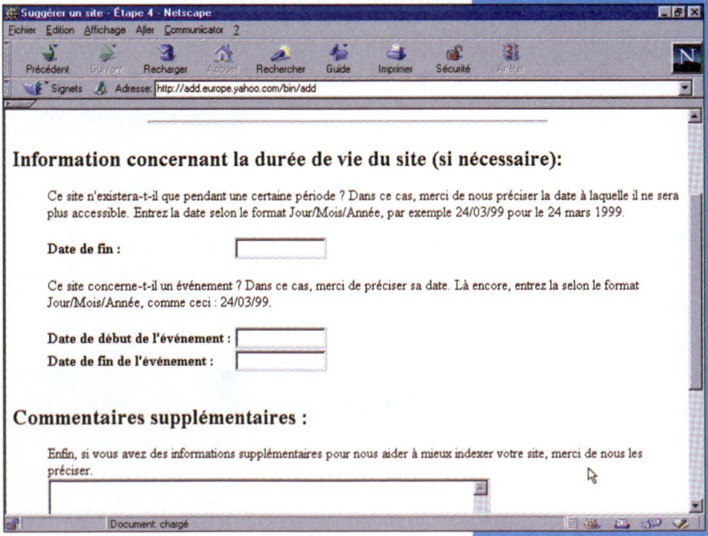

Suggérer un site - Étape 4 - Netscape

Fichier Edition Affichage Aller Communicator ?

Précédent Suivant Recharger Accueil Rechercher Guide Imprimer Sécurité Arrêter

Signets Adresse: http://add.europe.yahoo.com/bin/add

Information concernant la durée de vie du site (si nécessaire):

Ce site n'existera-t-il que pendant une certaine période ? Dans ce cas, merci de nous préciser la date à laquelle il ne sera plus accessible. Entrez la date selon le format Jour/Mois/Année, par exemple 24/03/99 pour le 24 mars 1999.

Date de fin :

Ce site concerne-t-il un événement ? Dans ce cas, merci de préciser sa date. Là encore, entrez la selon le format Jour/Mois/Année, comme ceci : 24/03/99.

Date de début de l'événement :

Date de fin de l'événement :

Commentaires supplémentaires :

Enfin, si vous avez des informations supplémentaires pour nous aider à mieux indexer votre site, merci de nous les préciser.

Document: chargé

Envoyer

11 Terminez en cliquant sur le bouton **Envoyer**. Le référencement dans l'annuaire est achevé.

Ce faisant, votre page Web est également référencée dans le moteur de recherche de Yahoo! France.

Vous trouverez ci-après d'autres annuaires auprès desquels il est utile que vous vous référenciez.

Annuaires de référencement	
Annuaires	**Adresse Internet**
A La Page	http://www.asaisir.com/referencement.shtml
NET-ADS Submission Station	http://www.net-ads.com/submit/
Référence Espace 2001	http://www.espace2001.com/reference/accueil.htm
Référencement gratuit	http://www.multimania.com/stoi/docs/refer.htm
Sam, le Référenceur	http://sam.acorus.fr/referenceur/form_gratuit.htm
SubmitNow.fr	http://www.wakatepe.com/submitnow/
Yahoo! France	http://www.yahoo.fr

Méta-référenceurs

Vous admettrez que ça n'est pas une mince affaire de référencer un site auprès des différents moteurs de recherche et annuaires. Dans ces conditions, il n'est pas surprenant que des sociétés sur Internet vous promettent de s'en charger à votre place. Nous verrons quelle est la procédure, à partir du méta-référenceur SubmitNow, qui réalise gratuitement pour vous le référencement de vos pages dans différents moteurs de recherche :

Adresse: http://www.wakatepe.com/submitnow/

1 Pour ce faire, connectez-vous à Internet et tapez l'adresse du site SubmitNow.

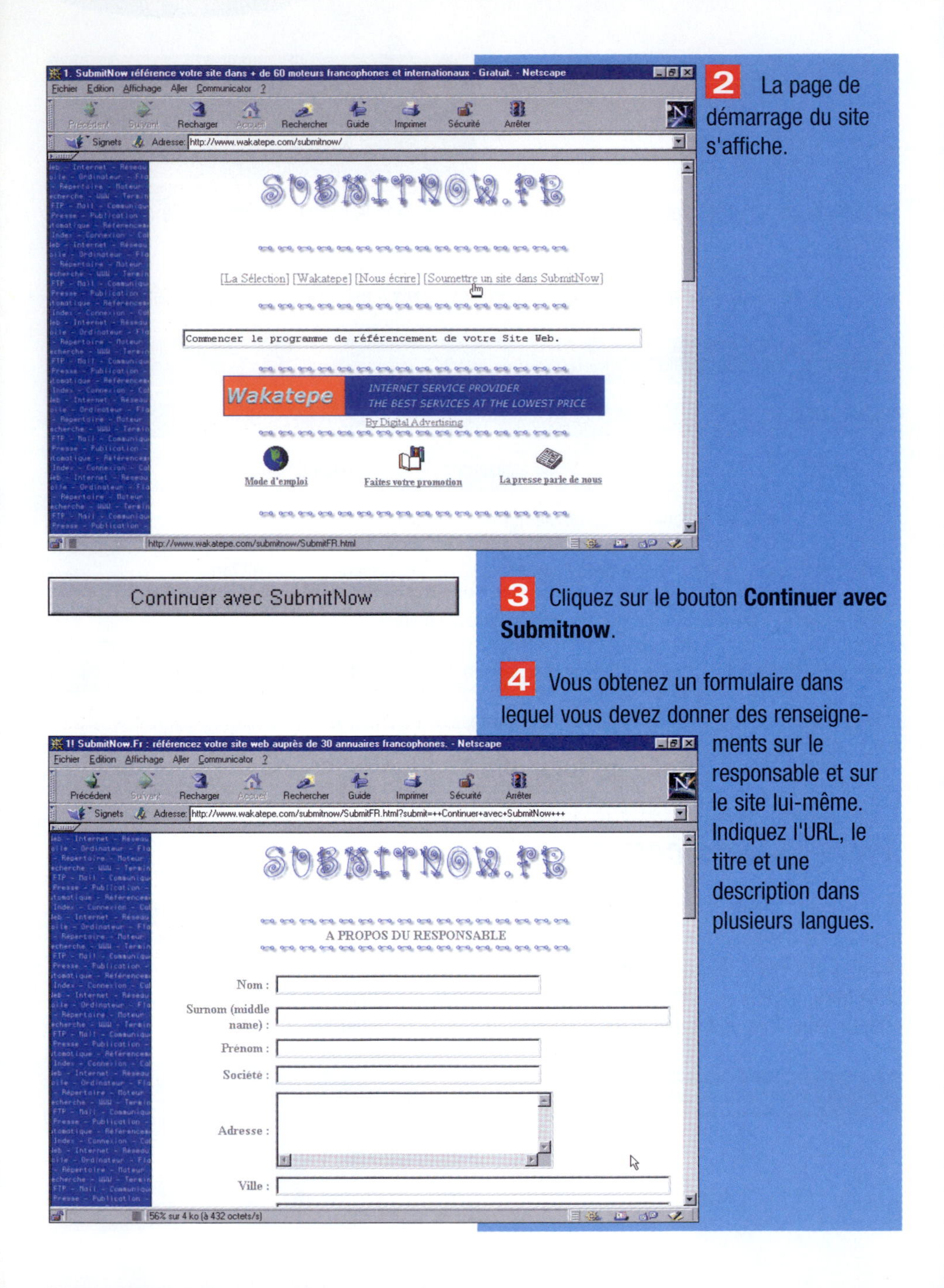

2 La page de démarrage du site s'affiche.

3 Cliquez sur le bouton **Continuer avec Submitnow**.

4 Vous obtenez un formulaire dans lequel vous devez donner des renseignements sur le responsable et sur le site lui-même. Indiquez l'URL, le titre et une description dans plusieurs langues.

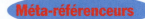

5 Lorsque vous avez rempli le formulaire, il ne vous reste plus qu'à l'envoyer. Votre site est prêt à être référencé dans une trentaine de moteurs de recherche.

INFO

La curiosité est un vilain défaut

Certains méta-référenceurs de sites ont la fâcheuse tendance d'être très curieux et vous posent des questions sans rapport direct avec le référencement. Hormis cela, les méta-référenceurs posent un autre problème.

Il existe de nombreux méta-référenceurs qui vous promettent de vous référencer auprès de X moteurs de recherche. Explorez les sites de ces méta-référenceurs gratuits et comparez leurs prestations.

Vous trouverez une liste d'adresses de sites proposant des services gratuits au chapitre "Compteurs et autres ressources". Mais avant de vous faire référencer auprès de différents méta-référenceurs, il convient de faire preuve de modération.

INFO

Attention piège !

Il ne fait pas de doute que les méta-référenceurs constituent une aide utile, mais il faut émettre une réserve : ces opérations peuvent donner lieu à des référencements multiples auprès du même moteur de recherche, si vous faites appel à plusieurs services du même type. Or, certains moteurs de recherche n'aiment pas les référencements multiples. Si vous êtes malchanceux, il peut même arriver qu'au bout du compte, votre site soit tout simplement ignoré. Il est donc recommandé de :

- **Ne faire appel qu'à un seul méta-référenceur, afin d'éviter les référencements multiples.**
- **De noter les moteurs de recherche auprès desquels ces méta-référenceurs vous ont inscrit.**
- **Référencez manuellement vos pages auprès des moteurs de recherche qui ne sont pas visés par le méta-référenceur. Notez également quels référencements vous avez déjà réalisés, afin d'éviter les doublons.**
- **De préférence, référencez vos pages Web manuellement auprès d'annuaires, car aucun méta-référenceur ne réussit vraiment à exploiter l'arborescence de ces annuaires.**

Trousse de dépannage

La création de pages Web ne va pas sans quelques problèmes. En voici un aperçu.

Le texte dans les pages Web

Le retrait donne des résultats étranges

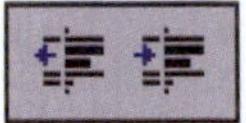

FrontPage Express vous permet de définir un retrait de paragraphe à l'aide des deux boutons **Augmenter** et **Diminuer le retrait**.

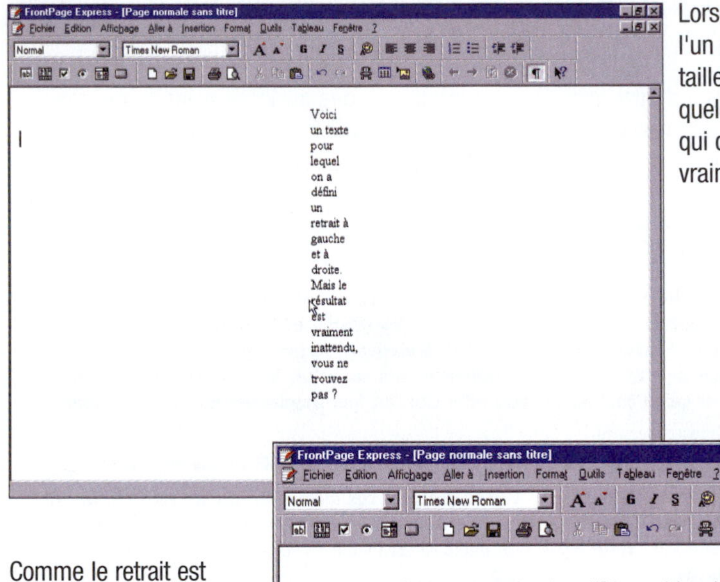

Lorsque vous cliquez sur l'un de ces boutons, la taille du retrait est quelque peu abusive, ce qui donne un résultat vraiment étrange.

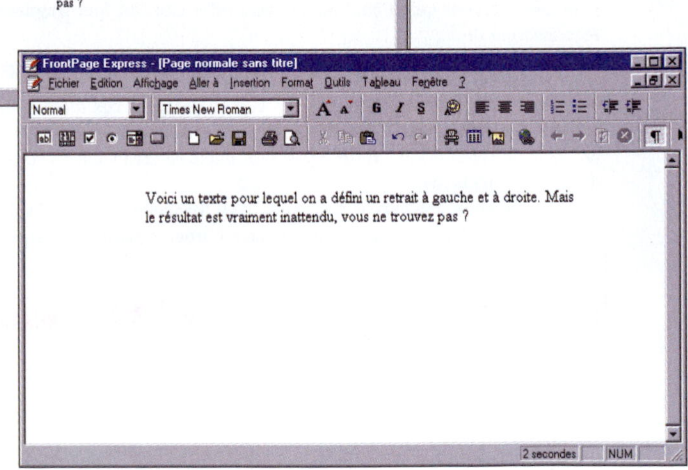

Comme le retrait est appliqué à gauche et à droite du paragraphe, le texte est resserré au milieu de la page. La seule façon de corriger cet effet disgracieux consiste à diminuer ce retrait.

Les listes comportent des lignes vides impossibles à supprimer

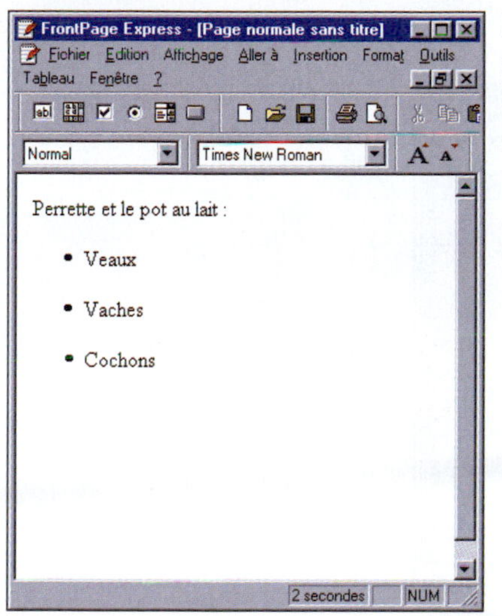

Lorsque vous créez une liste (une liste à puces ou une liste numérotée), il peut se produire qu'une ligne vierge, qui s'insère contre votre gré entre les différents points, refuse de se laisser supprimer.

Vous pouvez débloquer facilement la situation :

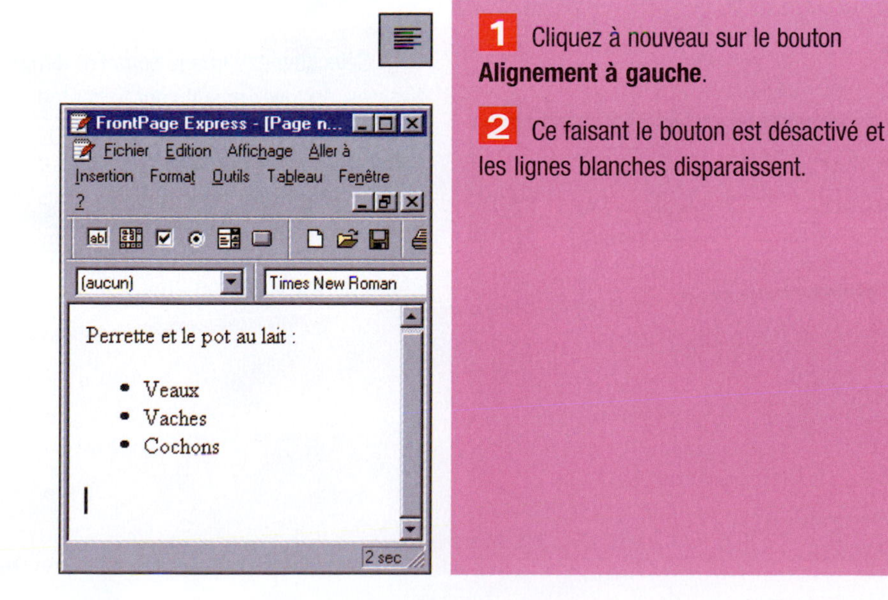

1 Cliquez à nouveau sur le bouton **Alignement à gauche**.

2 Ce faisant le bouton est désactivé et les lignes blanches disparaissent.

Les images

Images déformées

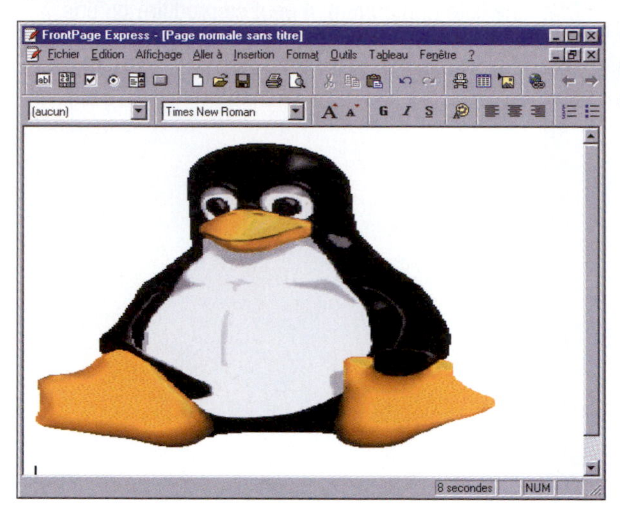

Il peut arriver qu'une image ait perdu les proportions qu'elle avait à l'origine.

Vous avez sans doute défini des propriétés d'image mal appropriées.

1 Sélectionnez l'image sous FrontPage Express. Appuyez ensuite sur le bouton droit de la souris et sélectionnez la commande **Propriétés de l'image**.

2 Sous l'onglet **Apparence**, désactivez ensuite la case à cocher *Spécifier la taille* et cliquez sur le bouton OK.

FrontPage Express - [Page normale sans titre]
Fichier Edition Affichage Aller à Insertion Format Outils Tableau Fenêtre ?
Normal
Times New Roman
8 secondes
NUM

3 L'image a retrouvé ses proportions originales.

Un lien image fait apparaître un cadre disgracieux

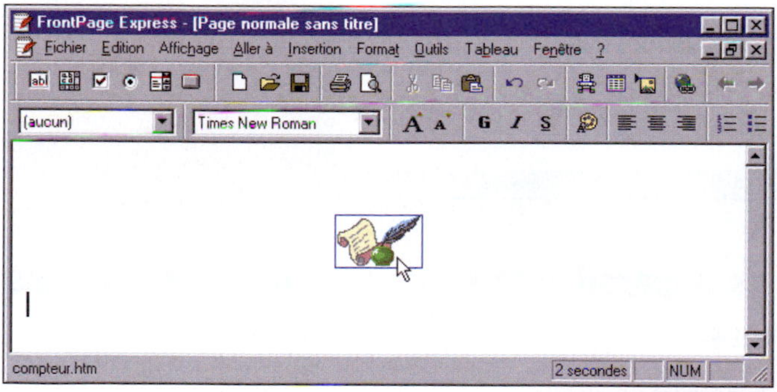
FrontPage Express - [Page normale sans titre]
Fichier Edition Affichage Aller à Insertion Format Outils Tableau Fenêtre ?
(aucun)
Times New Roman
compteur.htm
2 secondes
NUM

Si vous définissez un lien hypertexte dans une image, il peut arriver que l'image apparaisse ensuite avec un cadre bleu disgracieux.

1 Pour supprimer ce cadre, sélectionnez l'image et appuyez sur le bouton droit de la souris.

2 Sélectionnez ensuite la commande **Propriétés de l'image**.

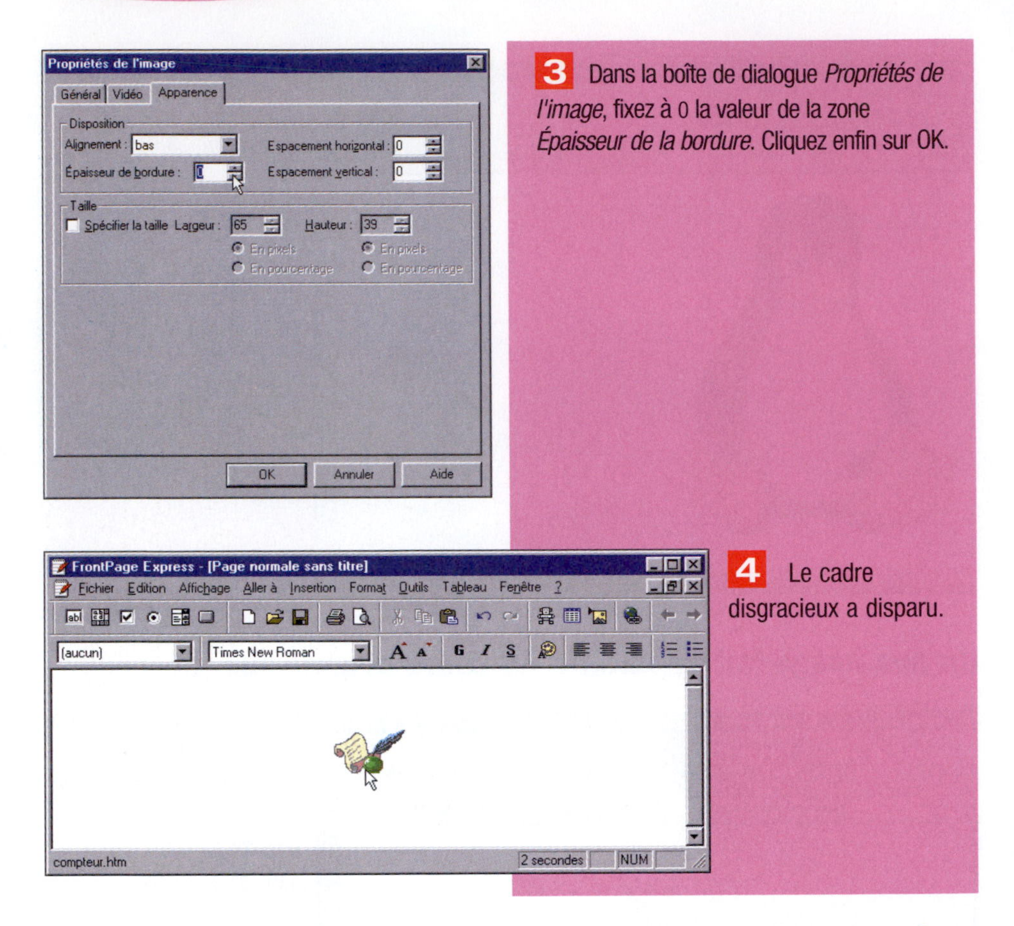

3 Dans la boîte de dialogue *Propriétés de l'image*, fixez à 0 la valeur de la zone *Épaisseur de la bordure*. Cliquez enfin sur OK.

4 Le cadre disgracieux a disparu.

Netscape ne fait pas apparaître la couleur d'arrière-plan dans la cellule d'un tableau

Vous avez créé un tableau pour lequel vous avez défini une couleur d'arrière-plan. Mais, sous Netscape, certaines cellules du tableau apparaissent sans cette couleur d'arrière-plan. L'explication en est simple : Netscape ne visualise une cellule de tableau (et par conséquent la couleur d'arrière-plan) que si elle contient du texte ou une image.

Sous FrontPage Express, placez le curseur dans la cellule du tableau qui pose problème et appuyez deux fois sur la **barre d'espace**. Ainsi, la cellule a un contenu invisible : la couleur d'arrière-plan s'affiche désormais sous Netscape.

Après la publication

Lorsque vos pages Web sont publiées, le problème le plus fréquent est qu'un lien hypertexte ne fonctionne pas ou qu'une image demeure introuvable. Procédez donc comme suit :

1 Assurez-vous que tous les noms de fichiers ont une longueur maximum de 8 caractères, qu'ils ne comportent pas de caractères accentués et qu'ils sont transcrits en minuscules.

2 Vérifiez que le lien hypertexte ou que l'insertion d'image porte bien le même nom.

3 Sous FrontPage Express, cliquez à l'aide du bouton droit de la souris sur le lien hypertexte défectueux et sélectionnez la commande **Propriétés du lien**.

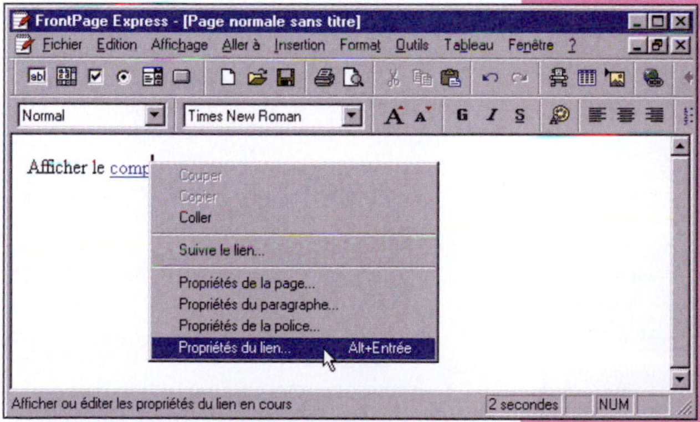

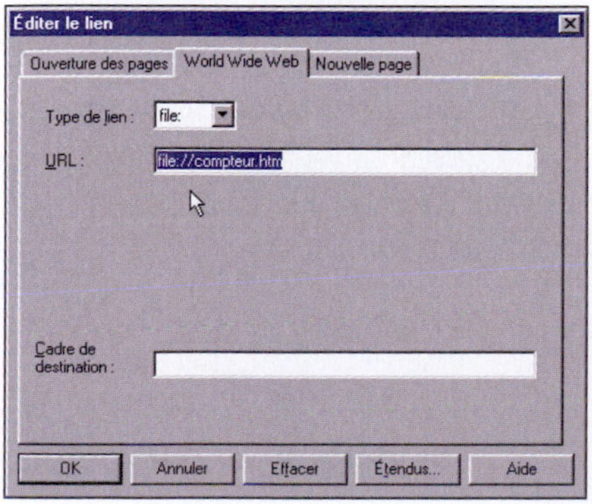

4 Vérifiez dans la boîte de dialogue **Éditer le lien** si la zone *URL* ne comporte que le nom du fichier demandé. Si vous y trouvez *file:* ou *C:file*, effacez cette indication.

5 Fermez la boîte de dialogue en cliquant sur OK.

6 Dans le cas d'une image qui n'apparaît pas, sélectionnez-la sous FrontPage Express et cliquez dessus avec le bouton droit de la souris.

7 Sélectionnez la commande **Propriétés de l'image**.

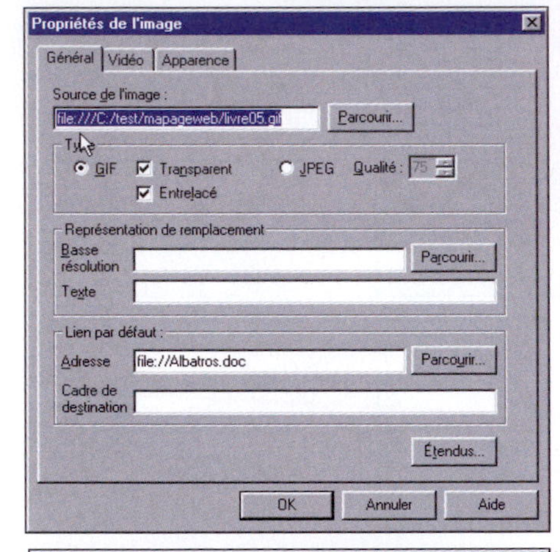

8 Vérifiez dans la boîte de dialogue **Propriétés de l'image** que son nom n'est pas non plus précédé de l'indication du chemin absolu `file:///C:`.

9 Effacez de même l'indication de chemin absolu et fermez la boîte de dialogue avec OK.

10 Transférez tous les fichiers mis à jour sur le serveur et vérifiez si les liens hypertextes et les images peuvent maintenant être trouvés.

Index

!

A

B

C

D

E

F

G

H

I

J

L

M

N

P

Index

R

S

T

U

V

W

Z

Compogravure, impression, brochage
Imprimerie CHIRAT – 42540 St-Just-la-Pendue
Dépôt légal mai 1999 – n° 7311